Clemente Palma

el modernismo en su versión
decadente y gótica

Clemente Palma

el modernismo en su versión decadente y gótica

por Gabriela Mora

IEP Instituto de Estudios Peruanos

Serie: Lengua y Sociedad 16

© IEP Ediciones / Gabriela Mora
Horacio Urteaga 694, Lima 11
Telf. 332-6194
Fax (5114) 332-6173
E-mail: iepedit@iep.org.pe

ISBN 9972-51-045-X
ISSN 1019-4495

Impreso en el Perú
Primera edición, setiembre del 2000
700 ejemplares

Hecho el depósito legal: 1501212000-3300

MORA, Gabriela
    Clemente Palma: el modernismo en su versión decadente y gótica.
—Lima: IEP, 2000— (Lengua y Sociedad, 16)

/PALMA, CLEMENTE / CUENTOS PERUANOS / SIGLOS XIX/XX /
LITERATURA / LIMA / PERÚ /
W/05.06.01/L/16

Todas las sensaciones íntimas, todas las fiebres,
los cuadros más caprichosos de la imaginación, y
todos los estados normales y anormales del alma [...]
lo intentan los decadentes

(CLEMENTE PALMA, *Excursión literaria*, 1895).

[Baudelaire fue] un poeta de inspiración
verdaderamente artística: comprendió que
en la maldad, que en todo aquello que repugna
á la vulgaridad, hay una belleza enterrada que
podrá ser aterradora, que podrá ser mórbida, pero
que al fin es una belleza capaz de producir
la emoción estética

(CLEMENTE PALMA, *Filosofía y arte*, 1897)

Impotence is the fundament of the Way to Calvary
trodden by masculine sexuality [...]
From this impotence emanates equally his
[Baudelaire] involvement in the angelic image
of women and his fetichism

(WALTER BENJAMIN, "Central Park")

CONTENIDO

CAPÍTULO III

CIENCIA, DROGAS Y ENFERMEDADES

CAPÍTULO IV

VAMPIRAS Y MUERTAS RESUCITADAS

CAPÍTULO V

EL DOBLE, EL CINE Y LA CIENCIA FICCIÓN

APÉNDICE

CUENTOS SELECCIONADOS DE CLEMENTE PALMA

PRESENTACIÓN

El libro de Gabriela Mora que en esta oportunidad publicamos, hace un estudio reflexivo y documentado acerca de la producción literaria de Clemente Palma, escritor activo entre los años finales del siglo XIX y las primeras décadas del XX. Clemente Palma, a diferencia de su famoso padre (Ricardo), ha sido un autor "no canónico"; es decir, que generalmente no ha sido considerado por la crítica literaria como una cala trascendente en la cultura peruana. Gabriela Mora, estudiosa chilena afincada en los Estados Unidos, sostiene, sin embargo, con convicción y con buenos argumentos, la crucial importancia de la obra de este escritor peruano dentro de la corriente del "modernismo" literario en América Latina.

El momento cronológico en que se enmarca este estudio, resulta, por otra parte, particularmente rico para la evolución histórica del Perú. Los años de transición entre los siglos XIX y el XX representaron nuestro ingreso a la modernidad: la ciudad de Lima se "metropolizó", en el sentido de que adquirió una comunicación más fluida con el mundo y con las corrientes intelectuales vanguardistas que campeaban en las grandes metrópolis europeas y norteamericanas; la economía vio surgir nuevas formas productivas, como las fábricas y los centros mineros capitalistas, y las relaciones sociales se convulsionaron con la aparición del proletariado urbano y rural, dando lugar a nuevos movimientos intelectuales que desafiaron las ideas imperantes en variados ámbitos de la vida social y política. Esa fue la coyuntura en la que Clemente Palma produjo sus ensayos sociales y sobre todo sus relatos de ficción. Sin detenerse en describir esos cambios económicos y sociales, pero sí tomando muy en cuenta sus efectos culturales, Gabriela Mora recrea con maestría y elegancia las relaciones recíprocas entre el ambiente intelectual local, las influencias provenientes del exterior y la obra personal de un escritor.

Los cuentos de Palma no se reeditan hace muchas décadas, de modo que hoy son virtualmente inhallables en las librerías, e incluso en muchas bibliotecas; por ello es que pedimos a Gabriela Mora incluir en este libro un anexo con algunos de los cuentos más mencionados a lo largo de su análisis.

El Instituto de Estudios Peruanos considera importante difundir trabajos de investigación como éste, volcados al estudio de los cambios culturales de la sociedad peruana. Esta es una línea que el Instituto ha querido mantener siempre presente (como puede comprobarse en nuestros títulos publicados), al lado de nuestras investigaciones en temas políticos, económicos y sociales. Los trabajos de crítica literaria tuvieron en el IEP a don Alberto Escobar como su principal promotor y, por supuesto, excelente cultor. Ahora que él ha fallecido, creemos que continuar con este tipo de publicaciones es la mejor manera de mantenerlo presente entre nosotros y rendir un homenaje a su valioso legado.

LOS EDITORES

Setiembre del 2000

PALABRAS PRELIMINARES

La narrativa de Clemente Palma es valiosa no sólo como muestra de calidad de la escritura modernista, sino también como importante testimonio de los cambios que va produciendo la entrada de la modernidad en Hispanoamérica. Las crisis y rupturas culturales generadas por el rápido avance de las ciencias, la industria y la tecnología a fines del siglo XIX y comienzos del XX, se sentía tanto en Lima como en París. La secuela de inquietudes causadas por la remoción de seguridades que se mantuvieron por siglos, inspira la literatura modernista, llena de contradicciones y ambigüedades, pero con idéntico afán de romper moldes ya caducos. La idea de la muerte o la desaparición de Dios, alentada por las nuevas corrientes filosóficas —Nietzsche sobre todo—, la expansión de nuevas clases sociales, so-cavadoras de antiguos sistemas económicos, los crecientes reclamos feministas que horadan el edificio patriarcal, provocan desasosiego, goce o temor que se van a representar en las letras.

Por esto ya no se debate que fue un error tildar al modernismo como corriente escapista que, enamorada de lo extranjero, se olvidaba de lo nacional. El enfoque crítico contemporáneo, que ve su escritura como una respuesta más a las diversas modalidades reactivas a la llamada modernidad, ha permitido aclarar y ampliar los parámetros, y redescubrir recursos temáticos y discursivos que los estudios coetáneos no supieron apreciar. Al rechazar el realismo y el romanticismo, el modernista no se alejaba de su realidad —cosa imposible por lo demás— sino que buscaba otras facetas y otros medios para escudriñar al ser humano.

Hombre muy sensible a los cambios señalados, Clemente Palma va a recoger algunas de las inquietudes de su época, sobre todo aquellas relacionadas con la ética y la moral tan resquebrajadas por los embates que golpeaban a la religión establecida. No es de extrañar entonces, que gran parte de sus relatos tengan que ver con nociones relacionadas con el Bien y el Mal, o con la sexualidad (asiento de la moral convencional), sobre todo la femenina.

Estas exploraciones le permitirán al escritor cuestionar prejuicios y develar problemas escasamente exhibidos en las letras de su tiempo, como la fuerza del sexo en la mujer, o la impotencia o deseo homoerótico masculino. Como buen modernista también, Palma sintió atracción y temor hacia la ciencia, de allí su visión ambivalente y/o paródica de ella en muchas de sus narraciones.

En *El cuento modernista* (1996), expuse algunas consideraciones sobre la vertiente decadentista del modernismo, que es la que a mi juicio prevalece en la escritura de Clemente Palma. Examiné allí la mayoría de los relatos incluidos en *Cuentos malévolos* del autor, para ilustrar características de esa vertiente. Sin embargo, el formato general del estudio no me permitió ahondar en ciertos aspectos de esa y otras obras, que merecían mayor examen.

Ahora retomo esos aspectos y amplío el análisis agregando narraciones de *Historietas malignas* y de la novela *XYZ*. No pude evitar la repetición de ciertos pasajes de *El cuento modernista* cuando se hacía necesaria para la claridad de la exposición, aunque procuré acentuar los aspectos no estudiados allí, como son por ejemplo los matices del gótico, o la importancia del uso reiterado del motivo del doble, no bien observados previamente. Un somero recuento del contenido de los diversos capítulos dará una más clara idea de lo que hallará el lector en las páginas que siguen.

Como el título del primer capítulo sugiere, esta sección procura obtener una semblanza de Clemente Palma a través de sus primeros ensayos. Desprovisto de detalles biográficos, el esbozo se fija en la formación del *escritor* como posible, parcial explicación de su narrativa, tan diferente a la de las letras realistas/costumbristas que en su tiempo prefería el Perú. Por esta razón se repasan sus tesis universitarias que son una fuente valiosa para entrar en el desarrollo literario y filosófico del autor. Escritas cuando Palma tenía entre 23 y 25 años, ellas demuestran un apoyo sostenido por el arte "moderno", y una entusiasta recepción de los principios y autores catalogados como decadentistas. Su discusión de obras de Baudelaire y Huysmans, entre otros, le llevan a valorar la importancia de la vida psíquica (de los "nervios" dice él), y a proponer lo visto como "anormal" y "feo" como asuntos idóneos para las letras. En el terreno filosófico sus escritos revelan una audacia inusitada para romper con la tradición escolástica tradicional, al despreciar las nociones de "esencia" y principios absolutos, para abrazar la relatividad de los conceptos. El peso de ciertas ideas de Nietzsche en algunos de los relatos, hizo necesaria una consideración de ellas en éste y el capítulo segundo.

Una breve introducción sobre algunos escritos que Palma publicó en *El Iris*, mostrando el buen conocimiento que los jóvenes peruanos tenían de la nueva literatura, inicia el capítulo segundo. Luego se abre el análisis de la narrativa a través de "Parábola", "El Quinto Evangelio" y "El hijo pródigo" porque ellos representan muy bien la idea central que encapsula el título *Cuentos malévolos*. El Mal, encarnado por el diablo en los tres relatos, se presenta como ingrediente insoslayable, inerradicable en la vida humana, puesto que él nos permite conocer el Bien. A la manera de románticos y decadentes que ven a Lucifer con rasgos positivos —energía, actividad, orgullo, rebeldía— este personaje es héroe de estos relatos pues vence a Jesús por su mayor conocimiento de los deseos y las pasiones del humano. Con el uso ideológico de conceptos nietzscheanos que atacan la pasividad y la mansedumbre, estos cuentos aparecen como abiertamente blasfemos para la ortodoxia religiosa, pero ricos para sopesar cuestiones que se debatían acaloradamente en la época como la función del egoísmo, de la caridad, de la moral laica *versus* la religiosa, que inquietaban al autor ya en sus tempranas tesis.

Al reunir en un solo apartado a otras narraciones en que también aparece el demonio, pude comprobar el cambio que con los años se va dando en la visión de Lucifer. Así, en "Ensueños mitológicos", Satanás que es responsable de poner en libertad a los "antiguos dioses" que vencerán al cristianismo, se arrepiente de su "error". Aunque en "El nigromante" ya se anuncie la desaparición del maligno, es "El hombre del cigarrillo", el que asestará el golpe final a la figura diabólica. El escepticismo y la ironía que ya habíamos notado en el autor en *El cuento modernista*, se radicaliza ahora que el autor ha pasado los cuarenta años de edad. No sólo Dios es objeto de burla, sino el mismo Lucifer ha perdido todo su poder. Este cuento es útil para calibrar los puntos en que cambia o se refuerza la ideología del escritor, entre ellos su actitud de libre pensador frente a la religión, o su temor a la velocidad de los descubrimientos científicos.

El mal en el mundo secular se ilustra a través del análisis de "Dmitri era un excelente amigo", en que la crueldad gratuita se une a la violencia para producir el efecto del horror, poco estudiado por los especialistas del modernismo. El mal con una íntima conexión con la llamada "guerra de los sexos" por otro lado, une el repaso de "Tengo una gata blanca", "Idealismos" y "Los ojos de Lina". El análisis de los dos últimos permite entrever el miedo que van sembrando los descubrimientos de la medicina y de la psicología sobre la fuerza de la sexualidad femenina. La sugerencia de una posible impotencia sexual en los personajes masculinos, que encierra el subtexto de ambos relatos, es una manera subversiva de representar una preocupación que estaba en el aire de la época, como muestran las reflexiones de Walter Benjamin a propósito de Baudelaire en uno de los epígrafes. La subversión se hace audacia en "Una historia vulgar" en que explícitamente se representa a una joven "decente" aficionada a la pedofilia.

El capítulo tercero examina el uso que hace Palma de la medicina y de las drogas para conseguir el efecto del horror ya mencionado. "En el carretón" este efecto proviene del contacto con la muerte y la enfermedad que narra un joven estudiante de medicina. En "Un paseo extraño" las alimañas y suciedad que encuentra el protagonista en su viaje por las alcantarillas de la ciudad, agregan el asco al horror. Lo mismo sucede en "Leyendas de hachischs" a través de los estragos causados por la sífilis. Para estos dos relatos se consideran sus relaciones intertextuales con obras de Huysmans, que según sus tesis universitarias, Palma admiró y conoció muy bien. El estudio conjunto de "Leyendas de hachischs" y "El príncipe alacrán", que cuenta una cópula bestial, me permitió ahondar en una lectura que ve la posibilidad de que estos cuentos presenten, de forma velada, una inclinación homosexual en sus narradores/personajes, que se agregaría al temor a la sexualidad femenina que también se sugiere aquí y en otros relatos. Una temprana inclinación por la ciencia/ficción, unida al escepticismo *vis à vis* la ciencia en el autor, parecen haber generado el matiz paródico que marca "La última rubia" y "El día trágico". Como para dar un mentís a los que creen que estas obras carecen de relación con el referente histórico, la primera narración es un claro ataque al racismo, y la segunda una burla al estereotipo de norteamericano ultra nacionalista y prepotente.

Una breve discusión sobre el gótico inicia el capítulo cuarto; ésta es necesaria para examinar "La granja blanca", "Vampiras" y "Mors ex vita". En estos relatos se señalan rasgos de esa modalidad, y se acentúa la fuerte carga erótica en la representación de los acontecimientos de sus historias, característica de esa forma escritural. La indudable fuerza de la sexualidad femenina, que le otorga notas vampíricas a la mujer, da razón a la crítica actual, que ve el empleo de diablos, muertas resucitadas, brujas y vampiros, como medios para hablar del sexo en una época en que todavía era tabú para las letras. Al contrario de la mezcla de erotismo y misticismo que se da en escritores de fin de siglo (como Valle Inclán por ejemplo), las historias de Palma acentúan la fisicalidad de las relaciones amorosas, aún en el caso de uniones con las muertas. El capítulo rastrea ciertas líneas intertextuales con Poe, Mendès o Rachilde, que entre otros usaron motivos semejantes, para acentuar la osadía de Palma. Esta osadía llega a un ápice en "Mors ex vita" en que la muerta resucitada no sólo goza del sexo sino que concibe un hijo mucho después de su fallecimiento.

Las obras que se estudian en el capítulo quinto fueron escritas por Palma cuando ya bordeaba la vejez: "Aventura del hombre que no nació" publicada a los 53 años y la novela *XYZ* a los 62. Unidas por el uso del motivo del doble, que es reiterado en las narraciones del autor, el análisis comienza con algunas consideraciones de los especialistas, entre ellos Rank y Freud, sobre los posibles significados del empleo de este recurso en la literatura. El primer cuento se lee como representativo de aquellos en que el doble es manifestación de un deseo no realizado del personaje (*wish-fulfillment*). Este relato sirve para recordar que el problema de la identidad —que es el que aflige a su narrador— es prominente en muchas de las obras ya analizadas, y central en *XYZ*. El uso del doble sirvió también a Palma para reiterar ciertas preocupaciones ontológicas sobre la naturaleza de la realidad, que se había asomado en otros relatos como "La granja blanca". Este uso y preocupación son centrales en la elaboración de *XYZ*, una de las primeras novelas que utiliza el cine como inspiración temática y discursiva. Como la obra emplea recursos de la llamada ciencia ficción, se discuten algunos puntos teóricos de esta modalidad y las modificaciones que introduce en ella Palma.

La novela se coteja luego con *La Eva futura* de Villiers de L'Isle Adam, que el mismo Palma menciona como antecedente de la suya, y con *Brave New World* y *The Island of Doctor Moreau* por haber sido nombradas como posibles "influencias". El cine, me llevó también a comparar la obra de Palma con algunos relatos de Horacio Quiroga, pionero en el uso de este arte. Allí se recalca que, a diferencia de las fantasmáticas estrellas hollywoodenses del escritor uruguayo, o las de la creación posterior de Bioy Casares, Palma utiliza actrices y actores muy populares en el momento de la publicación, adelantándose con esto a usos escasamente conocidos entonces. Leída desde hoy (1998), *XYZ* aparece como una insólita predicción sobre algunas de las disquisiciones despertadas por la posibilidad de reproducir seres humanos (*cloning*). Las zozobras que, entre otras cuestiones, origina la abolición de la diferencia —asiento de la identidad— se representa en algunos cuentos y extensamente en la novela. Aunque no se escapan del análisis las notas paródicas y de humor en *XYZ*, la preocupación por la identidad que subyace en el empleo del doble, me llevó a postular ciertas hipótesis para explicar la recurrencia de este motivo en Palma, en la última sección del capítulo. Estas explicaciones, apoyadas en teorías psicológicas aplicadas a la literatura, bordean asuntos biográficos, por lo que acentúo su carácter tentativo. El problema de la identidad amenazada que expresa el motivo del doble en tantas narraciones, se relaciona con el hecho histórico de que el escritor tuvo un padre famoso. A su vez, el frecuente número de mujeres muertas y de personajes que pueden caracterizarse como sádicos o masoquistas en las historias, se vincula a la posibilidad de aflicciones psicosexuales en ellos, que puede o no tener relación con rasgos del autor. De manera similar a las precauciones en que insistí en el capítulo primero sobre el resbaladizo terreno de lo biográfico, estas páginas se fijan exclusivamente en la escritura de Palma y no en detalles de su vida. El capítulo se cierra con una brevísima consideración de tipo general.

Como mi interés por la obra de Clemente Palma se despertó, no sólo por el cultivo de asuntos subversivos para su tiempo, sino que también por sus notables innovaciones discursivas, me ocupo en señalar éstas durante el análisis sobre todo cuando muy apreciadas hoy, algunas se adelantaron a su época. Por ejemplo, la ambigua combinación de modalidades serias y paródicas, la elevada calidad autorreflexiva de los personajes, que les permite ser finos auscultadores de sus problemas o la explícita exhibición de redes intertextuales y metacomentarios que muestran una firme conciencia autorial sobre la construcción de la ficción, sin alejarse de básicas preocupaciones humanas.

Si este trabajo contribuye a la reedición cuidadosa de la narrativa de Clemente Palma, y a impulsar más estudios sobre ella, su meta principal habrá sido realizada.

CAPÍTULO I

HACIA UNA SEMBLANZA DEL AUTOR EN SUS PRIMEROS ENSAYOS

DEL DESCONOCIMIENTO DE LA OBRA DE CLEMENTE PALMA

En 1910, Ventura García Calderón, fino crítico y narrador peruano, al hablar de los "nuevos" sostiene que Clemente Palma y José Santos Chocano representan la "única literatura fuerte de los quince últimos años" (p. 428). Clemente tiene entonces treinta y ocho años, y fuera de sus numerosas crónicas periodísticas, se le conoce por sus *Cuentos malévolos* (1904). En 1992, Ricardo González Vigil en *El cuento peruano hasta 1919*, dedica una página para mostrar que Palma ha sido sobrestimado por la crítica pues "ha despertado elogios por encima de sus méritos reales" (p. 637). Contraria a esta opinión, considero que Clemente Palma es uno de los más importantes narradores de las primeras décadas del siglo XX, y que su obra ha sido ignorada o apenas aludida en breves referencias que repiten los mismos juicios muy generales.

Así por ejemplo, en la *Antología general de la prosa en el Perú* (1986), dirigida por Alberto Escobar, no aparece Clemente Palma entre los autores que fomentaron "el cambio de escritura" de finales del siglo XIX. La tercera edición del *Diccionario de literatura española* dirigida por Germán Bleiberg y Julián Marías (1964), no trae el nombre de Clemente, aunque hace un extenso recuento sobre Ricardo Palma, y uno más breve sobre Angélica Palma, respectivamente padre y hermana de Clemente (pp. 589-590).[1] Esta omisión es extraña porque ya en 1953, Augusto Tamayo Vargas en su conocida *Literatura peruana* le había dedicado elogiosas líneas como principal representante del modernismo peruano ("arrancó de la narración el característico costumbrismo peruano para darle un dejo universalista", p. 256), y Max Henríquez Ureña en su *Breve historia del modernismo* (1954) había calificado de "admirables" sus *Cuentos malévolos* (p. 351).

Antes de 1988, cuando aparece *Breaking Traditions: The Fiction of Clemente Palma* de Nancy M. Kason, el único libro dedicado al autor, sólo Earl M. Aldrich en 1966, había acentuado los rasgos decadentistas de los relatos del escritor peruano, y su importancia en el desarrollo del cuento moderno en el Perú. Fuera de estos estudios en inglés, en general se hallan breves notas en español en antologías o historias de la literatura, en que se lo coloca como "iniciador de la literatura fantástica en el Perú (Núñez, p. 72), o máximo exponente del modernismo peruano (Belevan, p. 4). Una de las últimas alusiones al escritor, repite lo de iniciador del cuento fantástico peruano, y sus relaciones —que no se prueban— con la obra de "Poe, Hoffmann, Maupassant y los maestros rusos del siglo XIX" (Juana Martínez Gómez, p. 146).[2]

La poca atención que ha recibido la obra de este autor, despierta curiosidad por sus posibles causas. Una hipótesis basada en las escasas menciones a ella, puede encontrarse en el empeño de la crítica tradicional por buscar "influencias" y deducir que esa obra era poco "original". Si esta fuera la causa, para ser justos, habría que descuidar todo el modernismo (¿toda la literatura?), empezando por el mismo Darío. Otra hipotética razón podría hallarse en los asuntos que Palma elabora en sus narraciones, que si pudieron ser chocantes para sus contemporáneos, no justificaría la indiferencia actual que parece seguir juicios ya caducados, más por indolencia que por una lectura cuidadosa. Una tercera explicación, sobre todo para la crítica del Perú,

---

1. Angélica (1883-1935), según este *Diccionario* "empezó por imitar a Fernán Caballero después siguió a Galdós y no tuvo contactos con el modernismo" (p. 351).

2. En "La granja blanca" de Clemente Palma: "Relaciones con el decadentismo y Edgar Alan Poe" hago un cotejo entre ese cuento y "Morella" y "Ligeia" de Poe, precisamente para destacar las diferencias (*Casa de las Américas* 205, oct.-dic., 1996: pp. 62-69).

pudiera hallarse en algunas apreciaciones discutibles del autor sobre tópicos siempre vivos en su país, como la cuestión de las razas (que veremos), o la opinión negativa de Palma sobre César Vallejo, que "nunca le perdonaron" (Kason, p. 27). Las muy activas funciones de Clemente como periodista y político apuntan a la imagen pública que el escritor dejó en su país, y constituyen otra posible explicación de la indiferencia hacia su obra, si esa imagen contravenía corrientes de pensamiento populares en su época.[3]

La curiosidad que despierta la falta de interés por estudiar la obra de Clemente Palma, se redobla cuando, después de leer sus narraciones, el lector desea conocer algo del hombre que creó a blasfemos, asesinos, drogadictos, necrofílicos, en fin una retahíla de crueles egoístas que de seguro habrán herido la susceptibilidad de sus coetáneos. Si el autor quiso "aturdir al burgués", como piensa Mario Castro Arenas en *La novela peruana y la evolución social*, no basta como explicación. Como él mismo sugiere, es necesario tener en cuenta "el aire literario de la época" (p. 128). A diferencia de este estudioso, sin embargo, la prudencia aconseja cautela cuando se intenta dibujar una semblanza del escritor, apoyada en testimonios de los que lo conocieron. Castro Arenas, al contrario, no vacila en hacer afirmaciones al respecto: Clemente Palma mostraba una "innata disposición para el misterio [...] era un hombre de aire ausente, permanentemente ensimismado, lacónico, y cuando dejaba de serlo, impiadoso y agresivo" (p. 128). ¿Cuánto de este juicio proviene de la creación literaria del autor? La llamada disposición para el misterio, parece deducida de su cultivo del género fantástico, lo mismo que la caracterización de impiadoso, conveniente a varios personajes de los *Cuentos malévolos* y las *Historietas malignas*. Las afirmaciones de Castro Arenas se vuelven dudosas al sostener que las tesis que Palma publicara en 1897, "prueban" que el escritor era inclinado a lo esotérico y a la ciencia, pero a "una ciencia mágica" (p. 128), con lo que se insinúa una creencia del autor en tales

---

3.   Por ejemplo, la adhesión del escritor a Leguía en su segundo período presidencial, cuando se oponían a él figuras como Raúl Haya de la Torre y José Carlos Mariátegui. Jorge Basadre lo llama "leguiísta convicto y confeso", pero "liberal en cuestiones religiosas" cuando Palma era diputado en los años veinte (*La vida y la historia*, p. 189).

doctrinas. La lectura detenida de esas tesis, ciertamente indica el interés de Palma por la literatura que elabora esos asuntos, pero también su condena a los ignorantes que creen en ellas. Atribuir al hombre rasgos adscritos a personajes de ficción lleva a la falaz confusión entre la vida y la obra creada. La inclinación al esoterismo estaba "en el aire literario" y es una de las corrientes más caracterizadoras del modernismo contra la "modernidad" que entronizaba la ciencia y alejaba a Dios y al misterio.[4]

La vacilación que me produjo la caracterización de Palma hecha por Castro Arenas, la alimentó otra semblanza del autor, hecha esta vez por Ventura García Calderón en el prólogo a la segunda edición de *Cuentos malévolos* (1913). Allí, fuera del laconismo, la figura evocada es muy diferente a la del primer crítico. Sabiamente el prologuista, para diferenciar vida y obra, imagina a un amigo con el cual viaja por un "raro" país. Ese amigo rechaza la escritura romántica y admira la de los prerrafaelitas y la de los llamados decadentes, tal como sucede con Palma. A través de evocaciones de paisajes y figuras celebradas por éste en sus ensayos críticos, o creadas en sus propias narraciones, se recuerda a Poe, Baudelaire, Villiers de L'Isle Adam, Dante Gabriel Rosetti, entre otros, que se codean con algunos de los personajes de los mundos inventados por el escritor.[5]

En un salto del país raro a la realidad de una biblioteca de Lima, el prologuista evoca a Palma como padre afectuoso, cariñoso con sus hijos, parecido a "un don Quijote evangélico, que es bueno, bueno, tierno, a pesar de la fosca figura en agraz", que poco o nada tiene que ver con el "diablo", el "asesino de viejas", el "bebedor de hachisch", el

---

4. Los estudios caracterizadores del modernismo hispanoamericano dentro del fenómeno de la modernidad en general son hoy numerosísimos. Algunos de los "clásicos" sobre el tema se dan en la bibliografía de mi libro *El cuento modernista* (1996).

5. El amigo rehusa detenerse ante la evocación de Renán, autor exaltado por Palma en sus tesis juveniles de 1897, lo que revela un cambio entre esa fecha y 1912, cuando se escribió el prólogo. Palma tiene entonces cuarenta años; se había casado en 1902, y tiene dos hijas y un hijo (Kason, p. 18). La admiración del peruano por Renán, además de sus alusiones al francés se evidencia en el relato "Ensueños mitológicos" de 1905, con un epígrafe tomado de "Plegaria en la Acrópolis" de Renán.

"malvado y el cínico" que habitan los *Cuentos malévolos* (p. XIV). Al fin
el prologuista afirma que el guía del país raro y el señor Palma se
parecen como hermanos, de lo que deduce que los hombres "pueden
desdoblarse y simultáneamente vivir en dos países". La ambigüedad
de este final sugiere por un lado la complejidad del ser humano, por lo
que es riesgoso pretender un conocimiento cabal de una persona, y
por otro, como parte de esa complejidad, que la personalidad puede
tener aspectos diferentes y opuestos.

Más seguro asidero para un posible retrato, probablemente es
confiar en la palabra misma del escritor. En una rara autorreflexión,
insertada en el relato "Las mariposas", agregado a la segunda edición
de *Cuentos malévolos* de 1913, Palma, que dedica este cuento a su hija
Edith, caracteriza sus narraciones y se autocaracteriza:

> He escrito cuentos, pero han sido cuentos para niños grandes, cuen-
> tos amargos que si tú los comprendieras sentirías tu pequeña almita
> desolada y triste al aspirar el vaho deletéreo que desprenden esas flo-
> raciones de mi *escepticismo* desconcertante y de mi bonachona *ironía*.
> [...] Esos cuentos inspirados en los bajos fondos del espíritu humano
> son los únicos que sé hacer, cuentos de pasiones complicadas y anor-
> males, cuentos de fantasía descarriada, de ironía amarga y resignada
> (pp. 267-268, énfasis mío).

Las palabras que subrayé me parecen representativas de la visión
y tono más generalizado que se halla en las narraciones de Palma, y
quizás como él mismo reconoce, puedan considerarse como atributos
de su carácter. Como no todo es simple con este autor, hay que fijarse
en el adjetivo "bonachona" que agrega a su ironía, cualidad que lo
acercaría al padre afectuoso que recuerda García Calderón. En esta
cuestión, consciente del riesgo, creo que lo más seguro es atenerse a
los textos que Palma escribió y dejar que el lector concretice la imagen
del autor implícito que ellos van dibujando, aunque la tentación para
especular al respecto sea imposible de reprimir a veces.[6]

---

6. Especular por ejemplo, que la obra que Clemente quiso elaborar, fuera de su admi-
    ración por la literatura decadentista que pudo haberlo inspirado, fue empujada
    por un deseo de separarse lo más posible de la escritura de su padre, en impulso
    psicológico más allá del rechazo modernista a la literatura precedente.

Al contrario de los juicios que insisten en acentuar la modalidad de lo fantástico en Clemente Palma, me propongo leer sus textos literarios como representativos del modernismo en las vertientes decadentista y gótica. El examen de algunos de sus estudios críticos, muestra que Palma apoyó desde muy temprano el modernismo, y fue admirador de famosos decadentes. En la sección que sigue examinaré, en el orden cronológico de su publicación, ciertos ensayos, prácticamente desconocidos, en que expone sus ideas estéticas o filosóficas. Me detendré en especial en aquellos que tienen que ver con la literatura decadentista y algunas ideas de Nietzsche, muy pertinentes a su narrativa. La excepción será la tesis sobre *El porvenir de las razas en el Perú*, que no versa sobre literatura, pero ayuda a comprender mejor el contexto histórico en el que se formó el escritor. El recuento que di en otro trabajo (Mora, 1996), y la revisión que hace Palma de los principales rasgos del decadentismo hace innecesaria una caracterización separada de ese movimiento.

El primer libro[7]

¿Qué se puede pensar de un joven de veintitrés años que se atreve a sacar públicamente su admiración o desagrado por autores y obras populares en su tiempo? Por supuesto, que es arrogancia juvenil, pero también que esa audacia tiene que venir apadrinada por alguien con poder.[8] Ese joven es Clemente Palma, hijo del famoso don Ricardo, y el libro se llama *Excursión literaria* (1895). Desde la apertura de la obra se deja oír el tono pugnante de alguien consciente de que va contra la corriente, posición típica del que se quiere "moderno" en esos años:

Nada me importa que, al escribir esta serie de artículos sobre la literatura contemporánea, no haya preconcebido plan, ni doctrina á

---

7.   Decimos libros porque hay cientos de artículos y ensayos en periódicos y revistas que están por recoger y estudiar, y de los cuales nos referiremos sólo a un par.

8.   Es la hipótesis de González Vigil, quien piensa que los elogios que recibió Palma quizás se deban a que era hijo de don Ricardo (p. 637).

que sugetar el fárrago de conceptos y frases que van á escaparse por entre los puntos de mi pluma. ¿De qué ocuparé? ¿Dónde me detendré? Hé aquí dos puntos que aún no he dilucidado. (p. 3, ortografía del original).

Pese a la desfachatez juvenil de este comienzo (autorreflexivamente llamada "desparpajo y frescura" más tarde, p. 15), los juicios que siguen revelan atenta lectura de los más conocidos escritores de la época, y sobre todo desde el mismo inicio, una firme inclinación por el nuevo arte. En el segundo párrafo del escrito se lee: "No sé por qué me repugna meterme en los tiempos que fueron: siento profunda simpatía por mi siglo. Siempre he creído que, en materia literaria, no se debe retroceder"(p. 4). El retroceso mentado se encarna, entre otros, en don Marcelino Menéndez y Pelayo, calificado como el más distinguido de los "críticos de viejo" (p. 4). Aunque en páginas posteriores se exalte al español como superior a Sainte Beuve y Nordau en la crítica, Palma califica la *Antología de poetas hispanoamericanos* del español como trabajo "en extremo deficiente" (p. 46). Del ataque a lo viejo no se libra el propio don Ricardo, a quien su hijo refuta un juicio apropiado por Menéndez Pelayo.[9]

No es Menéndez Pelayo la única figura consagrada que Palma ataca en su escrito. En su gusto por el arte espontáneo y libre, le parece que el de Galdós, hijo "del convencionalismo de escuela" es "arte hecho señor y encerrado en la levita de un conde ó de burgués rico" (p. 7). A don Juan Valera, a quien llama "el primer estilista español contemporáneo" le critica su falta de "sinceridad y de franqueza" para terminar calificándolo de "linda viborilla que muerde agudamente con

---

9. El juicio se refiere a la independencia de América como prematura, que don Marcelino habría sacado de una obra de Ricardo Palma. Clemente refuta a ambos diciendo que "la libertad en el Perú no surgió de improviso... vino cuando debió". El período de motines que siguió tendría como causa no la inmadurez de los americanos, sino "la mala educación política que recibió el Perú, durante el coloniaje, y las influencias de la raza" (p. 45). Esta observación se relaciona con ideas expuestas en su tesis *El porvenir de las razas en el Perú*, tratada luego.

dientes romos" (p. 54).[10] Pero no es la mirada a los viejos lo que interesa al novel autor, sino a los "nuevos" que admira, cuya mayoría pertenece a la vertiente del modernismo llamada decadentismo.

La muy temprana inclinación de Clemente Palma por el arte moderno, la había anunciado su padre, don Ricardo con anterioridad. En carta a Rubén Darío (mayo de 1894), le recomienda a su hijo diciéndole "el muchacho es *modernista*, y por consiguiente entusiasta amigo de usted" (Carter, p. 282). La lectura de Darío de parte del joven Palma, debió ser muy cuidadosa pues reconoce los cambios con que evolucionaba la escritura del nicaragüense. Así por ejemplo señala que entre el Darío de 1883 y el de 1894, "hay un abismo de progreso, de luz", y junto con Casal —catalogado como decadente por la crítica— se los tilda de "jefes de la juventud moderna" (p. 85).

El entusiasmo por la línea decadentista del modernismo, se muestra ya en el segundo acápite dedicado "a los decadentes",[11] después de la primera, breve sección. Conocedor de las diatribas de Max Nordau y de Pompeyo Gener contra los llamados decadentes, Palma repasa las variadas y contradictorias caracterizaciones que ha recibido esa corriente, y concluye que sus representantes son muchos y diferentes ("no hay dos iguales", p. 8), pero que sí han llevado a cabo una "revolución" en la literatura.[12] Advirtiendo que se llama decadentes también a los modernistas, Palma pasa a celebrar los rasgos que a su juicio contribuyeron a esa revolución. La libertad, tan proclamada por nuestros modernistas, es el motor esencial que empuja la nueva escritura. Esta libertad abarca los aspectos formales tanto como los asuntos a elaborar. La palabra del escritor, dice con mucha claridad lo que considera digno de la atención del creador, materia que se identifica con la que persigue el decadentismo en general:

---

10. Quizás Palma se arrepintió de este juicio juvenil porque le dedicó su cuento "El quinto mandamiento" de *Cuentos malévolos* (1904) a don Juan Valera, y "Leyendas de hachischs" a Benito Pérez Galdós.

11. La conocida obra de Nordau es *Degeneración* (1892). Influido por este libro, Pompeyo Gener publicó *Literaturas malsanas* en 1894.

12. Nancy Kason se equivoca al sostener que Palma condena el decadentismo en *Excursión literaria* (p. 57). La caracterización negativa que le atribuye a Palma son palabras de Nordau y Pompeyo Gener que él cuestiona.

Es también la libertad en orden al fondo. Todas las *sensaciones íntimas*, todas las fiebres, los cuadros más caprichosos de la imaginación, y todos los estados normales y *anormales* del alma que, por falta de palabras, de sonidos ó de formas que en el convencionalismo antiguo [...] no se podían expresar, lo intentan los decadentes (p. 9, énfasis mío).

Mi subrayado tiene por objeto recordar la predilección decadentista por la creación de psicologías consideradas "anormales" por la moral convencional de la época, predilección que comparte Palma.

Otro rasgo señalado por el autor es el carácter individualista de la obra, dado que la sensación —pilar en que se apoya la escritura— es "eminentemente subjetiva y depende del temperamento y disposición nerviosa de cada individuo" (p. 9). La mención a la disposición nerviosa trae a la mente la frecuencia con que los decadentes representan a individuos neuróticos, y la relación que se hizo en la época entre arte y enfermedad.[13] Muchos de los personajes de las narraciones de Palma son seres neuróticos que buscan sensaciones fuertes para agitar sus nervios y "sentir" al máximo. La receptividad del joven Palma a este asunto la resume una frase del libro que repasamos, en que a propósito de una obra de Zola afirma que "la neurosis es la enfermedad más artística que existe, puesto que ella origina los fenómenos más complejos" (p. 27), juicio representativo del pensamiento decadentista.

Según Palma, el individualismo, la diversidad y la cantidad de decadentes, da lugar a la formación de diferentes grupos, muchos de los cuales menciona. Entre ellos, interesan por su afinidad con la obra del escritor peruano, los que llama "demoníacos, macábricos y blasfemos". De los demoníacos y blasfemos, recuerda cómo han hecho una figura positiva del diablo, tal como hará él mismo posteriormente en sus cuentos "El quinto Evangelio", "El hijo pródigo" y "Parábola", que estudiamos en un capítulo por venir. Sobre los que llama cantábricos, aunque no nombra a ninguno, puede inferirse que "la misteriosa voluptuosidad ante la idea de la muerte" y "la pro-

---

13. Son conocidos los tratados en que se relacionaba el genio y la locura (Joseph Moreau de Tours, Nordau, Lombroso), y muchos pensaban que la neurosis era propia de personas de gran sensibilidad.

funda simpatía" por los cuervos (p. 13), puede esconder la sombra de Poe, admirado por Palma toda su vida (Kason, p. 20).

Excursión literaria dedica varias páginas a Zola, cuya obra, por los detalles discutidos, Palma parece conocer muy bien (p. 28). No hay duda de que él admira al jefe del naturalismo; no obstante, se atreve a criticarlo por su empeño de imponer la ciencia en el arte literario. Acercándose a la posición de Huysmans para romper con su maestro Zola, el joven Palma declara: "En mi concepto, Zola no ha debido apoyar los principios del naturalismo (perdón por mi petulancia) en la verdad científica. La verdad científica no produce arte" (p. 26). Importa detenerse en este juicio porque él transparenta el rechazo de los modernistas y decadentes a la ciencia, parte integrante y fundamental de la reacción contra la "modernidad" que se apoyaba en ella para derivar postulados y leyes propiciadas por la burguesía, que segregaba a los que no se ajustaban al ideal promovido desde el poder.

Con Zola y el decadentismo se relacionan también algunos juicios de Palma ante las críticas negativas que recibiera la obra del francés, considerada por muchos como obscena. Como si se defendiera de posibles cargos a su propia obra futura dice:

> Los mentecatos se asustan y protestan airados del relieve con que Zola presenta vicios horribles, aberraciones, crímenes y enfermedades repugnantes, como si el asco y el terror producidos por una obra literaria no fueran artísticos. ¡Qué es obsceno! ¡Santo Dios! ¿y la Biblia no es obscena? [...] El fin del arte no es ni ha sido nunca moralizar, no tiene por qué ser moral. (p. 29).[14]

La sección VIII del libro, discute el concepto del héroe literario, que según Palma debe perdurar a través del tiempo y de los cambios de la historia. La selección que hace de héroes representativos confirma el juicio proclamado en la cita anterior, ya que junto a don Quijote y sus virtudes, se hallan el malvado Lovelace de *Clarissa*, y el don Juan de Zorrilla, ilustración de que el arte no debe moralizar. El acápite

---

14. Sobre la relación decadencia y degeneración (epocal y/o fisiológica), hay mucho escrito. Menciono algunas lecturas pertinentes en "Modernismo decadentista: Confidencias de *Psiquis* de Manuel Díaz Rodríguez", *Revista Iberoamericana*, LXIII, pp. 178-179, enero-junio 1997: pp. 261-274.

siguiente, dedicado a reflexionar sobre las ideas filosóficas que impregnan la literatura, destaca la obra de Renán, exaltada por el modernismo en general.[15] Palma se detiene especialmente en el ateísmo del francés, y concuerda con él en que el pecado no existe, y que el dolor es saludable porque "crea el esfuerzo" (p. 70), conceptos puestos de moda por Schopenhauer y Nietzsche, que van a ser premisas de algunos de sus relatos. Sobre el autor de *The World as Will and Idea*, Palma menciona a su discípulo E. Von Hartmann como opuesto a Renán, ya que hace del pecado la base de la religión (p. 70). El pesimismo de Schopenhauer y su discípulo, con su llamado a retirarse del mundo y ver la muerte como única panacea para salir de una vida aborrecible, lleva a Palma a criticar también el pensamiento de Tolstoy. El ruso, para el gusto del peruano, "vocifera" demasiado "contra la carne, contra los placeres, contra el orden social, contra lo que no es especulación religiosa" (p. 69). El misticismo "tétrico y demoledor" de Tolstoy le hace llamarlo "nirwanista" como a Schopenhauer, con la salvedad de que este último "no era místico".[16] Oponiéndose a esta visión negativa, Palma exalta lo que llama panteísmo literario, que adora la naturaleza, el amor, la mujer, el cosmos todo, que revelarían la existencia de un alma, "pero un alma que vive en el mundo, no fuera de él" (p. 73).

El último apartado de la obra, dedicada a América, repasa la mayoría de los escritores conocidos, que Palma aplaude con un cierto sentimiento nacionalista (quizás como reacción al desconocimiento que según él revela Menéndez Pelayo). Desde el punto de vista del modernismo, importa constatar sus elogios a Santos Chocano (p. 88), pero sobre todo a Julián del Casal. En algunas de las frases dedicadas al poeta, se reconocen ecos de los ideales y postulados decadentistas:

---

15. La obra de Renán es de las más admiradas y difundidas en la época, por su anticlericalismo, y su esfuerzo por combinar la ciencia y el idealismo. El *Ariel* de Rodó contiene innumerables citas y elogios del francés. Palma dice admirarlo sobre todo como estilista especialmente en *Mi infancia y juventud* y en *Memorias íntimas* (p. 72).

16. Los nombres de Schopenhauer y Von Hartmann reaparecen en un próximo trabajo que revela la presencia del pensamiento de Nietzsche. Algunos conceptos del ensayo que revisamos, concuerdan con algunos postulados nietzscheanos, pero no estoy segura si Palma ya conocía, y cuánto, la obra del alemán para esa fecha.

Casal ha realizado el tipo del verdadero poeta, en su vida y en sus obras. [...] Casal tuvo en su inspiración dos cosas que supo unir deliciosamente: el ideal de los decadentes y la forma de los parnasianos. Soñador, enfermo desde muy joven, triste, neurótico, tuvo siempre delante de sus ojos la visión de la muerte, á la que veía como a una novia pálida que lo llamaba con ademanes de enamorada (p. 86).

FILOSOFÍA Y ARTE (1897)

Esta tesis presentada para optar al grado de doctor en la Facultad de Letras, ahonda en asuntos mencionados en el libro que acabamos de ver, y es valiosísima guía para comprobar cómo Clemente Palma va profundizando en las líneas que le interesan. La obra es además un excelente testimonio cultural de la época, estremecida por la velocidad de los cambios que traía la modernidad. El proemio del escrito deja en claro que el autor intenta estudiar "Las evoluciones religiosas y filosóficas del espíritu moderno tan complejo, tan sutil, tan desequilibrado" (p. 1). El Sumario del Proemio resume muy bien las ideas que respaldan las preocupaciones contenidas en los cuatro capítulos en que se divide la obra, por lo que incumbe citar un fragmento pertinente. El texto intentaría reflexionar sobre:

—Gestación de nuevos ideales en todo orden. —Condición psíquica y moral del hombre moderno. —Agitación que se observa en el espíritu actual. —En el orden político: la inquietud de las potencias. —En el orden económico y social: el comunismo y el socialismo. —En la familia: la preponderancia de la mujer; sus pretenciones. —Afeminamiento del hombre; androginismo moral. —En el orden religioso: mescolanza de ideas religiosas. — [...] La duda, enfermedad del siglo. —En el orden artístico: confusión de ideales y tendencias á la disociación y al individualismo. (p. III).

De modo general, la tesis se abre con palabras reminiscentes a las que usó José Martí cuando quiso referirse en tantos escritos al complejo tiempo en que se vivía (por ejemplo en el conocido prólogo al poema "Niagara" de Pérez Bonalde). El cuadro en que Palma resume el "espíritu de la época" reproduce el sentimiento, muy generalizado de fin de siglo, de vivir una decadencia histórica en todas las esferas de la cultura. Así, las religiones "se agitan en el hombre moderno en extrañas combinaciones". La fe "se ha fundido al calor de la ciencia" y Dios "es hoy un buen señor muy discutible" del que todos dudan (p. 2). En cuanto a la literatura, la descripción compendia lo que los enemigos de la innovación (llamada modernismo o decadencia), encontraban en las letras:

> La poesía la teneis entregada á un libertinaje explorador, en el que salta de un espiritualismo refinado á un sensualismo sutil y complejo, desde las psicologías profundas de Bourget hasta el materialismo brutal de Zola y los refinamientos mórbidos de Huysmans, desde la oración á la blasfemia, desde la plegaria en las catedrales góticas hasta las infamias heréticas de la misa negra (p. 3).[17]

El párrafo citado bien puede hacer creer al lector que Palma está en contra de lo que describe. Las páginas siguientes, sin embargo, demuestran lo contrario con su elogio entusiasta a Richepin, blasfemo notorio, o el espacio que dedica a *Là-Bas* de Huysmans, entre otras figuras representativas de esa corriente.

En este comienzo, interesa también fijarse en el sentimiento del hastío del que se quejan tanto los decadentistas, y el fantasma del hambriento, posiblemente influido por el *Manifiesto Comunista* de Marx, que muestra el interés de Palma por los problemas sociales, pese a que sus escritos posteriores parecieran indiferentes a ellos:

> La Psiquis del siglo XIX no es ya la virgen candorosa de la Mitología, la amada sencilla de Cupido: es ya la esposa hastiada de las delicias nupciales y que lleva en su seno los gérmenes de miles de infantes. Se siente la lenta gestación de los ideales en todo orden, todo se agita, bulle, palpita: es el movimiento doloroso de la madre que siente próximo el dolor del alumbramiento. [...] En el orden económico y social veis destacarse en el cielo las rojas llamaradas de un incendio

---

17. Se considera a Paul Bourget como el teórico del decadentismo literario. En su *Essais de psychologie contemporaine* (1883) da los rasgos que considera característicos del estilo decadente. Entre ellos, acentúa la marca de la individualidad, que Palma cita también en su recuento.

que carbonizará las entrañas de la sociedad, y á esa luz siniestra la silueta desmelenada, haraposa y hambrienta del obrero, aullando por una nueva organización social que destruya las bases de la actual repartición de la propiedad (p. 1).

Frente al fantasma proletario, se alza la Mujer Nueva, la otra figura que atemoriza al burgués, que al invadir puestos públicos, enseñar cátedras, en fin, ejercer "profesiones propias del varón" se "*masculiniza* [...], sale de la pasividad feliz en que estaba" (p. 2, subraya Palma). No debe llamar la atención la misoginia de estos juicios, puesto que era opinión muy general del tiempo. Importa más señalar que el temor a la mujer nueva fue un impulso para creaciones posteriores de Palma, que alivianó con el humor o la tónica paródica.[18]

El novel autor reconoce que los problemas filosóficos y artísticos a tratar son menos "trascendentales" que los socioeconómicos que afectan a colectividades enteras. No obstante, piensa que el orden "más individual" de los primeros les permite revelar mejor "la verdadera condición del hombre actual" (pp. 3-4). Antes de repasar algunas nociones de cada capítulo, conviene dejar constancia de la actitud liberal que rechaza el terrorismo anarquista, pero que muestra también la adhesión del joven Palma a los desheredados que son:

> una numerosa agrupación de hombres la que llega á esos extremos violentada por un estado social deficiente, las treguas son cortas, porque la depresión material y moral de las clases pacientes es cada día mayor. Al fin vendrá el estallido formidable de todas las angustias fermentadas, y la nueva organización será la redención de los aplastados hoy, más bien que el aterrador *nihil* de Bakounine (sic, p. 4, subraya Palma).

El capítulo primero del libro, dedicado al ateísmo, presenta un sobrio recuento de las posiciones en pro y en contra de la existencia de Dios, aunque es la última la que claramente favorece el autor. Al pensamiento religioso conservador de Cortés, Maistre y Balmes, opone

---

18. Un poco de ese humor se ve en "Vampiras" estudiado en el capítulo cuarto y en "Decadencia y vampirismo en el modernismo hispanoamericano: un cuento de Clemente Palma", *Revista de Crítica Literaria Latinoamericana*, 46, 1997: pp. 191-198.

las dudas que llevan a Schopenhauer a "buscar el remedio del mal en el aniquilamiento de la voluntad" y a Von Hartmann al "lúgubre proyecto del suicidio universal" (p. 5). Para Palma, Dios es hecho por la imaginación y el sentimiento humanos, como necesidad en "la infancia de los pueblos" (p. 5). Apoyado en tesis expuestas por Gustave Le Bon en *Psychologie des foules*, Palma sostiene que si fuera posible que el pueblo adoptara el ateísmo, lo haría en la misma forma fanática con que practica cualquier culto religioso. (pp. 11-12).[19] Según el escritor, el hombre más evolucionado sabe que Dios no existe, pero no deja de ser ente moral, a pesar del vacío que siente con su ausencia. Inspirado por algunas ideas expuestas por Jean Marie Guyau en su *Esquisse d'une morale sans obligations ni sanction*, el joven ataca la idea de basar la moral en castigos o recompensas (p. 8), aunque reconoce que sin ellos, ese ideal de Guyau es sólo "un ensueño", dada la "organización infantil del pueblo" (p. 14). Palma deduce entonces que el pueblo no puede ser ateo, pues para llegar a serlo necesita meditación y conocimiento. En consonancia con ciertos postulados popularizados más tarde por la obra nietzscheana, el autor afirma que el ateísmo es un principio "de aislamiento, de concentración de fuerzas que requiere un espíritu enérgico, suficientemente templado [...] un alto vigor intelectual, una voluntad serena [...] que pueda en nombre de un utilitarismo moral, ceñirse á los preceptos de una Ética intelectual". Conviene con Guyau en que esa ética debería darse "sin esfuerzos", por "una convicción íntima de la necesidad de amar al prójimo [...] sin los halagos de recompensas" (p. 15).[20] Palma recurre luego a *L'Irreligion del'avenir*, otra obra famosa de Guyau, para meditar sobre la importancia de la "teatralidad" en los cultos religiosos, que se pueden elevar a excelsa belleza, y tendrían para el pueblo "el atractivo de decoraciones de ópera"(p. 19).

---

19. El sentimiento negativo hacia el pueblo es generalizado en la época. Se muestra en Schopenhauer, Guyau, Renán y Nietzsche, para nombrar algunos de los que se citan en estos estudios (también se muestra en Rodó). Le Bon es además, claramente racista.

20. Un pensamiento semejante se encuentra en el famoso discurso "Nuestros indios" de M. González Prada (1904), indicio de la popularidad de la obra de Guyau. Francisco García Calderón en "Las corrientes filosóficas en la América Latina"

La conclusión del capítulo señala que la condición caótica del presente no es propicia para el ateísmo. La "muerte" o la "ausencia" de Dios habría conducido a los hombres a toda clase de cultos, incluso los prohibidos, precisamente como una reacción en "contra de la ciencia actual" (p. 21). Posteriormente Palma encarnó en algunos de los personajes de sus relatos, acciones e ideas relacionadas con los conceptos expuestos, como se verá en el análisis de sus narraciones.

El segundo capítulo se enlaza bien con el anterior, ya que se dedica al satanismo, uno de los cultos prohibidos. El autor piensa que en la América de su tiempo este culto no abunda, aunque recuerda que sí fue popular durante la colonia. En la Francia del día, sin embargo, "agotada por una marejada de creencias" el satanismo es institución con templos y multitud de adeptos "animados por verdadera fe, [...] o verdadera neurosis" (p. 22). Los adeptos apelarían al diablo empujados por la sordera de Dios a sus plegarias.[21] Tal vez con las tesis darwinianas en mente, Palma sostiene que ni "ateos ni materialistas" recurren al demonio porque saben que "no hay Dios ni Diablo que puedan alterar la ley de que los débiles deben alimentar el vientre de los fuertes" en la lucha por la vida (p. 23). Culpando al "positivismo brutal" Palma explica —en párrafos que compendian metas decadentistas— por qué se hace necesario, sobre todo para "la fantasía del artista y *la imaginación femenina*":

> *crear aquello que no se tiene*, [...] idealizar, llevar al espítitu á regiones fantásticas, á los países misteriosos de la ilusión, sea hermosa ú horrible, sea divina o diabólica, pero siempre lejos de ese abismo en cuyo fondo no hay sino unas cuantas leyes que se desenvuelven con inexorable frialdad [...] es necesario ensordecerse con el bullicio que forman esas creaciones imaginativas, que violentan los nervios hasta la enfermedad, porque ellas son preferibles á ese impasible silencio de las leyes que no hablan, pero obran (p. 24, énfasis mío).

(1908), nombra a Guyau, Renán y Fouillée entre los ensayistas más influyentes de la época. Ellos representarían la corriente "idealista" que cuestionaba algunos principios del positivismo, e intentaba oponer al ateísmo científico, una especie de panteísmo generalizado, centrado en el espíritu (pp. 156-157).

21. En el cuento "Parábola", Jesús sí escucha las plegarias, pero son los hombres los que yerran en sus peticiones, como veremos.

Nótese que el escritor acentúa las carencias ("lo que no se tiene") en aquellos poseedores de una imaginación femenina, como se juzgó fue el caso de Baudelaire, indiscutible iniciador del decadentismo, y exaltado por Palma como se verá. Estas palabras se retomarán en los análisis que haremos de sus relatos, que exploran las desconocidas zonas del inconsciente humano —sus deseos y frustraciones— que la incipiente ciencia de la psicología va develando. La cita, por otra parte parece otorgar al arte la cualidad de ser útil, puesto que se hace "necesario" para alejarse de las inexorables leyes de la vida. Si esto es así, contradice los varios pronunciamientos que hará luego el autor contra el arte que no tenga sólo como fin la belleza. Lo importante para la obra literaria de Palma es fijarse cuán temprano invoca la posibilidad de crear "ilusión", sea hermosa u "horrible", divina o "diabólica".

Aunque Palma está muy consciente de que el esoterismo (magia, diabolismo, espiritismo) es visto por la ciencia como patológicos "estados mórbidos de excitación cerebral" (p. 24), ilustra su buen conocimiento de materias relacionadas con esas creencias. El autor enumera una extensa lista de escritores y obras sobre diabolismo (p. 25), y se detiene especialmente en la novela *Là-bas* de Huysmans (1891), de la cual cita extensos párrafos (pp. 25-27; 28-31). Palma está bien enterado de cómo la medicina legal de su tiempo relacionó estos fenómenos sociales con el crimen, citando a autoridades como Tardieu, Lombroso, Despine, que estudian casos que demuestran que en la vida real, ciertas acciones superan el horror de las que Huysmans representó en su novela. La lectura de este escritor, sin duda influyó en la creación de algunos relatos del autor, como se verá al estudiar "El Quinto Evangelio".

Este capítulo finaliza reiterando la extraordinaria influencia de la vida psíquica en toda clase de fenómenos. Encapsulado en el *dictum* "los nervios son el alma del alma" (p. 32), Palma atribuye a los nervios prácticamente todos los descubrimientos científicos, filosóficos y artísticos. Lo importante para años en que la psicología era todavía ciencia incipiente, es que Palma considera la vida psíquica, igual que la libertad, como motor ligado a la creación de la belleza, que el artista debe buscar donde se encuentre:

¿En dónde está la verdad religiosa, el verdadero concepto filosófico de la vida, la legítima belleza poética? En todas partes, señores, colocadas en el centro mismo de la vida psíquica parten de ellas radios en todas las direcciones. Sí, señores, la belleza y la verdad son centros á los que se llega por todos los caminos, tanto por la vía recta que sigue un espíritu sano, como por la ruta torcida por la que se encaminan las almas enfermas y las razas degeneradas (p. 33).

Sobra repetir cuán cerca están estas palabras de los postulados estéticos de modernistas y decadentistas en cuanto a la libertad necesaria para la creación, y la posibilidad de extraer belleza aún de lo horrible y feo.

El tercer capítulo pudo formar parte del anterior ya que lo continúa e ilustra al considerar poetas y artistas ateos y satánicos. Palma se detiene especialmente en algunas figuras que exaltaron en su obra al demonio, como el "Himno a Satán"de Carducci y "Letanías a Satán" de Baudelaire. El italiano, según se lee, habría odiado la religión cristiana por haber perseguido a su padre por masón, aunque su postura "radical" se conforma con sus labores de incansable patriota.[22] Es sin embargo, Baudelaire, el poeta reverenciado por los decadentistas, cuyas *Flores del mal* se considera el comienzo de dicha corriente, el que recibe más atención. Según Palma, Baudelaire, execrado como "degenerado" por Nordau, es:

> un poeta de inspiración verdaderamente artística: comprendió que en la maldad, que en todo aquello que repugna á la vulgaridad, hay una belleza enterrada que podrá ser aterradora, que podrá ser mórbida, pero que al fin es una belleza capaz de producir la emoción estética (p. 35).

Llamado "macábrico, satanista y exótico" por nuestro autor, Baudelaire es "el padre intelectual de la nueva raza de escritores que se ha apoderado del Arte, con las banderas de la rebelión desplegadas y

---

22. Palma fue también masón, como lo fue la mayoría de los estadistas e intelectuales americanos del siglo XIX y gran parte de XX. En relación al poema "A Satana" (1863) de Carducci, el diablo aparece allí como símbolo de la libre actividad intelectual. El poema celebra el amor físico y la belleza natural, que la iglesia en su tiempo considera pecaminosas (*Verse*). Como evidencia de que el diablo era motivo popular (como lo mostrará Palma) hay que recordar que Santos Chocano publicó *El fin de Satán y otros poemas* en 1901.

ondeando al viento de la histeria y de neurosis que sopla en el espíritu moderno" (p. 35). Conocidos son los versos y prosas de Baudelaire en que canta precisamente a la histeria y la neurosis, y acierta Palma en verlo como portaestandarte de esos nuevos escritores rebeldes, a muchos de los cuales se le aplicó la etiqueta de decadentes. En su referencia al gran poeta francés, Palma no olvida a Edgar Allan Poe, traducido y vulgarizado por Baudelaire, y admirado por modernistas y decadentes. De Poe dice Palma que tuvo el "mismo espíritu que Baudelaire" y que como él, descubrió "la misma vivencia de una belleza oculta entre las malignidades humanas" (p. 35). Tampoco olvida el autor el nombre de Rachilde, incluida siempre entre los decadentes, y conocida en América por ser uno de los escritores "raros" que Darío publicó en su libro de 1896. Palma la describe como "apologista de las voluptuosidades del mal", y algunas afinidades con la obra de la francesa se señalarán más adelante, al estudiar "Mors ex vita" y "La granja blanca".

El capítulo termina reconociendo a Huysmans como el verdadero conocedor del satanismo, aunque nombra figuras populares como adeptos a ese "misticismo revertido", entre ellos Papus, Guaita, el coronel Olcott y "la Blatwaski" (sic, 37).[23] Palma insiste además en el resultado "artístico" que tienen algunas narraciones basadas en esos cultos aunque contengan "aberraciones horribles". Importa hacer notar que Palma critica a Max Nordau, el ardiente enemigo de los decadentes por haber hecho "un estudio patológico bastante apasionado, injusto y desprovisto de criterio honrado, de este misticismo revertido y extraño del París moderno (p. 37).[24]

La audacia del joven Palma para hablar de asuntos prohibidos, se refuerza en el último capítulo de su tesis en que encara el "androginismo", una de las "curiosas" teorías inspiradas en ese nuevo misti-

---

23. Se refiere a Elena Blavatsky, autora de *Isis sin velo* y *La doctrina secreta* de gran influencia en la popularidad de las doctrinas esotéricas. Ella y el coronel Olcott fundaron la Sociedad Teosófica de América en Nueva York en 1875.

24. Palma ve a Nordau como "demasiado médico, demasiado germano y judío" para ver el lado hermoso de esta literatura" (p. 37), juicio no excepcional en un tiempo en que el racismo se afirmaba en teorías seudo-científicas, como se verá más adelante.

cismo que mencionó previamente. Como han hecho pensadores contemporáneos —Bataille, Foucault— Palma acentúa la relación que existe entre erotismo y misticismo, y recuerda la frecuencia de los casos
de lujuria que se dieron en los conventos, sobre todo en la Edad Media. Señalando la fuerza del sexo, que Schopenhauer llamó "el grito
de la especie", el autor indica cómo las diferentes religiones intentan
con sus preceptos suavizar esa fuerza. El recuerdo de "El banquete" de
Platón y su imagen del andrógino como tipo de perfección sexual,
le impulsa a preguntar "¿Sería más perfecta la Humanidad si fuera
monosexual o si cada individuo encarnara los dos sexos?" (p. 40). La
respuesta es asertivamente afirmativa: el androginismo es "una condición superior" porque "significaría una unidad sólida y hermosa,
en lugar de dos fracciones inútiles y estériles cuando el amor no las
junta" (p. 41). Siguiendo a Platón y a viejas mitologías, Palma reitera
que "los hombres y las mujeres son mitades que se buscan [...] y que
es lógico suponer que el estado feliz, el estado perfecto es aquel en
que [...] no necesitan buscarse porque nacen juntos" (p. 41). Este estado perfecto, sin embargo, no parece adecuarse a la voluntad de la
naturaleza que continúa haciendo estériles a los pocos casos humanos de "hermafrodismo completo" que se han dado en el mundo.
Repitiendo un viejo concepto sobre la impasibilidad e indiferencia
inconsciente de la naturaleza, Palma cita al respecto unas líneas del
conocido ensayo "La vida y la muerte" de González Prada para ilustrar tal indiferencia (p. 45).

Considerado en el contexto latinoamericano de la época, hay
que convenir que el pensamiento sobre el andrógino de Palma es muy
audaz, aunque desde la mira actual, hay que ver también que en esta
tesis, el autor cayó luego en las más tradicionales maneras de caracterizar al hombre y la mujer. El atrevimiento para tratar asuntos sobre
la sexualidad, y sobre todo la defensa del andrógino, como hicieron
los decadentes, tildados de inmorales por la mayoría, es indudable.
Por otro lado, el razonamiento de Palma sobre el peso de la "civilización" (hoy diríamos cultura), sobre los rasgos más convencionales
atribuidos a los sexos, se empaña con la aceptación de ellos como si
fueran naturales. Dice, por ejemplo: el hombre sentiría herida su
"dignidad varonil" al unir en su "constitución vigorosa" la "delicade-
za, tersura y elegancia de la mujer, [...] sus ataques de nervios, sus

pudores". Por su parte, la mujer protestaría por tener "el rostro cubierto de vellos, la voz ruda, la cintura tosca y en los labios la impúdica franqueza del hombre" (p. 42). El autor no sólo da como definidores algunos caracteres secundarios de los sexos, sino que, a pesar de su advertencia de que es un prejuicio ver al andrógino como "repugnante", agrega razones que tienen que ver con la función social de cada sexo, sin reparar que son roles asignados por la cultura:

> [para la mujer] es preferible la condición pasiva, á la lucha constante y ruda del hombre, generalmente mortal: el andrógino tendría que luchar para vivir: la mujer no lucha porque el padre, el hermano, el marido ó el hijo se echan á cuestas la tarea de alimentarla, vestirla, complacerla y enterrarla (pp. 42-43).

Curiosa y ambivalentemente, Palma insiste en tratar de probar la existencia de seres humanos cercanos al ideal andrógino, hallados entre las "razas inferiores" como los esquimales o tribus de África, Australia o América.[25] Su ambivalencia se confirma cuando sostiene que teóricamente el tipo andrógino es "ideal nobilísimo", pero que en la práctica de su época, es una "utopía peligrosa", un "ensueño de curiosidad perversa" surgido de la "fiebre nerviosa de unos cuantos desequilibrados" (p. 44). Es obvio que la condena de la práctica no se condice con la resoluta visión positiva anterior, pero aún más significativo es comprobar que más adelante, se vuelve a una posición más "moderna" sobre el asunto. Palma piensa que básicamente no hay "incompatibilidades entre los sentimientos é ideas" de hombre y mujer, y, que "a ser posible la creación del andrógino, el alma femenina sería la que mejor se adaptaría á esa condición" (p. 46). Este presupuesto va en contra de algunas de las ideas presentadas antes, y sobre todo, va contra el machismo de algunas de ellas y de la época, puesto que lo "femenino" calzaría mejor a un "ideal" humano. No obstante lo dicho, el escritor se alarma luego al ver "una tendencia de la mujer

---

25. Repetimos que la idea de la superioridad o inferioridad de razas, se acepta en la época como hecho científicamente comprobado. Aun Guyau, que parece tener un criterio más amplio (véase el estudio de Royce en la bibliografía), acepta esta idea. En *The Non-Religion of the future* endorsa el deseo de Renán de que los chinos se conviertan en esclavos de los europeos (p. 321).

moderna á asimilarse al hombre", aunque acertadamente señala lo económico como razón que la empuja a buscar "labores impropias de su sexo" (p. 47). Esta tendencia a la que llama "androginismo moral" la ve extendida en la raza sajona, por lo que celebra "la dicha" de que no se halle en la mujer latina, quien conservaría "todo el encanto de su debilidad", aunque el varón, desgraciadamente se habría "afeminado":

> Estamos, pues, en las vías de una androginia moral, alarmante por parte de la mujer en la raza sajona, y por parte del hombre en la latina. He dicho alarmante, porque ella no se traduce en una suma de cualidades sino en una resta. La mujer se hace productora y activa, pero pierde su poesía, su fragancia: el hombre se hace más sensible, más sutil, más complejo en sus sentimientos, pero en cambio pierde energía, en fuerza productora y emprendedora (p. 48).

La atracción por el tema del andrógino continuó en el autor, como se comprueba en algunas descripciones de personajes, sobre todo femeninos, y reflexiones positivas sobre el asunto en la palabra de narradores o actantes de sus relatos. En el capítulo quinto, a propósito del fenómeno del doble, expondré algunas hipótesis sobre la recurrencia de éste y otros temas en su obra.

En el balance que se haga de este escrito, para ser ecuánimes, habrá que considerar que fue un trabajo hecho para su presentación ante un jurado académico que podía aprobarlo o reprobarlo. Es pertinente, entonces, especular que Palma pudo haber reforzado o debilitado puntos para convenir con su audiencia, y que las ambivalencias notadas se originaran en dicho contexto. Como sea, en cuanto a lo literario, es preciso reconocer el conocimiento pormenorizado que muestra el joven de obras y autores de la época, sobre todo del decadentismo, por el cual siente indudable admiración. Esta admiración se traducirá en asuntos específicos y conceptos elaborados en las narraciones que se estudiarán en este libro.

EL PORVENIR DE LAS RAZAS EN EL PERÚ

Este título es el que lleva la tesis que Clemente Palma escribió para obtener el grado de bachiller, en 1897. A diferencia de la anterior, que no está dedicada, esta vez lo hace aquí a los doctores Javier Prado Ugarteche y Pablo Patrón.[26] Como en la ocasión anterior, pienso que para juzgarla hay que ponerse en el lugar del estudiante que debe probar su conocimiento sobre la materia elegida. En este caso, se necesita recordar también que en los años de formación del autor se divulgaron muchas doctrinas pseudo científicas que proponían seriamente la superioridad de la raza europea. Nancy Stepan habla de una "biología racial que por la mitad del siglo XIX era una ciencia de "límites" entre grupos humanos, y la creencia de que había una amenaza de degeneración "cuando esos límites no se respetaban" (p. 98). Uno de los más populares proponentes de la superioridad e inferioridad de las razas fue Gustave Le Bon (1841-1931), cuyos libros *Psychologie des foules* y *Les lois psychologiques de l'evolution des peuples* sirven de base teórica a la tesis. Apoyado en principios de Darwin y Spencer, la primera obra (traducida como *The Crowd*) insiste en que "la noción fundamental de raza domina los pensamientos y sentimientos del hombre" (p. 54). Este libro muy aplaudido, que inspiró el pensamiento de Freud sobre la psicología de los grupos humanos, se consideró un "clásico" sobre el tema (ver la introducción de Robert Merton a *The Crowd*).

Por ser la tesis de Palma un recuento más bien antropológico, alejado de la literatura, no detallaré su contenido de indudable índole racista, como lo es también la obra de Le Bon.[27] Resumiré sí algunas

---

26. El primer nombre interesa porque aparece como autor de un "importante estudio sociológico sobre las razas" relacionado con la obra de Le Bon, que el futuro bachiller debió considerar con precavido respeto (p. 5). Francisco García Calderón describe a Prado como profesor dentro de la corriente idealista, pero Pedro Henríquez Ureña que anota el libro de García, dice que Prado "aspira a un sincretismo en que dominan las ideas de Fouillée" (p. 167). Este es Alfred Fouillée, padrastro de Guyau, que publicó varias obras a la muerte de su hijo adoptivo. Filósofo y educador, popularizó el concepto de idea-fuerza. Es uno de los autores más leídos por los hispanoamericanos, incluso Palma (*Ariel* de Rodó lo nombra varias veces).

27. Hay que observar que Le Bon, influido por los desmanes ocurridos durante la revolución francesa, al hablar de la "inferioridad" de la raza latina (en comparación con la sajona), incluye a sus compatriotas. Una evidencia del conocimiento de los textos de Le Bon se halla en "Nuestros indios" de González Prada (1904), en que se burla del francés llamándolo "dogmático", que con otros "sociólogos" va haciendo de la "ciencia positiva" un "cúmulo de divagaciones sin fundamento científico"

de las ideas expuestas, porque ellas recogen muchos de los estereotipos y clichés que sólo se empezaron a cuestionar ya entrado el siglo
XX. Para descargo anticipado de los conceptos que recoge Palma, hay
que recordar que en su relato "La última rubia" de 1904, se mofa del
racismo, representado por un ridículo racista.

La tesis otorga rasgos negativos al indio, al negro, al chino y al
español, las etnias constitutivas del peruano. El indio, como el español sería "fanático y supersticioso", pero de naturaleza tímida, cobarde, servil, y sin aspiraciones (p. 9). Con estos rasgos, es natural que el
indio, según el autor, no haya producido arte que valga la pena (p. 12).
El español, superior al indio, habría degenerado por el desgaste de
fuerzas en sus guerras, y por su cruzamiento con la raza africana
(p. 16). La española sería "raza soñadora y exaltada [...] formulista y
pomposa" con un alto desarrollo en el arte, pero muy pobre en las
ciencias (p. 17). La conclusión es que "tan débil es el indio como el
español", afirmación curiosa porque engloba en el prejuicio a un
"blanco" europeo.

Para el joven estudiante, el negro sería raza inferior también,
pero no decrépita, por lo que, a diferencia de la india, es "civilizable"
(p. 22). Los chinos a su vez, "no representan ningún principio activo
de vida, nada útil, nada práctico, no constituyen una fuerza"(p. 24).
Este último juicio puede venir de Le Bon, para quien China es incapaz de mejorar (*The Crowd*, p. 183). Esta opinión sobre los chinos
parece ser muy general. Según Guyau, para Renán los chinos serían
hombres dóciles, ideales para esclavos de los europeos (*The Non-Religion
of the Future*, p. 321).

A diferencia del racismo "purista", Palma cree que el cruzamiento entre las razas es el gran "restaurador de los buenos elementos"
(p. 25). Por esto el mestizo americano —para él la raza del futuro—
sería inferior al español, pero muy superior al indio (p. 27). El mulato, resultado de la mezcla con la sangre africana, habría dado un tipo
humano "más activo, astuto, violento y ardoroso" y de atractiva

---

(p. 170). Que estas cuestiones se discutían, lo muestra el mismo González Prada al
anotar que Víctor Arreguine ha contestado al libro de Demolins *A quoi tient la
superiorité des Anglo-Saxons* con su obra *En qué consiste la superioridad de los Latinos sobre los
Anglosajones,* Buenos Aires, 1900 (p. 168).

belleza y porte en las mujeres (p. 29). Como síntesis de las características del criollo peruano, el autor señala: bondad de genio, espíritu artístico, inclinación al desorden y la anarquía, vehemencia en las pasiones, sensualidad y fanatismo (pp. 31-33).

Al reflexionar sobre el porvenir de las razas en el país, Palma recuerda el exterminio de los indios en los Estados Unidos, que halla "justificable en nombre del progreso", pero "censurable a la luz de la filantropía" y del "respeto á la tradición". Una solución mejor, piensa, sería el cruzamiento del criollo con una raza que le diera "energía, orden y moralidad" como la alemana (p. 28).[28] Por otro lado, los principios darwinianos que aseguran la sobrevivencia del más fuerte, augurarían la extinción de indios, negros y chinos (p. 38), idea relacionada con la inevitable decadencia y muerte de todas las civilizaciones, expuesta por Le Bon (p. 206). Inspirado en el modelo biológico de la naturaleza, este concepto contribuyó crucialmente a fomentar la atmósfera de pesimismo que vivió la Europa a fines del siglo XIX, convencida de que vivía la etapa de declinación final, después de su grandeza, sentimiento que recogió también la llamada literatura decadentista.

OTRAS OBRAS ENSAYÍSTICAS

Después de estas tesis, el escrito más pertinente que pudimos hallar, antes de que Palma publicara su primer libro de relatos *Cuentos malévolos* (1904), es una reseña aparecida en la revista *El modernismo,* en 1901, titulada "Novelas extrañas". En ella resume el contenido de *Zo-har* de Catulle Mendès y *Les lignes parallèles* de Felix Davin, ambas centradas en el tema del incesto. Según nuestro autor el "perverso y admirable" libro de Mendès habría nacido del "más triste y sencillo" de Davin, y la admiración por *Zo-har* puede que a su vez, haya inspirado el interés

---

28. Renán también pensó que la alemana era raza digna de imitar (Chadbourne, 119). Por su lado, Palma halla ejemplos de cruzamientos con buenos resultados en Argentina y Chile. Sobre este último país cree que la raza inglesa lo mejoró, juicio debatible porque la emigración sajona no fue abundante (sí la alemana). Aunque no la menciona, creo que la derrota del Perú en la guerra del Pacífico (1879), inspira muchos de estos juicios.

del peruano por el incesto ("La granja blanca"), o la necrofilia ("Mors ex vita"), aspectos que discutiremos más adelante.

"Ensayo sobre algunas ideas estéticas"

En 1907, Clemente Palma, ya de treinta y cinco años, publicó el extenso estudio "Ensayo sobre algunas ideas estéticas", cuyo formato y tono magisterial, provenga quizá de su función en ese año, de profesor de estética e historia del arte en la Universidad de San Marcos. Para esta fecha, Palma había sacado a la luz sus *Cuentos malévolos,* por lo que el repaso de este trabajo puede ser útil, para ver si hay cambios en las concepciones estéticas o filosóficas que los inspiraron.

La primera noción importante en el escrito es la aserción de la relatividad de la belleza, contraria a la estética antigua que la definía como concepto absoluto, y la relacionaba con Dios. El autor define la belleza como "objetivación de la fuerza libre" bajo condiciones de "armonía y conveniencia" (p. 113). Spencer en sus ensayos sobre moral, ciencia y estética, muy divulgados en la época, habló de la belleza como despliegue armonioso de fuerzas nerviosas, por lo que suponemos que éste es el concepto de fuerza aquí, tomado directamente del inglés, o de *Les problèmes de l'esthétique contemporaine* de Guyau, que siguió a Spencer en esta materia. Palma nombra a ambos autores, aunque no menciona obras.[29]

La influencia spenceriana está también en la discusión de lo gracioso y lo sublime, en que el primer fenómeno se define como "economía de fuerza", y el segundo como "amplio derroche de ella". El concepto de libertad, fundamental en el arte según Palma, lo lleva a recordar las enseñanzas del doctor Deustua (sic), e introducir la noción de orden, en que se desarrolla la citada fuerza, que incide en la belleza producida, si su dirección es ventajosa a ella (p. 117).[30]

---

29. Palma comparte el optimismo de Guyau, pero difiere de él en varios puntos. Guyau propulsó la utilidad en el arte; no miró bien el decadentismo, y desestimó a Baudelaire y a Richepin exaltados por Palma.

30. F. García Calderón dice que Deustua "se inspira en el voluntarismo de Wundt, completado por el idealismo francés, influencias de Fouillée y de Bergson", en

Respecto a la evolución histórica del arte, Palma discute primero la fase imitativa que tiene por fin la utilidad, para continuar con una segunda etapa en que aparece el Ideal, que sustituye lo útil por lo placentero (pp. 117-118). En un último estadio estaría la "evolución del Ideal" exaltado como "perfección máxima", que sirve más que nada como punto de orientación de "la energía creadora", ya que se describe como "faro remotísimo de luminosidad incomparable" (p. 118).

Volviendo al categórico rechazo de los conceptos metafísicos visto en los ensayos anteriores, Palma se apresura a explicar que este Ideal del que habla arranca de lo fisiológico, que en sucesivas evoluciones se ha hecho fenómeno psíquico. Al hacer que el Ideal evolucione y sea relativo, el autor hace notar el error platónico de considerarlo innato y absoluto, acentuando sus cambios:

> Esta relatividad del *Ideal* es el fundamento de su variabilidad. El ideal varía según las épocas y las razas, según los hábitos adquiridos y la educación, elementos todos ellos que tienen una influencia resolutiva en la composición del Ideal (p. 120, énfasis del autor).[31]

El concepto de Ideal en el arte, lleva a Palma a la consideración de la forma, que es su objetivación en imagen, ya que "el elemento *sensible* es el primordial é imprescindible en el arte" (p. 125, énfasis de Palma). La imaginación del artista aprovecharía las formas de la naturaleza (la realidad), o la de conceptos abstractos (ideas) para transformarlas en imágenes en su obra. Respecto a la reproducción de lo natural, de modo muy contemporáneo, el autor peruano insiste en la importancia de la mediación de la personalidad del creador, de modo que nunca puede darse un realismo "puro". Respecto a la larga disputa entre arte "realista" e "idealista" (hoy diríamos arte representativo y

---

página que señala la gran influencia de Guyau y Fouillée en los hispanoamericanos ("Las corrientes filosóficas en América", p. 167).

31.   Bien se puede ver un cambio del autor en su concepto de raza, diferente al que dio en el ensayo precedente. Si cualquiera raza puede formar ideales de belleza de acuerdo a su idiosincrasia, y la belleza es el valor supremo, esa raza no merecería tildarse como inferior.

arte abstracto), se pronuncia en contra de "conclusiones exclusivistas" en uno y otro sentido, puesto que "el realismo no puede prescindir del elemento ideal, ni el idealismo del elemento formal, que es un aspecto de la realidad" (p. 126).

De manera muy contemporánea, Palma examina luego el concepto de "esencia" que siempre se une a los de ideal y forma en la filosofía tradicional. Sobre esto se halla la postura heterodoxa previa, en característico lenguaje asertivo:

> En nuestro concepto la noción de *esencia* es la noción más ociosa é inútil de las que creó la metafísica antigua. La idea de esencia no responde a realidad alguna: no tiene representación en el orden ontológico y es un mero término convencional con el que la filosofía antigua procuraba aproximarse al concepto de lo absoluto, que es otro de los conceptos más improductivos (p. 130, enfatiza Palma).

La crítica a la metafísica que venía ya perfilándose desde el siglo XVIII (Kant), y que se afirmó con Hegel y Schopenhauer, fue divulgada por Guyau o Renán, para nombrar sólo autores mencionados por Palma. No se puede negar, sin embargo, que en el contexto hispanoamericano de la época, el temple de las declaraciones de Palma resulta inusitado. La enseñanza de tipo escolástico, respetuosa de las filosofías antiguas, todavía no permitía discrepancias formuladas en un lenguaje como el del texto anterior y del siguiente:

> Todas las discusiones sobre si la *belleza* reside en las *esencias* ó en las *formas* han sido discusiones estériles sobre conceptos vacíos. Trasladándola a los conceptos de *idea* o *forma*, de *fuerza* o *materia*, simplemente diremos que así como la realidad no nos ofrece formas sin idea, ni materia sin fuerza, así en el orden estético no hay formas bellas desprovistas de ideas, ni materias bellas desprovistas de fuerza (p. 131, énfasis de Palma).

Opuesto al arte docente, Palma piensa que la moral en el arte o en la ciencia son servicios "accidentales". Para él, la Verdad, la Belleza y el Bien son categorías autónomas, que están sujetas a perspectivas variables (p. 126). Contra el arte que tiene el propósito de enseñar, dice:

El arte no tiene más fin que realizar la belleza, y si no la realiza en lo malsano, en lo inmoral y en la mentira es porque éstos son *feos*, porque traducen la falta ó el fracaso de la fuerza (p. 128, énfasis de Palma).

De inmediato, sin embargo, como recordando que algunos de sus relatos pueden ser calificados de malsanos o inmorales en su época, Palma agrega que no siempre esos elementos negativos son feos: "El armonismo en el desarrollo de los elementos de la personalidad hace que por lo general, no siempre, lo inmoral y la mentira sean feos" (p. 128). El autor no aclara si se refiere a la personalidad del artista o de los personajes, y se siente una especie de vacilación en la relación feo/inmoral. Se puede especular que su predilección por los decadentes, que admitían la fealdad e inmoralidad como posibles fuentes de belleza literaria, y sus propios relatos que siguieron esa corriente, puede estar obstaculizando una posición más clara.

De lo que no hay duda, es que Palma al reflexionar sobre lo bello y lo útil, se coloca resolutamente del lado "moderno" y proclama el desinterés del arte, contrario al interesado y práctico de la ciencia y la religión. Asociando luego el objeto "perfecto" con la finalidad a que está destinado (por ejemplo un reloj es perfecto si no falla en su propósito de dar la hora apropiada, pero eso no lo hace hermoso), Palma también descarta la perfección como definidora de lo bello. En resumidas cuentas, lo bello para él, no es necesariamente lo bueno, lo perfecto o lo verdadero, con lo que deja la puerta abierta para considerar los opuestos de estos términos, como idóneos ingredientes para construir belleza.

"LA VIRTUD DEL EGOÍSMO" Y EL PENSAMIENTO NIETZSCHEANO

A fines del siglo XIX, la obra de Nietzsche se conocía fragmentariamente, en ediciones poco confiables, aún en alemán.[32] La audacia de algunos de sus pronunciamientos, sin embargo, los divulgó y po-

---

32. Es conocido el trabajo expurgatorio que hizo de la obra la hermana del autor. Ver *Nietzsche, Philosopher, Psychologist, Antichrist* de Walter Kaufmann sobre esto.

pularizó rápidamente en Europa y América. El estudio serio sobre su obra, data sólo a partir de los años cincuenta, según Kaufmann, y hoy (1998), la investigación sobre este filósofo es tan abundante, que un especialista habla de la "industria Nietzsche" (Waite). Como se sabe, el ideario del alemán ha influido en las figuras más consagradas del pensamiento actual, Derrida, Foucault o Deleuze, para nombrar los más conocidos.

No sabemos si Palma leyó algunas obras de Nietzsche, o conoció de sus ideas en la atmósfera intelectual de la época, que las discutía acaloradamente. Sí se puede demostrar —como lo haremos especialmente al estudiar "Parábola", "El quinto Evangelio" y "El hijo pródigo"— una directa inspiración en postulados nietzscheanos en algunos relatos del escritor. El ensayo "La virtud del egoísmo" de 1908, que cita encomiosamente al filósofo alemán, da una oportunidad para examinar el aspecto anunciado en el título, transformado en historias y personajes de *Cuentos malévolos*. Antes de empezar la revisión de este ensayo, es pertinente ubicarlo, aunque sea someramente, en el contexto epocal hispano *vis à vis* Nietzsche.

De acuerdo a la bibliografía de Rukser, una buena parte de las obras de Nietzsche se publicó en francés y español entre 1892 y 1903, y junto a ellas diversos artículos que divulgaban su pensamiento (p. 358). Palma vivió en España, específicamente en Barcelona en función de cónsul, entre 1902 y 1904, donde pudo conocer no sólo los estudios que mencionaremos, sino hasta posiblemente a sus autores. Hay que recordar además, que había leído *Degeneración* de Max Nordau (traducida al francés en 1892 y al español en 1901), que dedica un buen espacio para vilipendiar la figura de Nietzsche.

En 1893, Juan Maragall, reputado escritor catalán, publicó un artículo sobre Nietzsche en que anuncia que muy pronto "será el filósofo, el sociólogo, poeta de moda". Este trabajo resume (simplificando), el concepto de "hombre superior" (el que ama la vida y no reprime sus instintos), opuesto a "la masa de los naturalmente esclavos, los débiles [...] a merced de los privilegiados" (p. 154). Según el articulista, Nietzsche sostiene que "la ley del mundo es el egoísmo, la ley del fuerte" que ha "domesticado" la imperante "cultura de esclavos" (p. 155), sin aclarar que el alemán ve esa cultura originada en el cristianismo. Maragall considera el ideario de Nietzsche como parte de la protesta de su tiempo contra la democracia, y lo coloca junto al "aristocratismo" de Renán y de Tolstoy. Esto último, a la vez que revela la postura política de Maragall, descubre su mala comprensión de Nietzsche, que había llamado a Renán bufón psicologista en el *Anticristo*, y abominaba de todos los místicos, incluido Tolstoy. En 1900, a la muerte de Nietzsche, Maragall escribe otro ensayo en que lo exalta como poeta, aunque agrega que "su soberbia satánica buscó siempre a Dios" (p. 159), juicio del que, sin duda, se hubiera burlado el filósofo alemán.

En 1901, Pompeyo Gener, otro barcelonés, publicó *Inducciones: Ensayos de filosofía y de crítica*, que incluye "Federico Nietzsche y sus tendencias", donde elogia el empuje a la acción, el optimismo, y la dura crítica nietzscheana a los dogmas religiosos (p. 320). El anticlericalismo de Gener le hace defender a Nietzsche de los cargos de anarquista y anticristiano, arguyendo que el filósofo aboga por una "aristocracia de la organización y de la cultura una acción libre de los mejores, pero no de todos" (p. 282). Por otro lado, critica el concepto de "superhombre", al que ve como desprecio de Nietzsche por el pueblo (p. 291).

La mala comprensión de Gener de la obra del filósofo se evidencia al sostener, erróneamente, que ella suprime el placer, cuando lo contrario es lo cierto.

En 1897, Juan Valera publica "El superhombre" en que reseña *Amigos y maestros* de Pompeyo Gener, colección de semblanzas de autores franceses, algunos de los cuales —Bourget, Richepin— se asocian con el decadentismo. Este trabajo no menciona a Nietzsche, y tal vez tampoco el libro de Gener lo nombre, pero es evidente que está inspirado por él. Valera fustiga la "moderna" poesía francesa (Baudelaire es "afectadísimo, falso y extravagante", p. 942), pero se concentra en burlarse de la noción de hombre superior que defiende Gener, y reserva su tono más agresivo, para la posición anticristiana del libro. Valera sí se ocupó de Nietzsche y su superhombre en 1901, en un ensayo sobre *Inducciones de Gener*. Aquí, la noción del hombre superior nietzscheana, se califica de "abominable" y "perversa" (p. 1052), e implícitamente tacha de inmorales al filósofo y al autor del libro. De nuevo el catolicismo de Valera reacciona con fuerza contra los ataques que Gener y Nietzsche hacen del cristianismo, encomiando los rasgos predicados por dicha doctrina, que el filósofo consideraba nefastos para la "ascensión" del hombre.

Antes del siglo XX, en 1899, Pío Baroja, otro escritor muy leído, pudo influir en la imagen que el público se iba formando sobre el filósofo alemán. Su ensayo se titula "Nietzsche y su filosofía", y en él con característica ironía, lo llama "dandy fatuo", injerto de "un satánico como Baudelaire" (p. 466).[33] Baroja admite que Nietzsche es "artista brillante", pero sus ideas serían "desordenadas", "anárquicas" y "nada originales" (p. 467). Sosteniendo que en el terreno metafísico, todo Nietzsche ya está en Schopenhauer (recuérdese que el primero abomina de la metafísica y rompe con su maestro), Baroja golpea sobre todo el "egotismo" del filósofo, que ve como motor de sus ideas. El final del trabajo contiene la única alabanza de Baroja a Nietzsche: su crítica negativa al poder del estado, que obviamente coincide con la ideología política del autor español.

En cuanto a Hispanoamérica, en "Las corrientes filosóficas en la América Latina" de 1908, Francisco García Calderón, al discutir la gran influencia del positivismo en la América hispana, dice lo siguiente sobre el asunto que nos ocupa:

> [el positivismo] ha producido un racionalismo algo estrecho, una metafísica dogmática y, en la acción, el culto de la riqueza, la supremacía de lo práctico, el egoísmo, á veces un amoralismo, al cual *las doctrinas de Nietzsche mal interpretadas y de generalización fácil* han contribuido con su fuerza y su brillo (p. 165, énfasis mío).

Mi subrayado quiere acentuar, tanto la popularidad de las ideas de Nietzsche, como el deficiente conocimiento que de ellas se tiene, como se vio con los peninsulares, siempre teñidas fuertemente con las ideologías de los que las usan.[34]

Pedro Henríquez Ureña, en 1905, había sostenido que la influencia filosófica más poderosa del fin de siglo era la de Niestzsche, y

---

33. Baroja califica erróneamente a Nietzsche de "decadente", cuando la verdad es que el alemán tiene palabras duras contra la corriente artística de ese nombre.

34. Por ejemplo Rodó en su *Ariel* llama "monstruosa" la idea nietzscheana del superhombre, y levanta contra él la cruz cristiana como símbolo de superioridad (p. 69).

lo coloca junto a Schopenhauer y Von Hartmann entre los de pesimismo agudo (p. 29). La seriedad y el trabajo idóneo del dominicano, no le salvan de caer en los errores y las malas interpretaciones de las que se queja García Calderón. Así afirma por ejemplo, que:

la filosofía de Nietzsche, que reunía ambas tendencias contrarias [optimista y pesimista], resulta más pesimista que optimista: el pensador alemán veía en la humanidad una especie inferior, creía en la inutilidad del esfuerzo de la Vida por superarse a sí misma, y para librarse de la obsesión de ese eterno *en vano* creó el Superhombre, encarnación de la Voluntad dominadora y del individualismo antiigualitario. El Superhombre ni siquiera había de ser feliz, puesto que debía buscar "con suprema esperanza, su supremo dolor" ¡el ineludible dolor! Su placer favorito, la divina risa, ¿podría ser, en condiciones tales, un placer sano, una expresión de la potente alegría universal? (pp. 29-30, énfasis de Ureña).

Se excusa la reproducción de tal extensa cita porque contiene varios de los errores de interpretación más divulgados en la época. En primer lugar, Nietzsche se desligó de las enseñanzas de su maestro Schopenhauer precisamente por el extremo pesimismo del pensador que predicaba el aniquilamiento total (la nada, nirvana), como único medio de escapar a la vida que para él era siempre odiosa. En la concepción nietzscheana del superhombre, aquel que busca siempre "ascender" y dominar sus pasiones, pensar en la idea de la "felicidad" es un desatino.[35] En cuanto al dolor, que Kant, Schopenhauer y Hegel consideraban inherentes a la existencia, hay que verlo, según E. E. Sleinis, en el esquema amplio nietzscheano que tiene como meollo la preservación y el mejoramiento de la vida.

Explica este autor que para Nietzsche considerar el placer como valor y el dolor como disvalor es un absurdo ya que, según el filósofo alemán, ambos sirven al funcionamiento vital: Habría una "sabiduría" en el dolor, que avisaría sobre un posible daño mayor (p. 91).

---

35. Alan Schrift afirma que Nietzsche nunca dio una descripción detallada del superhombre, noción repartida en diversos conceptos y obras. Este investigador piensa que ese nombre se le da a "cierto idealizado conglomerado de fuerzas" que en *Ecce Hommo*, Nietzsche llama "un tipo de suprema realización" (p. 263).

Respecto al individualismo, está estrechamente atado al concepto de mejoramiento personal, y la risa, que Nietzsche practica y recomienda, es obvio que no se acomodaría bien a una visión "depresiva" como Henríquez Ureña tilda la de Nietzsche.

El estudioso dominicano al parecer se reconcilió con Nietzsche, o lo leyó mejor, pues en "Nietzsche y el pragmatismo" de 1908, encomia "su asombrosa perspicacia de crítico, y de psicólogo, y su entusiasmo y su fuerza de escritor, [que] declaró la guerra a las tablas clásicas de valores intelectuales y morales" logrando agitar con "profunda perturbación el ambiente filosófico de Europa" (p. 73). El propósito de ese artículo fue relacionar el pensamiento de Nietzsche con el de William James, al cual el primero se habría adelantado en la importancia que dio al inconsciente (también se adelantó a Freud), en el rechazo a las nociones metafísicas de orígenes y causas primeras, para concentrarse en las consecuencias prácticas de las acciones (pp. 73-76).[36]

En el ensayo "La virtud del egoísmo" Palma llama a Nietzsche "supremo poeta cantor de la energía y de la personalidad" (p. 118) en una época en que si era bien recibido por los rebeldes "modernos", era anatema para la mayoría, que lo consideraba un loco peligroso. El escrito, originalmente una conferencia universitaria, comienza con la confesión de su autor de que hablar de virtud a propósito del egoísmo lo "seduce y lo espanta" a la vez. La seducción la explica el autor como su convencimiento de que el egoísmo es "una virtud santa, noble, generadora del progreso y de la vida". Su espanto proviene de saber que la religión y la ética lo han hecho un "instinto odioso, inhumano, estrecho" (p. 110). La idea de otorgar rasgos positivos al egoísmo no es nueva. Schopenhauer, que lo enlaza con la individualidad, lo considera esencial en la vida (*The Living Thought*, p. 112). Nietzsche, en un acápite de su libro *El crepúsculo de los ídolos*, titulado "Valor natural del egoísmo" dice:

---

36. De ningún modo pretendo ocultar la cara "negativa" de Nietzsche, que creo es la más conocida. Por lo demás, las disputas interpretativas continúan generándose y no hay consenso sobre muchos aspectos. Sobre la moral niezscheana, que es la que interesa, *Nietzsche, Genealogy Morality Essays on Nietzsche Genealogy of Morals*, editado por Richard Schacht (University of California Press. 1994), trae excelentes trabajos, como el de Philippa Foot.

El egoísmo vale lo que valga fisiológicamente *quien* lo tiene: puede ser muy valioso, puede carecer de valor y ser despreciable. Es lícito someter a examen a todo individuo para ver si representa la línea ascendente o la línea descendente de la vida [...] Si representa el ascenso de la línea, entonces su valores extraordinario, —y [...] la vida en su conjunto, [...] con él da un paso *hacia adelante* (p. 106, énfasis del autor).

Los acentos puestos por Nietzsche muestran cómo intenta enfocar al individuo particular (su lado pragmático), y su deseo de empujar la superación del hombre en el sentido más amplio de su ideario. La cita señala además —como va a hacer Palma en su ensayo— que no todo egoísmo es positivo.

La defensa de Palma del egoísmo comienza con la idea, de moda hoy, pero incipiente entonces, de la necesidad de abolir las dicotomías absolutas, ciegas al relativismo de todo fenómeno. Yendo más lejos que Kant, defendido en el ensayo anterior, Palma declara que "La filosofía antigua y la moderna hasta llegar á Nitzche (sic), está construida sobre este concepto de las posiciones absolutas y contrarias que hay que rechazar" (p. 110). Egoísmo/altruismo; vicio/virtud; mal y bien son ejemplos de esos contrarios absolutos, que olvidan que "la contradicción" y la "paradoja" son inherentes a "hechos, seres e ideas" (p. 111), idea que repite Nietzsche en casi todas sus obras, en su también contradictorio y paradójico estilo. Palma relaciona el egoísmo con el cultivo del yo, fenómeno que ve como beneficioso para el individuo y la sociedad, idea puesta de moda por la nueva ciencia de la psicología, y abrazada con fuerza por modernistas y decadentes, a la que contribuyó en gran medida la obra nietzscheana. Tal vez inspirado por *On the Genealogy of Morals,* que enuncia ideas semejantes, el autor sostiene que:

El hombre es egoísta porque desea y necesita ser fuerte para vivir, porque vivir es la voluntad imperiosa, instintiva, de ser, de afirmarse; y las renunciaciones son la negación de la voluntad de ser, son un artificio moral que ha nacido [...] para fundar una moral nueva que en mi concepto es deleznable porque no reposa en el principio de la vida y de la naturaleza (p. 112).

La cita, como se ve, encapsula el concepto del "superhombre" de Nietzsche y, sin nombrarlo, golpea el cristianismo, el blanco principal de los ataques del pensador alemán, por alentar rasgos que consideró negativos para la vida.

El "sentir general", según Palma ve el egoísmo como "amor desmesurado del yo", y el altruismo, como "amor desmesurado á la especie" (p. 112). El autor arguye que en el primer caso el amor al yo se apareja a una supuesta indiferencia a la especie, y en el segundo, un desprecio a sí mismo, instancias ambas que él rechaza por "exclusivismo". En los tiempos "modernos" se predicaría que el "sentimiento de solidaridad" debe primar sobre el sentimiento individualista, meta errada para el ensayista, pues "para derrochar hay que tener, para gastar hay que poseer", para ser "generoso y pródigo hay que haber acumulado"(p. 113). En otras palabras, y tal como lo piensa Nietzsche, Palma aboga por comenzar por el mejoramiento del individuo. De allí que colija que el altruismo es consecuencia del "egoísmo satisfecho", ya que sólo los fuertes son capaces de "irradiar protección y energía" a los demás (p. 114), rasgo que Nietzsche otorgaba a su hombre superior.

Piensa el autor que si se mira la realidad sin prejuicios, se verá que "el primer movimiento de la vida" está orientado hacia "la salud y la fuerza", idea central del pensamiento nietzscheano. De aquí que la filosofía de la renunciación sea "errónea, enfermiza, de degenerados ó de locos" (p. 113). Otra vez, detrás del concepto de renunciación se apunta al cristianismo y a lo que Palma en los otros ensayos llamó "nirwanismo", que Niestzsche castiga como el ideal ascético, especialmente en la sección "What is the Meaning of Ascetic Ideals" de su *On the Genealogy of Morals*.

Clemente Palma concluye que ni la religión ni la filosofía deben imponer principios morales que se opongan a los instintos y salud humanas. Recuerda como ejemplo al pueblo griego (admirado por Nietzsche), que fue egoísta, según el autor, y que sus doctrinas —platónicas, aristotélicas, epicúreas o estoicas— no mencionaron nunca "la renuncia del individuo por la especie" (p. 116). Palma, como Nietzsche, reconoce que hay un egoísmo negativo, que en vez de afirmar al individuo, goza en "cerrar su espíritu á todas las seducciones del placer de vivir y de influir sobre los demás" (p. 118). Esta caracterización se aproxima a la que hace Nietzsche del asceta, especialmente en el ensayo mencionado antes.

Sosteniendo que el "egoísmo fructifica" y es "filántropo", Palma estima que la caridad, concepto noble, moralizador y bello, especialmente cuando la practican los pobres, resulta debilitante e inútil si se la contrasta con los resultados de la filantropía. En una comparación que corre el riesgo de resultar odiosa para ciertos lectores contemporáneos, opone el ejemplo de Tolstoy, que distribuyó sus bienes a los necesitados, con obras de los "Morgan, Rockfeller (sic) y Carnegies" que, dejaron bibliotecas, museos, universidades y hospitales, que perduran en el tiempo y benefician a multitudes (pp. 122-124).

Nietzsche tiene muchas páginas contra el altruismo, que enlaza con el egoísmo, ambos promovidos por la "moral del esclavo" y originados a su modo de ver casi siempre en el autointerés. En esa moral, el hombre débil predicaría el altruismo para escapar a la tarea, más dura de trabajar por su auto-perfección (Kaufmann, p. 388). Esta es una de las cuestiones nietzscheanas más debatidas, por la diversidad y complejidad con que la presenta el filósofo alemán (ver Sleinis, pp. 65-78), y no hay necesidad (ni competencia), para abundar más en ella.

Palma mostró de nuevo la audacia de sus años juveniles al intentar defender un atributo que la mayoría impugnaba como indeseable en el humano. El intento es meritorio porque fuerza al lector a pasar más allá de lo obvio y aceptado. Pudiera pensarse que el autor de historias con seres egoístas, como son los que pueblan los *Cuentos malévolos*, se sintió obligado a justificar en cierto modo esas criaturas de su invención.[37] Pero ese libro y esas criaturas se presentan con una complejidad muchísimo mayor que el mero hecho de las acciones egoístas, como espero demostrar.

La extensión que di al repaso de estas primeras obras ensayísticas, fuera de su necesaria divulgación, se justificará mejor en el próximo capítulo, que comienza el examen de sus relatos. Allí se comprobará la persistencia de la inclinación de Palma por la literatura decadentista,

---

37. Quizás el artículo nació de alguna reseña de su libro, desdeñosa de los personajes de esas historias, precisamente por sus acciones egoístas. Desgraciadamente no pude revisar el material pertinente, difícil de localizar, que podría esclarecer este punto.

traducida en cuentos que pueden tildarse de "satánicos", "blasfemos" o "macábricos" como él nombró obras y autores que admiraba. En ellos, la presencia de Baudelaire y Huysmans es perceptible, junto a la de Nietzsche, cuyo peso es significativo en ciertas historias. Como se verá, el problema del Bien y del Mal, núcleo del pensamiento del filósofo alemán, obsesiona al autor peruano tanto como la Muerte o el Sexo, motivos frecuentes en el decadentismo, y centrales en las narraciones que vamos a leer.

CAPÍTULO II

MODERNISMO: EN BUSCA DE NUEVOS EFECTOS

EL MAL COMO RECURSO ARTÍSTICO

Es casi unánime el juicio crítico de atribuir a la literatura peruana un atraso en su entrada en el modernismo hispanoamericano, sobre todo en lo tocante a la prosa. Alberto Escobar en *La narración en el Perú* afirma que su país carece de escritores "propiamente modernistas" (p. 17). Riva Agüero sostiene que el Perú sería el "menos contaminado por el decadentismo y el modernismo" (M. Henríquez Ureña, p. 333). A su vez, Castro Arenas se pregunta si el atraso peruano para adaptarse a la nueva modalidad, se relacionaría con el nacionalismo, activado por la derrota en la guerra del Pacífico (1879), que haría ver como "escamoteo de un compromiso histórico" dedicarse a una escritura que se estimaba de evasión "hacia irreales latitudes de ensueño retórico" (p. 124). Como mi intención no es abarcar el modernismo en el Perú, sino estudiar sólo uno de sus representantes más prominentes, no entraré a rebatir la relatividad de los juicios citados. Sí me interesa hacer notar que la última frase de Castro Arenas, repite un concepto ya caduco. Como se estima hoy, el modernismo no fue una literatura de evasión, sino una respuesta complicada a los cambios abruptos y rápidos que imponían los avances de la ciencia, la industria y la técnica, movidos por la burguesía capitalista en el poder. En otras palabras, una respuesta a la modernidad, como lo han probado últimamente, entre otros, Gutiérrez Giradot, Iris Zavala, o Fernando Burgos.

La revisión de ciertas publicaciones, difíciles de encontrar, ha permitido evidenciar el conocimiento que los jóvenes peruanos tenían de la literatura llamada "nueva" a fines del siglo diecinueve, especialmente la francesa, que tanto peso tuvo en la transformación artística. Es el caso de Clemente Palma quien, aún antes de escribir los ensayos mencionados en el capítulo anterior, se ocupa de dar a conocer e impulsar la nueva escritura. Boyd G. Carter pudo leer los cinco números de la revista *El Iris* que Palma dirigió en 1894, cuando sólo tenía 22 años. Para este investigador dicha revista es "el primer órgano del modernismo en el Perú" (p. 293), y muestra que los jóvenes "estaban notablemente enterados de la expresión cultural de Francia" (p. 291).

De la lectura que hace Carter, interesa detenerse en la vacilación que ve en el joven Palma en cuanto a su adhesión o rechazo del decadentismo. Esta vacilación se relaciona con una respuesta que dio a una carta de Mercedes Cabello de Carbonera que condena el decadentismo francés y a sus seguidores peruanos, que Palma publicó en el primer número de *El Iris*.

Según Carter, el artículo "La decadencia en América", publicado en el número dos de la revista, sería un comentario "de doble cara" de Palma, ya que expresa "admiración por la estética decadentista", pero "vacila en adherirse como adepto entusiasta" (p. 285). Pienso que el renombre de la autora, y su mayor edad (p. 45 en 1894), pueden haber sido cortapisas para el joven que se iniciaba en una polémica que despertaba intensas pasiones en la época. Ya vimos que tres años más tarde, en 1897, no hay vacilación en su defensa de obras y autores decadentistas. Esta posición afirmativa se evidencia en otros números de *El Iris* que estudia Carter, como la publicación de "El simbolismo decadente" de Pedro César Dominici (en el número tres), con conceptos similares a los que sostendrá Palma. Allí el escritor venezolano, igual que el peruano, exalta en particular la figura de Baudelaire, a quien llama "el sublime neurótico, *decadente* (él subraya), el que más influye en la literatura moderna" (p. 287).

El nombre de Baudelaire es apropiado para iniciar una reflexión sobre algunos relatos de *Cuentos malévolos* de Palma. Ya vimos que en su evaluación del francés, el peruano lo considera como "un poeta de inspiración verdaderamente artística" que comprendió que "en la maldad [...] hay una belleza enterrada [...] capaz de producir la emoción

estética" (*Filosofía y arte*, p. 35). El mal es precisamente el hilo unifica-
dor de los relatos reunidos en este primer volumen de Palma, mal que
veremos encarnados en acciones malvadas, en personajes que mani-
fiestan deseos contrarios a los ideales que se fomentan desde el poder,
o en figuras epítomes de lo perverso, como el diablo o el vampiro, que
los decadentes renovaron con una perspectiva ideológica diferente. Para
comprender un poco esa nueva perspectiva, es conveniente repasar
algunas consideraciones en torno a dualismo Bien/Mal, asiento de las
religiones y de la ética, puesto en el tapete de la cultura que la modernidad resquebrajaba, y está en la base del sentimiento de declinación
que se respiraba a fines de siglo. La representación positiva de Lucifer
—encarnación del Mal— hecha por románticos y decadentes, fue una
de las armas de los modernos para atacar los valores burgueses más
convencionales.

LUCIFER COMO HÉROE

El auge de la ciencia en el siglo diecinueve, además de empujar la
creciente secularización de la existencia, provocó una contrarreacción
que se manifestó en un especial interés en las doctrinas esotéricas, y
un crecimiento de sectas practicantes de sesiones espiritistas y de cultos diabólicos.[1] El dualismo Bien/Mal se halla en todas las religiones y
culturas, y casi todas han antropomorfizado estas abstracciones en figuras simbólicas como el diablo, los ángeles, los santos, para nombrar
algunas de la iconografía cristiana. Se comprobó ya cómo Palma en su
interés por el decadentismo, se detiene en especial en los escritores
que llama satánicos, que elaboran asuntos o personajes inspirados en la
figura de Lucifer. El diablo fue desde siempre encarnación del Mal, y
esto lo hace atractivo a aquellos rebeldes, sean románticos o decadentes, para hacer de él un héroe positivo, y con él atacar los valores que
encontraban represivos.

---

1. La boga del espiritismo abarcó también a intelectuales, como Henry James, R. M.
   Rilke, Conan Doyle, o W. B. Yeats entre otros. A. W. Friedman asegura que hasta
   Freud creyó en la posibilidad de comunicarse con los muertos. En Latinoamérica,
   Darío y Lugones fueron adeptos al esoterismo, y Palma lo trabaja en "Mors ex
   vita".

La idea de que el Mal pueda ser un principio positivo, sin embargo, no es nueva. Por ejemplo Malthus en su *Essay on the Principle of Population* (1798), sostiene que el mal existe para crear actividad ("Evil exists in the world not to create despair but activity", p. 217). Y aún antes que Malthus, el Marqués de Sade había publicado su *Justina o los infortunios de la virtud* (1791), para demostrar que el bien sólo trae malas consecuencias. En el siglo XIX, la teoría de la evolución, que rompe entre otros mitos, el de la naturaleza como armoniosa y bienhechora, contribuye al pesimismo metafísico de Schopenhauer (Bayertz, p. 282), y a ciertos principios de Nietzsche que parecen apoyar el *dictum* de Malthus citado. Nos detendremos en ellos por su pertinencia a los relatos a estudiar.

En *Beyond Good and Evil*, Nietzsche expone sus nociones de lo que concibe como bueno y malo, encarnándolas en lo que llama la moral del amo y del esclavo. El amo, es el tipo noble, orgulloso de sí, creador de valores porque puede juzgar y juzgarse con honestidad y rigor (p. 395). El esclavo sería suspicaz, pesimista, y guiado por "una moral de utilidad", exaltaría las cualidades que pueden mejorar su situación, como la piedad, la paciencia, o la humildad (p. 397), virtudes predicadas por el cristianismo, originador de las ideas de pecado, culpa y mala conciencia, según el filósofo alemán. Lo que él denomina "la rebelión de los esclavos" habría invertido las cualidades "aristocráticas" encerradas en la ecuación bueno=noble, poderoso, hermoso, feliz, amado por Dios; para ser reemplazada por bueno=pobre, sufriente, enfermo, feo, amado por Dios (*On the Genealogy of Morals*, p. 470).

En el ensayo tercero de *Genealogy*, Nietzsche castiga el ideal ascético por traer como consecuencia la auto-negación y la división del yo, fenómenos contrarios al impulso "natural" del hombre a satisfacer sus deseos. Este impulso natural con frecuencia empujaría a acciones egoístas, que el filósofo, y con él el autor, defienden si ayudan a vivir. Vimos que Palma sostenía que el altruismo nace del "egoísmo satisfecho" y que sólo los fuertes son capaces de "irradiar protección y energía". Los primeros cuentos que examinaremos afirman la necesidad del mal en el mundo, y en ellos el diablo representa la fortaleza y Jesús la debilidad.

Aunque algunos críticos no dan importancia al diabolismo en sus parámetros definidores del decadentismo (Weir, p. 111), la mayoría lo acepta como uno de sus motivos principales. Mario Praz en el extenso capítulo "The Metamorphoses of Satan" de su libro *The Romantic Agony* (que en italiano se llama *La carne, la muerte y el diablo*), rastrea minuciosamente la transformación de Lucifer a partir de *Paradise Lost* de Milton. De la figura terrorífica y siniestra popularizada sobre todo en la Edad Media, Milton habría echado las semillas del personaje positivo de rebelde orgulloso que dibujarán románticos como Shelley, Blake o Byron, y más tarde decadentes como Baudelaire o Lautréamont. Reconociendo la importancia del Marqués de Sade en la escritura romántica y decadentista, Praz dedica el capítulo "The Shadow of the Divine Marquis" a señalar la huella de Sade en Baudelaire, adalid del decadentismo, como apreció Palma en las páginas repasadas. El poeta francés dijo alguna vez que "hay que volver a Sade para explicar el mal" (II, p. 694), y según Emmanuel Pierre, de Sade vendría la idea baudelaireana de que la creación divina es maléfica, y que hasta la naturaleza participa del pecado original (p. 82). Este investigador afirma que para el poeta el mal es la ley de la vida, y que su "motto" fue "hacer el mal conscientemente" ("To do evil knowingly," p. 112), divisa que calza bien a muchos relatos de *Cuentos malignos*, donde el mal se ejerce a conciencia y con placer.

En relación al diabolismo y la práctica de ritos satánicos, popularizados a fines del siglo XIX, la novela *Là-Bas* de Huysmans es el texto imprescindible, texto que, como vimos, Palma conocía muy bien. El escritor menciona al diablo en varios de sus relatos. Por ejemplo, en "La granja blanca" se insinúa que el acontecimiento extraordinario central, es resultado de un pacto con el demonio. En otras ocasiones, se usa el adjetivo diabólico en la caracterización de personajes, sobre todo femeninos ("Una historia vulgar", "Los ojos de Lina"), pero en tres de los cuentos que veremos a continuación, Satanás es actor principal.

Comenzaremos, sin embargo con "Parábola" en que el demonio no es visible, aunque sí lo es su efecto maligno. Este cuento pertenece al conjunto, porque su historia sustenta la misma premisa que sostienen los otros.

"Parábola" se llamó originalmente "Imploraciones", y se publicó por primera vez en *El Ateneo* en agosto de 1899 (Kason, p. 125), antes de incluirse en *Cuentos malévolos* en 1904. En la presentación sumaria que hice de este relato en *El cuento modernista*, mencioné su forma enmarcada y sus dos narradores, pero no advertí que la descripción del primer narrador, desde el comienzo, contiene indicios decadentistas. El joven que introduce la narración se autocaracteriza como dado a "negras meditaciones filosóficas", dispépsico crónico, con muchos años de "descreimiento é impiedades" (p. 48),[2] que sufre una profunda crisis por la muerte de su amada.[3] El narrador recuerda las "malignidades" y el "amor extraño" de su novia, a quien califica de "un poco diabólica", y piensa que es probablemente por estas características, que la amó "con pasión" (p. 47). Fácil es ver en este temprano texto, a un típico héroe decadente por su naturaleza enfermiza, y la sugerencia de su atracción al amor teñido de cierta perversidad. En relatos posteriores, esta atracción se hará más explícita.

El tono de la narración es sutilmente irónico, como se ve, por ejemplo, en un dardo en contra de la hipocresía de la iglesia,[4] y en algunas líneas que citaremos. Ese tono proviene especialmente de las palabras del tío del narrador, prior de un convento, quien explicará por qué existe el mal en el mundo, por medio de la parábola que forma el cuerpo del relato. El humor del cuento, se ilustra en el párrafo que transcribiremos, que en cierto modo resume su historia. En él, un viejo ermitaño que ha obtenido de Jesús la erradicación de la enfermedad, la pobreza y el odio, le ruega devuelva a la humanidad su condición "natural" de pecadores:

> —Señor, los mortales de la tierra están desesperados con su felicidad y quieren que te dirija en su nombre esta plegaria: Señor vuélvenos á nuestra primitiva condición de víctimas del mal y del dolor porque ella es infinitamente preferible á esta bienaventuranza fácil que extingue el deseo y que no es obra del esfuerzo (p. 38).

---

2. Las páginas, corresponderán a la segunda edición de 1913, a menos que se especifique otra.

3. El amor unido a la muerte, es un motivo reiterado en la obra de Palma, como se verá.

4. El joven recuerda que las pláticas con su tío terminaban con una "buena jícara de chocolate" porque está probado que "no quebranta el ayuno prescrito por el ritual de la Consagración" (p. 30).

Fácilmente perceptible es ver aquí ecos de Nietzsche,[5] y de otros escritores finiseculares, que veían que con los adelantos de la ciencia, aliviadora de la tradicional dureza de la vida, el hombre se haría débil y sufriría de tedio. Un audaz sintagma puesto en palabras de Jesús, reafirma este temor al expresar que "suprimiendo la enfermedad, la miseria y la lucha" se crea "la inercia y el hastío" es decir, "el mayor pecado y la mayor condenación" (p. 38).

La inercia y el hastío son motivos importantes en la literatura decadentista (recuérdese la sección "Spleen" de *Las flores del mal*), que los usó para oponerse a los burgueses que proclamaban los beneficios del progreso. Así pues, este relato está afincado, como los demás del libro, en los fines más generales del modernismo y del decadentismo, adherentes y críticos a la vez de los avances modernos.

"El Quinto Evangelio" fue publicado en junio de 1903 (Kason, p. 125), y también forma parte de *Cuentos malévolos*. Curiosamente este relato viene dedicado a don Juan Valera, quien, como vimos, tiene apasionadas palabras en contra del pensamiento nietzscheano, cuyos ecos son muy visibles aquí. El cuento es otra especie de parábola, y como la anterior, enseña la inerradicable existencia del mal. La historia, mínima, la cuenta un narrador heterodiegético,* y se centra en el Cristo agonizante, y el esfuerzo de Satanás por tentarlo. La descripción de las dos figuras contrasta violentamente. Diferente al Jesús sufriente, que desea la muerte, el diablo es dinámico, fuerte, y se presenta como más sabio y maduro. Según Satanás, Cristo no se ha enterado todavía de que la humanidad lo prefiere a él porque representa todas las energías "que invitan al hombre a vivir" (p. 78). El diablo en su auto-caracterización enuncia varios de los principios defendidos por los decadentistas, como se verá en el párrafo que sigue, que recuerda no sólo algunas ideas de Nietzsche, sino además un célebre pasaje de *Là-bas.*[6]

---

5. En *Beyond Good and Evil* se lee: "Nobody is very likely to consider a doctrine true merely because it makes people happy, or virtuous [...] Something might be true while being harmful and dangerous [...] Perhaps hardness and cunning furnish more favorable conditions for the origin of the strong, independent spirit" (pp. 239-240).

* N.E.: Narrador en primera instancia, que se sitúa fuera del relato.

6. En el capítulo 19 de esta novela de Huysmans, Durtal, su protagonista, asiste a una misa "negra" con madame Chantelouve. Allí el que oficia como sacerdote, después

¡Pobre visionario! Has sacrificado tu vida á la realización de un ideal
estúpido é irrealizable. ¡Salvar a la Humanidad! ¿Cómo has podido
creer, infeliz joven, que la arrancarías de mis garras, si desde que surgió el primer hombre, la Humanidad está muy a gusto entre ellas?
Sabe, ¡oh desventurado mártir! que soy la Carne, que soy el Deseo,
que yo soy la Ciencia, que yo soy la Pasión, que yo soy la Curiosidad, que yo soy todas las energías y estímulos de la naturaleza viva,
que soy todo lo que invita al hombre a vivir (pp. 78-79).

Además de la blasfema superioridad que implica el llamar a Jesús, "infeliz joven", importa recordar que la carne, el deseo, la pasión
y la curiosidad, son conocidos motivos en las obras decadentistas.
Sagazmente, Palma puso este atrevido discurso en palabras del diablo,
que lo "verosimiliza" y hace quizás más "tolerable" a los que puedan
ofenderse.

El caso es diferente en *Là-bas*. Allí, en una escena similar de discurso blasfemo, el que insulta a Jesús en una parodia de rito religioso
es un hombre. En el texto francés, la descripción del Cristo, como
"infame" y "risible", con una cara "bestial torcida por una risa innoble" (p. 290), es muy diferente a la de nuestro autor. Tal vez deseando
atenuar la audacia de la blasfemia, Palma comenzó el relato con un
respetuoso retrato de Cristo, más para inspirar lástima que burla, como
en el caso francés. La naturaleza, sin embargo, simbolizada por una
luna "sarcástica" toma el papel de ente despiadado en un discurso de
destacable poeticidad:

Era de noche. Jesús enclavado en el madero, no había muerto aún [...]
su hermoso rostro, hermoso aún en las convulsiones de su prolonga-
da agonía, hacía una mueca de agudo sufrimiento. [...] Poco á poco fué
saliendo la luna é iluminó con sarcástica magnificencia sus carnes en-
flaquecidas, las oquedades espasmódicas que se formaban en su vientre y en sus flancos, sus llagas y sus heridas, su rostro desencajado y
angustioso (p. 77).

---

de cantar loas al demonio, se dirige a la figura de Jesús para insultarlo. Entre otras
cosas, lo llama bandido, impostor, mentiroso por no cumplir sus promesas, predi-
cador de la paciencia, dios cobarde, hacedor de la nada (pp. 294-295).

No obstante este comienzo, en la contienda que se inicia el triunfador es el demonio, y nada le vale a Jesús mencionar la "vida eterna" o la muerte como paso a una mejor vida. Lucifer oblitera tal esperanza con el muy decadente concepto de que la nada sucede a la muerte ("Sí, pasará á la vida estéril y fría de la nada"), idea reiterada en el volumen, que posiblemente provenga de Nietzsche,[7] como sugiere el que el demonio diga en seguida: "La vida es hermosa, y tu doctrina es de muerte, Nazareno", en palabras semejantes a las que usó el filósofo alemán.[8]

El triunfo de Satanás se marca no sólo con la muerte de Jesús, sino con el acto diabólico de obligar al moribundo a contemplar la corrupción universal, como demostración de la inutilidad de su sacrificio. Como hicimos notar en *El cuento modernista* (p. 177), el discurso sobre lo que ve Cristo antes de morir, borgeano por su poesía, es antológico. Crucificado entre dos ladrones, Jesús ve un escenario que es representación del sentimiento de "degeneración" que se creía vivía la época:

> Y vió una larga serie de ciudades irredentas, las que, á pesar de que ostentaban al cielo las agujas de mil catedrales, era hervidero de todos los vicios más infames y de las pasiones más bajas. Y vió abadías que parecían colonias de Gomorra, y vió fiestas religiosas que parecían saturnales. Y guerras, matanzas y asesinatos que se hacían en su nombre, en nombre de la paz, del amor al prójimo, de la piedad, de esa piedad infinita que le llevó al sacrificio (p. 81).

Pudiera sostenerse, con razón, que un propósito de este cuento es criticar al cristiano hipócrita que ostenta su fe externamente, pero sigue pecando. Lo diferente aquí a tantos textos de propósito similar, es el tono atrevido del discurso, inusual en las letras hispanoamericanas de la época. Así, después del extenso desfile de lugares y de seres corruptos, Lucifer reitera que "S. M. el Pecado reina más omni-

---

7. En la sección 28 del tercer ensayo de *Genealogy of Morals*, Nietzsche explica cómo el asceta ha venido a llenar con un significado, el vacío que experimenta todo ser cuando se pregunta para qué y por qué existo. El hombre puede sufrir, pero necesita saber el propósito y la religión le proporcionaría una interpretación (p. 598). En el próximo cuento a analizar, volveremos sobre esta cuestión.

8. Nietzsche tiene admiración por Jesús y su "práctica". Lo que ataca es la institución del cristianismo, y la hipocresía y oportunismo de la iglesia.

potente que antes", y que el nombre de Jesús es sólo "un nombre convencional". Más blasfemo aún, al llegar al fin del siglo XX, "Jesús no quiso ó le faltaron las fuerzas para ver el futuro afrentoso de las razas" (p. 82).

La debilidad de Cristo se corona en las últimas líneas, cuando ya muerto, sus ojos son cerrados por el diablo. El narrador se pregunta si éste es un acto de piedad o de impiedad, pero deja la respuesta al lector. Ambiguamente, las dos posibilidades son aceptables: es piadoso cerrar los ojos de los muertos, como anota Barthes, pero no lo es dejar grabada en la retina una escena final de fracaso y horror.[9] No hay ambigüedad, sin embargo, respecto a la mayor energía y vitalidad satánicas, y su triunfo sobre Jesús.

El título "El quinto Evangelio" se refiere a una de las últimas escenas del relato, en que Cristo ve la silueta de don Quijote. El diablo insinúa que el libro de Cervantes será otro Evangelio junto a los de Mateo, Marcos, Lucas y Juan. Contrario a la opinión de Unamuno quien piensa que esta escena es de "gran efecto literario", me parece más bien que ella disminuye el efecto de la atmósfera creada, y por lo tanto es innecesaria.[10] Por otro lado, la "herejía" de poner en el mismo plano de ficción a los textos bíblicos, como piensa Kason (p. 42), a mi juicio es de menor peso que las diatribas dirigidas a Jesús.

Al exaltar la energía y vitalidad, cualidades apreciadas en el discurso oficial, este cuento está utilizando en ficción algunas de las virtudes que Nietzsche atribuyó a su hombre superior. Paradójicamente, esas virtudes se atribuyen al diablo, figura execrable para la burguesía, y ya dijimos que los decadentes hacen del diablo un personaje positivo, precisamente para golpear los valores burgueses. La paradoja se espesa si pensamos que ni la energía, la vitalidad o el dinamismo, son cualidades apreciadas por la literatura decadentista, hecho que aumenta la ambigüedad del relato, rasgo característico del arte moderno.

---

9.   En S/Z, Barthes sostiene que cerrar los ojos de los muertos tiene el propósito de exorcizar lo que puede quedar de vida, hacer al muerto verdaderamente muerto (p. 53).

10. Ese juicio se halla en el prólogo que Unamuno escribió para la primera edición de *Cuentos malévolos*, impresa en Barcelona (Salvat, 1904), reproducido en ediciones posteriores, como la hecha en 1974, por Ediciones Peisa de Lima que consultamos.

"El hijo pródigo" también de *Cuentos malévolos* es un relato más extenso y complicado, y en su historia otra vez Luzbel combate contra Jesús y lo vence. El relato tiene dos narradores. El primero presenta al pintor Néstor, excomulgado por la iglesia por su cuadro "El hijo pródigo", considerado blasfemo. En mi lectura, como se verá, ellos son ejemplos del arte y artista decadentes. La astucia de Palma para distanciarse de la posibilidad de que se le endilgue a él el discurso blasfemo, se evidencia al hacer que sea el pintor el que lo enuncie. Para justificar aún mejor el tono de ese discurso, el primer narrador dice lo siguiente sobre Néstor y su obra:

> *Sólo un loco*, un desarreglado, *podía tener la idea de hacer de Satán, el protagonista simpático de un cuadro*, sólo un desequilibrado, un neurótico podría tener la idea de arrancar al Rebelde de su mansión detestable para conducirle al cielo, interesante y hermoso, con los mágicos recursos del colorido y de la expresión (p. 98, énfasis mío).

Mis subrayados apuntan a fenómenos que Palma comentó al escribir sobre los decadentes: su preferencia por individuos neuróticos, y la posibilidad de extraer belleza aún de asuntos considerados feos o inmorales, como son los que impulsa el demonio.

Néstor por otro lado, no es reticente para explicar a sus amigos lo que quiso "historiar" en su cuadro, como metaliterariamente introduce su discurso el primer narrador.[11] En el párrafo que transcribimos a continuación, son considerables las resonancias a las nociones nietzscheanas ya vistas, acerca del significado del cristianismo. Néstor comienza diciendo que Luzbel ha sido desterrado de "la diestra de Dios padre" por alguien que:

> representa un principio inferior (la humildad, la mansedumbre indudablemente significan fuerzas pasivas, inferiores á las fuerzas activas de la rebeldía y el orgullo), por alguien que no ha cumplido sus ofertas de felicidad y salvación, por alguien que tuvo la vanidad de creer que con su altruismo evangélico podría hacer una revolu-

---

11. Como hice notar especialmente en el capítulo primero de *El cuento modernista*, los fenómenos de la metaliteratura y de la intertextualidad son frecuentes entre los modernistas.

ción moral que arrancara a la Humanidad del mal, rompiendo los lazos que la unían a Luzbel. No cumplió: el triunfo de sus doctrinas fué aparente. Jesús reinó, pero no dominó (p. 99, paréntesis de Palma).

Como es evidente, Palma sigue usando en este relato ideas elaboradas en el anterior en relación a la debilidad de Jesús, incumplidor de promesas, y el dominio de Satanás que es el que posee la rebeldía y el orgullo. Aquí, sin embargo, se explica el por qué de la derrota de Cristo. En un enjuiciamiento negativo, Jesús no se prepara para el combate con el demonio, pues se lo describe ascendiendo a las alturas, alejándose por lo tanto de la humanidad ("Jesús subió á las cumbres luminosas del alma", p. 100). El diablo, en cambio, se prepara adecuadamente, con una estrategia que Néstor llama más "fisiológica" que filosófica, que le permitirá conocer lo que mueve al hombre:

El ángel caído aceptó la lucha y con la lucha ha crecido su poder [...] Luzbel descendió a los sombríos misterios de la carne, á los rojos abismos de la sangre, a los intrincados laberintos de los nervios, y con astuta estrategia pudo manejar los verdaderos resortes de la vida (...). ¿Qué importa que el caudaloso río de la moral cristiana envuelva entre sus aguas el pensamiento moderno? No; lo que importa es ese hilito de agua corrosiva que tiene sus fuentes en la carne, se ramifica por todos los filetes nerviosos, y remata en los sentidos (p. 100).

La carne y los nervios, como se dijo antes, son motivos claves de las historias hiladas por los decadentistas, receptivos lectores de las enseñanzas que la psicología iba revelando, especialmente sobre la fuerza de la sensualidad y del sexo. Hasta en el más casto de los santos, según el texto, Luzbel hizo caer "la purpúrea llama de la sensualidad" porque todos son "esclavos del pecado". Esos "verdaderos y ocultos resortes de la vida" a los que alude el artista Néstor, sin duda se refieren a la sexualidad, subtexto de muchas narraciones de Palma, como se advertirá mejor en los análisis futuros. Las palabras de la cita se ajustan de este modo a una opinión de la crítica contemporánea, según la cual en las historias de diablos, fantasmas y vampiros, tan populares en la literatura decimonónica, se oculta el tema del sexo, todavía tabú en la época.[12]

La ligazón entre la humanidad y el diablo se refuerza en el texto, al asegurar que el demonio sostiene "toda la Gloria de su padre divino, en sus hombros malditos" (p. 102). En otras palabras, Dios no sería Dios sin el diablo. Néstor, el artista no sólo enuncia este mensaje a sus amigos, sino que celebra en un himno a Satanás y al pecado:

> ¡Oh, la pureza del pecado, la emancipación del vasallaje satánico es imposible! Entre la Pureza y nosotros está, interceptando las radiaciones divinas, la enorme ala abierta del Rebelde triunfante! [...] El Universo entero tendía á Dios porque él, el Mal; él el Dolor [...] él el Bajísimo, aguijoneaba, pinchaba, tentaba, hería á la Humanidad, [...] Luzbel era el padre de la actividad y el esfuerzo, porque él era el padre del Dolor y del Mal. Lubrificaba las almas, las bonificaba para la conquista de las alturas excelsas (pp. 102-103).

El texto como se ve, hace eco a Schopenhauer, Nietzsche y otros filósofos, que pensaban que el sufrimiento espolea al hombre a la acción, y que el Mal es elemento inherente e inerradicable en el mundo.

En relación a la ejecución del cuadro mismo, el narrador enuncia juicios válidos para ubicar al pintor y su obra como representantes del arte preferido por los decadentistas. La cita que sigue describe la pintura, y en una doble metarreflexión irónica, recoge el juicio que se tenía del arte decadente, valedero para el cuadro, y en cierta manera también para el cuento que leemos:

> [el cuadro] obtuvo un gran éxito por la maestría en la ejecución, la novedad y la rareza de la factura, y sobre todo por la extravagancia ó humorismo de la composición, que agradó hasta el entusiasmo a los *exquisitos* del arte, á los *gourmets* del ideal, á los hijos trastornados de este *fin de siècle* que, fríos é impasibles ante los lienzos del período glorioso del arte, vibran de emoción ante las coloraciones exóticas, los simbolismos extrañamente sugestivos, las figuras pérfidas, las car-

---

12. Véase por ejemplo, "Loving You All Ways: Vamp, Vampires, Necrophiles and Necrophilles in Nineteen-Century Fiction" de Robert Tracy en *Death and Death in Victorian Literature*, editado por Regina Barreca (Indiana University Press: 1990: pp. 52-59).

nes mórbidas y voluptuosamente malignas, los claroscuros enigmá-
ticos, las luces grises ó biliosas y las sombras fosforescentes, en una
palabra, ante todo lo que signifique una novedad, una impulsión que
mortifique el pensamiento y sacuda violentamente nuestro ya gasta-
do mecanismo nervioso (pp. 97-98, énfasis de Palma).

Los subrayados del autor expresan el tonillo de burla que se desea
imponer. No obstante, la descripción contiene muchos de los rasgos
adscritos en serio al decadente y su arte. La impasibilidad y la emoción
controlada se vieron como virtudes en el *dandy* decadente. La combinación de humor con simbolismos sugestivos en la persecusión de una
obra "rara" por lo nueva, es meta decadentista y simbolista (recuérdese
que para muchos estas corrientes son sinónimas).

Por otro lado, es conocido el favor por las carnes mórbidas, vo-
luptuosas y malignas, y la elección del medio tono y las sombras en
Baudelaire y la pintura de los prerrafaelistas. Un lector coetáneo a la
vez, pudo considerar este cuento como "raro", de composición "extravagante", que puede sacudir el sistema nervioso, sobre todo si es un
creyente religioso. La preferencia del narrador, y quizás la del autor
sobre su propio relato, se revela cuando, a pesar de estar "horrorizado"
por la "teología infernal" del asunto, admite que esto "no obstó para
que fuera de una ejecución maravillosa" (p. 99).

En el polémico final de la historia que cuenta Néstor, Jesús
y Dios perdonan a Luzbel que retorna "a la diestra de Dios Padre".
Unamuno, a quien se dedica el cuento, aplaude este final porque le
parece que el perdón es una idea "profundamente evangélica". Para
él, la "certidumbre del perdón" aparta del mal mucho más "que el
temor al castigo" (1974: p. 17). No reparó el escritor vasco, sin embargo, que junto a este final "evangélico" el autor deslizó una idea
profundamente no evangélica. Al sentarse al lado de Dios, Luzbel
pudo ver que, a excepción de la Virgen, todos los santos y mártires
celestiales, incluso "el Omnipotente" ocultaban "la huella rojiza de
su mano candente" (p. 104). Con esto se está significando que ya no
hay distinción entre Bien y Mal, que es exactamente lo que enuncia
el discurso: "faltando Luzbel en el Universo, el universo murió,
le faltaba el alma... Y volvió a ser la Nada..." (p. 105, suspensivos
de Palma).

Como hemos visto, la voluntad hacia la nada está relacionada en Nietzsche con el ideal ascético que impone temor al cuerpo, reprime deseos y en último término representa una rebelión contra la vida. En términos de la modernidad en general, como bien dice Gutiérrez Giradot, la nada es la expresión "que deja la ciencia al imponer la transformación de los valores"(1991: p. 32). Es así como este relato, igual como hicieron Malthus, o Sade o Baudelaire, proclama la necesidad del Mal en la existencia.[13]

Palma recogió en la segunda edición de *Cuentos malévolos* el relato "Ensueños mitológicos", publicado primero en 1905, y objeto de varias revisiones (Kason, 125, nota 24). Con un epígrafe extraído de "Plegaria en la Acrópolis" de Renán, cuenta la lucha entre la religión antigua pagana y la cristiana, en que la última sale vencida. El temple más poético del discurso lo diferencia de los anteriores, y lo sitúa cómodamente en la fase mejor conocida del modernismo, que algunos llamaron "estetizante" por el énfasis puesto en la retórica de la poesía. La explicación del narrador de que el texto es resultado de un "ensueño" inspirado por Renán, le permite trazar un cuadro —como metadiscursivamente lo califica— con gran despliegue de color y movimiento.[14] Para la línea decadentista que persigo, me interesa considerar los elementos que encajan en ella, y por lo tanto se relacionan con los relatos ya vistos. El primero es el asunto blasfemo del triunfo de los dioses y semidioses mitológicos —Hércules, Sansón, Saturno, Vulcano, etc.— no sólo sobre Jesús, sino el mismo Padre Eterno. Como subversiva "pateadura al burgués" puede estimarse la grotesca manera con que se describe la muerte de Dios, y se identifica al matador:

---

13. John Reed cita a Le Galliene para afirmar que el arte decadentista es uno de "desesperación que busca en vano un propósito en el cual no cree". Para Reed mismo, el decadente reconoce la nada como centro de la existencia, y le aterroriza el vacío dentro de sí (*Decadent Style*, Ohio University Press, 1985: 14-15). Es difícil saber hasta qué punto se subscribe Palma a estas ideas que se repiten en varios de sus cuentos. No obstante, hay que equilibrar este sentimiento sombrío, con el afán de *èpater les bourgeois* que, como sostiene Gonzalo Sobejano, movió a muchos decadentistas (*Forma Literaria y sensibilidad social: Mateo Alemán, Galdós, Clarín, el 98 y Valle Inclán*, Gredos: 1967: pp. 212-215).

14. Renán es llamado "herético, impío y apóstata sabio" que ejerció "diabólica influencia" sobre la "ortodoxia" del narrador (p. 165).

¡Oh inmensa desventura! El Divino Padre había rodado la escalinata del empíreo traidoramente asesinado por el dios niño, el niño al que rinden culto todos los seres vivos, Cupido, que había disparado certera saeta á las sienes del Ser Supremo (p. 167).

Un indicio de indudable sabor decadente se agrega a esta descripción, al comentar el narrador que "el pérfido [Cupido] disparó á la cabeza y no al corazón, porque bien sabía el traidor que el amor que mata es el amor cerebral" (p. 167). Este amor cerebral será centro de muchas de las narraciones que veremos en la páginas venideras. En esta historia del triunfo de los dioses antiguos, Venus se impone como suprema deidad, y el amor y la belleza crean una nueva Humanidad (p. 169). Blasfemo también es el final del relato. Allí, quinientos años después de la gran batalla, un sacerdote del Partenón encuentra un libro cristiano con el "Ave María", y al esclarecer Dionisio que no es invocación a Venus sino a una María, que era virgen y madre de un hombre llamado Kreiston, provoca risa e incredulidad.

El otro elemento que coincide con aspectos de los cuentos estudiados en las páginas previas tiene que ver con el diablo. Aquí es Satanás el que "puso en libertad á los antiguos dioses" y el que había "atizado [...] el ansia de la reconquista de los cielos, con el fin de vengarse del Padre Eterno" (p. 168). Como en "El quinto Evangelio" y "El hijo pródigo", Lucifer se da cuenta de que su existencia depende de la del dios del Bien como lo concebía la religión vencida. Como dice el texto, el diablo comprendió que "en el nuevo reinado no tenía sitio, y que su nombre serviría de burla á los niños de las nuevas generaciones" (pp. 168-169). La novedad aquí es que el demonio se "arrepiente de su error" y apocalípticamente prende fuego "a todos los pecados, vicios y pasiones de la Humanidad" (p. 169). Al revés de los relatos anteriores, a la hecatombe no sucede la nada, sino se crea la nueva humanidad bajo el imperio de Venus. Con el paso del tiempo, seguirá el cambio en la visión del poder de Lucifer, como se verá en "El hombre del cigarrillo".

La paulatina desaparición del diablo, se adelanta en "El nigromante" de 1906, también incluido en la segunda edición de *Cuentos malévolos* de 1913. Con resonancias a la forma de parábola, este cuento puede verse como parodia de los relatos en que los personajes recurren a fórmulas cabalísticas para resolver problemas e incógnitas, y por otro, como un cuento de hadas en que se refuerzan los valores establecidos. La incógnita sobre cuál es la base de la felicidad que se dejará irresuelta en otras obras, convencionalmente se responde aquí diciendo que la maternidad y los hijos, es decir la familia tradicional sería la base para una vida feliz. Es claro que este relato no pertenece del todo al grupo decadentista que vamos repasando, y si lo mencionamos aquí es porque el nigromante del título pide ayuda al diablo en su búsqueda de la felicidad. El amante de su hija, se disfraza de Lucifer, como único medio de llegar a ella, treta que engaña al padre y proclama la inexistencia del demonio. Si el diablo ha desaparecido, el adulterio de la esposa del nigromante y la crueldad de éste para encerrar de por vida a su hija, podrían tomarse como hilos que atan esta historia a la malevolencia del título del libro. Otro elemento a considerar sería la misoginia del personaje, para quien la mujer es "la más despreciable y ruin de las bestias hermosas" (p. 197), juicio que se repetirá en los relatos estudiados en el capítulo siguiente.

El diablo que Palma de treinta y dos años representó en *Cuentos malévolos* en 1904, es muy diferente al que creó a los cuarenta y seis, cuando salió "El hombre del cigarrillo", que integra *Historietas malignas* de 1925. Quizás el paso de los años acentuó el escepticismo que el escritor peruano reconocía en sí, porque en este cuento hasta el diablo ha perdido su fuerza y vigor. Como este relato es prácticamente desconocido me detendré con mayor espacio en su historia.[15] El cuento está narrado en primera persona por Klingsor (como el mago de *Parsifal*), su protagonista, que curiosamente tiene la misma edad del autor. Este personaje tiene claros rasgos decadentistas, aunque la boga de tal corriente ya había declinado para los años de su aparición. Klingsor es rico, pero siente su cuerpo y alma cansados, después de una juventud disoluta (p. 61). En el presente de la enunciación, sufre de dispepsia nerviosa, y desea suicidarse por la inutilidad de su vida y por amores no correspondidos. El toque decadente se refuerza con su impasibilidad para prepararse a morir, y por la elección de la horca como medio para matarse porque ha oído que en "las convulsiones agónicas"

---

15. *Historietas malignas* es muy difícil de hallar, razón por la cual sus narraciones no fueron incluidas en *El cuento modernista*.

se produce una "delectable sensación de amor", momento que aprovecharía para imaginar que posee a Annabel, su amada. [16] En el bosque donde planea ahorcarse, encuentra a un hombre "de edad mediana" y aspecto ordinario, que sugerentemente lee *The Paradise Lost* (sic, p. 65), de Milton. Con humor, este hombre se presenta como el diablo, y comenta sarcásticamente los extravagantes retratos que se han hecho de él, sobre todo por "la frailería de la Edad Media" (p. 67). El conocimiento de Palma sobre el tema del satanismo, sale a relucir en el recuento que hace el diablo de algunos de esos grotescos retratos, que incluye hasta la excepción que halla en el realizado por Goethe:

> Goethe me ha representado con un poco de más caridad estética, y aunque se ha equivocado filosóficamente al decir que soy *el que todo lo niega*, me ha acondicionado [...] para que los bajos de ópera me personifiquen como una especie de coronel de highlanders con un sombrerete en que se yergue una roja pluma de gallo (p. 67, énfasis de Palma).

El temple burlesco del discurso, disfraza un poco la idea seria sobre el Bien y el Mal (Dios y el Diablo) que se oculta en el relato. Después de la frase acentuada de la cita, el demonio insiste que él es el *"Anti-Dios* o el reverso de Dios", juicio visto en los relatos anteriores, sobre la inseparabilidad del bien y del mal, que se reiterará en este cuento.

Como buen hombre moderno, Klingsor es un digno contrincante del demonio. En varias pruebas mágicas con que Satanás quiere demostrar su poder, es vencido por Klingsor que lo derrota con inventos recientes. Por ejemplo, con un cheque sobrepasa la enorme cantidad de dinero que Lucifer puede producir; ante la ronda de esqueletos que el diablo hace aparecer, Klingsor menciona los rayos equis como mejor medio para verlos más claramente. Por último, critica la escena

---

16. Por supuesto, el nombre Annabel recuerda el famoso poema de E. A. Poe, escritor muy admirado por Palma. En cuanto al nombre Klingsor, que en la ópera de Wagner representa a una figura diabólica, enemiga del bien, aquí irónicamente ha perdido su poder (como Lucifer), ya que es impotente para conseguir el amor que desea.

en que Satanás hace visible a su amada, como una visión cinematográfica imperfecta porque carece de sonido.[17]

Llamando "pirotecnias y teatralidades" a las pruebas satánicas, que obviamente son superadas por la ciencia del día, Klingsor explica al diablo que su situación es muy diferente a la del pasado, y él mismo es en parte culpable:

> si antes en los siglos del fervor místico, era la fé el enemigo de usted, y lo que sostenía su poder, hoy que ha logrado usted minar esa fe, encuentra en el excepticismo (sic) y en la incredulidad, su mayor enemigo (p. 73).

Como se ve, la incredulidad, a diferencia de los satanistas que adoraban al diablo, abarca ahora también al demonio. Pero Lucifer, como el zorro viejo que no aprende la lección, insiste en su propósito de tentar a Klingsor con todo el oro del mundo, ya que se sabe que el oro "abre todas las puertas", incluso quizás la de Annabel. En una combinación de antiguos principios sobre el suicidio, con algunos de los preceptos decadentistas, dice el demonio:

> Dios no quiere que el hombre se mate: yo el Anti-Dios propicio los suicidios de las almas desesperadas. [...] Ya era usted *mío*, pero mío inconsciente, y deseo que lo sea usted conscientemente, a cambio de la felicidad que le puedo proporcionar (p. 73, énfasis de Palma).

En palabra y pensamiento semejantes a las que de Baudelaire citamos en el primer capítulo, el diablo quiere que Klingsor haga conscientemente el mal (suicidarse). Lo que ignora Satanás es que Annabel "tiene una alma de mujer buena" (p. 75), y no cambiará por la riqueza su amor por el joven pobre que la ama, insólito hecho romántico en un escéptico como Palma.

La ciencia del día es invocada otra vez por Klingsor, para cancelar el ofrecimiento diabólico de hacerlo joven y hermoso para seducir a Annabel. En un discurso excepcionalmente adivinador de algunos

---

17. Palma muestra su interés y conocimiento del cine en la novela *XYZ*, que analizaremos en el último capítulo.

de los más recientes descubrimientos médicos, Klingsor le hace ver al demonio los adelantos científicos contemporáneos:

> eso que usted con su poder infernal me ofrece, me lo ofrece al torcer de la esquina, la ciencia humana. ¿No ha leído los prodigios que hacen Steinach, Hermann Voronoff y otros sabios cirujanos mediante ciertos manipuleos glandulares? Y en cuanto al cambio de figura no sabe usted que todos los órganos y miembros del cuerpo pueden ser cambiables [...], pues se le pueden ingertar desde la piel hasta la nariz, con los procedimientos de Carrel? (p. 74).[18]

Klingsor, desea ser amado como es: "viejo, feo, huraño", y en un sintagma en que resuenan ecos de algunos de los pensamientos nietzscheanos vistos, responde al demonio que el poder "no crea vínculos afectivos" sino sentimientos de *subordinación rencorosa* (p. 75, énfasis mío), tal como proponía Nietzsche para la moral del esclavo. En un discurso que recuerda el que Lucifer dirigió a Jesús en los cuentos anteriores, Klingsor reduce el poder diabólico, pero también el divino, sobre los que coloca el poder humano:

> —Pero, hijo mío —le contesté—, si en todo lo que Ud. me ofrece [...], no hay nada maravilloso, extra humano, [...] nada que responda a un orden supremo de fenomenología divina. Y para mí *lo divino y lo diabólico me dicen lo mismo, porque son equivalencias* [...]. Lo que usted me ofrece es tan vulgar y necio, como concesión del demonio, y lo sería como gracia de Dios. *Porque sin uno y sin otro, eso me lo pueden dar los hombres* (p. 76, énfasis mío).

La única cualidad que Klingsor concede a Dios, en comparación con el diablo, es no tratar de tentarlo (cómicamente llamada su "discreción), y darle la responsabilidad de buscar por sí mismo cómo paliar su dolor.

Impotente para lograr el amor que desea Klingsor, el diablo ofrece hacerle olvidar a su amada, propuesta que produce gran hilaridad en Klingsor. Con un tonillo de superioridad, semejante al que

---

18. Los nombres científicos son históricos. Eugene Steinach fue un fisiólogo, especialista en glándulas sexuales; Serge Voronoff hizo experimentos para rejuvenecer; Alexis Carrel, trató el transplante de órganos y ganó un Premio Nobel en 1912.

empleó el diablo contra Jesús en los relatos anteriores, Klingsor le recuerda al demonio que la humanidad tiene excelentes drogas que producen ese efecto:

> Pero ignora usted, desgraciado, que para procurarnos el olvido, tenemos el alcohol, el opio, la morfina, el hachisch, la heroína, el éter, la cocaína, la cannabina y algunos alcaloides más que seguiremos preparando? [...] Créame, buen diablo, los hombres le han saqueado el Infierno mientras usted ha estado durmiendo, y se han traído a la tierra, todas esas deslumbrantes mogigangas con que venía usted a tentarnos en otros tiempos (p. 78).

Las drogas fueron importante motivo en la literatura decadentista, y aparecieron en varios relatos de *Cuentos malévolos*, como se verá en las próximas secciones. Su presencia aquí, muestra la continuidad del interés del autor por esa literatura, a pesar de la distancia de años que va de 1904 a 1925.

La última tentación que ofrece el demonio a Klingsor, es obtener "la Ciencia" y el "Supremo Conocimiento", con lo que se igualaría a Dios y a Satanás. La respuesta de Klingsor en su rechazo, da la oportunidad de comprobar un cambio de estimación hacia la ciencia, que pareciera contradecir el orgullo con que usó sus adelantos para combatir al demonio. Esta contradicción, reproduce la ambigua relación de los modernistas y decadentistas hacia la ciencia y el progreso, y en Palma específicamente, a la velocidad de los cambios. Klingsor se burla del "atracón" de frutos del Bien y del Mal, que "ha indigestado a tantos sabios" y se pregunta:

> ¿Para qué [...] abarcar en un solo conjunto todo lo cognoscible y lo incognoscible, cuando *sin apuro, pacientemente, gradualmente*, estamos dejando agotado el arbolito paradisíaco? ¿Que aún falta mucho por morder? Pues se irá mordiendo poco a poco en el curso de los siglos y descorriéndose todos los velos, y conociéndose todas las verdades hasta llegar a la última verdad, que no sería extraño fuera la de que todo es una mentira (p. 79, énfasis mío).

Fuera de la mofa al bíblico paraíso, se aprecia en la cita que aunque Klingsor sigue creyendo en el poder de la ciencia para develar secretos, simultáneamente muestra una honda preocupación por la rapidez de los descubrimientos. Mis subrayados tienden a recoger el temor a los cambios abruptos traídos por la modernidad que se sentía en la época, tal como la recogieron textos decimonónicos anteriores. Las sucesivas derrotas de Lucifer en su combate con Klingsor, lo convencen poco a poco de que "está en decadencia" (p. 73), y que sus artimañas han sido sustituidas por la ciencia. La pérdida de su poder, la confirman su propia concesión de que "está demás en el mundo" (p. 79), y la conclusión del relato. En un final inesperado y atrevido, el cuento termina con el hallazgo del diablo ahorcado, junto a la mitad de la cuerda destinada por Klingsor para su propia muerte. Con la cuerda hay un mensaje en que se lee: "Para Dios" (p. 82).

Es obvio que el cuento juega con el *dictum* de que Dios ha muerto o no existe, y por lo tanto el diablo tampoco tiene existencia, que es otra manera de abolir la dicotomía Bien/Mal. El confesado escepticismo de Palma es transparente en esta obra, como lo es también su tono mordaz. Tanto el diablo como Klingsor son figuras infelices por lo que buscan la muerte. No se halla aquí el entusiasmo por la acción que mueve a ensalzar a Satanás en los relatos vistos previamente. En comparación con el Lucifer de los cuentos anteriores, éste es un "pobre diablo", más digno de lástima que de temor. Como se ilustró, Klingsor se inviste con la autoridad de un padre en su trato con el demonio, sugiriendo así que el diablo es creación humana, como Palma declaró en relación a Dios en una de sus tempranas tesis. En cierto modo, el escepticismo que tiñe la historia se extiende hasta la ciencia, ya que ha sido incapaz de llenar las carencias que impulsan a Klingsor al suicidio.

Si se considerara el relato como una parábola, y hubiera que extraer de ella una enseñanza, habría que formularla en términos negativos. Semejante a la "moraleja" de "Parábola", ni el dinero, la salud, la juventud o el poder, brindan la felicidad. Lo que callan el discurso y la historia son los medios para obtenerla, y puesto que Klingsor no ha conseguido que Annabel lo ame, pudiera pensarse que el amor es la llave mágica que falta. Pero el texto permanece silencioso sobre esto, de lo que puede colegirse que según la obra, la felicidad es tan inexistente como Dios o el diablo.[19]

---

19. La fuerza del amor se da en la figura de Annabel, que prefiere al joven pobre que ama, y no se tienta con la riqueza de Klingsor. Pero no sabemos nada de ella o de

EL MAL GRATUITO EN EL MUNDO SECULAR

Ya nos referimos al efecto que el avance de la ciencia y la filosofía positivista, más las ideas de Nietzsche sobre la muerte de Dios y otros filósofos, tuvieron en la progresiva secularización de la vida a fines del siglo XIX y comienzos del XX. Los descubrimientos de la medicina y de la psicología van a incidir en el interés de los escritores por descubrir otras causas para las acciones nefastas de algunos seres, causas ya no sobrenaturales, sino enterradas en zonas de su inconsciente. Palma elaboró varios cuentos en que el mal no está empujado por la incitación del diablo, sino aparentemente sólo por el placer que causaría dañar a otros. El lector de hoy podrá hallar razones más profundas, ignoradas por los personajes, y tal vez por el lector coetáneo, todavía no familiarizado con los fenómenos relacionados con complejos y deseos inconscientes.

El relato "Dmitri era un excelente amigo", publicado en *El Modernismo* en 1901, no fue incluido en *Cuentos malévolos*, aunque igual que "Los canastos", la primera narración de ese libro, presenta de manera chocante (y decadente) una acción perversa, ejecutada por un personaje que no muestra arrepentimiento ni recibe castigo por ella. Como la mayoría de los cuentos del volumen, "Dmitri" tiene un narrador protagonista —Wladimiro— y un escenario extranjero y lejano (Rusia). Wladimiro describe a su amigo Dmitri como hombre de ilimitada bondad y generosidad, buen estudiante, amado por su familia y su novia. El lector debe construir el retrato del narrador, y aunque nunca se alude a ellos, deducir que la envidia y el resentimiento constituyen el motor que mueve sus funestas acciones. Estas acciones terminan con la muerte de Dmitri urdida por Wladimiro. La extremada oposición de las personalidades de los dos inseparables amigos puede verse como una de las variadas formas que adopta el tema del doble, asunto que estudiaremos en el último capítulo. Sobre esta oposición, basta decir ahora que Dmitri posee todo lo que Wladimiro no tiene; por lo tanto desea convertirse en su amigo (ser su doble), o eliminarlo para no ver en él sus carencias.

---

su relación, y el personaje es demasiado secundario como para darle un significado mayor, que pese en el sentido total del relato.

84 GABRIELA MORA

Lo más sorprendente de este relato es la violencia de la descripción de la muerte de Dmitri, que recuerda la usada en la escritura gótica del siglo XVIII, resucitada en el XIX, notablemente por la obra de Poe, tan admirado por los decadentes y por Palma (sobre lo que nos detendremos más adelante). Así narra Wladimiro la muerte de su amigo:

> Su cabeza estaba horriblemente contraída y un chorro de sangre le salía por la nuca. La cabeza de Dmitri se unía al tronco únicamente por la parte delantera del cuello. ¡Qué hermoso filo el de mi navaja! Me acerqué al buen Dmitri, le puse la rodilla en el pecho y le arranqué la cabeza que arrojé al hondo valle (p. 150).

Aunque al final del cuento el narrador dice que todavía oye la risa de su amigo, sus palabras atenúan o debilitan la sugerencia de una posible mala conciencia arrepentida. En tono ligero e irónico, Wladimiro refiere que:

> Y todas las noches [...] me parece que mi hermanito Dmitri viene a buscarme riéndose endiabladamente.
> —Jí, jí, jí —está haciendo hasta que amanece y ya comienzo a creer que más me habría valido no haberle enseñado el juego de los tzíngaros (p. 150).[20]

Esta manera de contar una acción abominable se parece a la que adopta el narrador de "Los canastos", quien inicia su discurso diciendo: "Entre hacer un pequeño servicio que apenas deje huella en la memoria del beneficiado ó un grave daño que deje profundo recuerdo, elegid lo segundo" (p. 19). El sentimiento "delicioso" que experimenta el malvado al ver caer al río los canastos de pescado que son la fuente de vida para el empobrecido carretero, y su desidia de no avisarle, resultan chocantes para un lector de cualquier época. El efecto de horror que logran estos relatos —faz del modernismo raramente estudiada— se amplía al dejar sólo la palabra directa de los malévolos, sin

---

20. Se refiere a una treta que aprendió de los gitanos que permitía soltarse después de ser firmemente amarrado. Por supuesto Wladimiro no advierte a su amigo sobre el cuchillo que colocó detrás de la cabeza de Dmitri. Antes de este crimen, Wladimiro disfrazado de su amigo abusó de su novia quien es expulsada junto con su hijo de la vida de Dmitri.

recursos de mediación, como los enmarques que traerán los otros relatos que veremos en esta sección, que permiten cierto distancia entre el hecho y el lector. Esa palabra se vierte en una escritura rápida, breve, dinámica, sin el recargo retórico que siempre se les achacó a los modernistas, y representa una modalidad de escritura nueva en la época.[21]

El mal y el sexo

Los relatos que examinaremos a continuación tienen a mi parecer, un amarre firme con los cambios culturales traídos por la modernidad que inciden específicamente en la sexualidad en general, y de la mujer en particular. El surgimiento de la Mujer Nueva, el reclamo de sus derechos, su entrada en la fuerza laboral (hablo de la clase media porque la campesina y la obrera ya lo hacían desde hace tiempo), y su mayor educación, refuerzan la milenaria misoginia, ahora teñida con una intensidad reveladora de temores ocultos. La modernidad habría destruido la seguridad del sujeto humanista masculino (Buci-Glucksman, p. 45), y junto con ella, el ideologema de la mujer "pura", "ángel del hogar", "asexuada".

La misoginia está presente en el breve relato "Tengo una gata blanca" de 1904, de *Cuentos malévolos*. En tono juguetón el narrador se refiere a su amada cuando habla de su gata, que tiene el mismo nombre —Astarté— que ella. El animal, descrito como "bestia hermosa é inicua", "voluptuosamente cruel" que goza torturando a sus víctimas" (p. 162), es indicio de que el hombre ve así también a la mujer. Pese al tono ligero y al ingenio de Palma para fundir en uno al ser humano y la bestia, la visión sobre el mundo es escéptica y pesimista. Para el narrador la humanidad es hipócrita de manera "solapada y amable" (p. 160), y el género humano —la mujer a la cabeza ya que es ella el centro de las reflexiones— es cruel por naturaleza (p. 162), como lo muestran los dos relatos anteriores.

La crueldad y la hipocresía son atributos del hombre en "Idealismos", como se llama el relato en la primera edición de *Cuentos malévolos*. No puedo asegurar que el singular "Idealismo" con que aparece

---

21. La modalidad más retórica está presente también en Palma en relatos como "El último fauno" y en "Cuento de marionetes", incluidos en *Cuentos malévolos*.

en la segunda de 1913, sea el correcto, dado que ambas impresiones contienen numerosos errores (algunos de ellos señalados en *El cuento modernista*). En cualquier caso, para la historia, me parece más apto el plural, asunto al que volveré. El marco con que comienza la obra, en que un pseudo autor o primer narrador declara haber hallado el texto en un tranvía, distancia un poco el horror del acontecimiento central a contar. Sin embargo, el deseo de chocar al lector que mencioné más arriba, se realiza desde las primeras líneas de este cuento, al leer que el narrador está "contentísimo" porque su novia Luty se muere. El choque se intensifica al enterarse de que el causante de la muerte de la joven es el mismo hombre que cuenta la historia. El narrador asegura que ama a Luty, pero que si pudiera resucitarla no lo haría (p. 8). El título tiene que ver con el plan de matar a la novia con "pociones ideales mortíferas". Esas idealidades se basan en la creencia en un más allá después de la muerte, en que los amantes pueden vivir "amores profundos y *castos*" (p. 12). La excusa para este plan criminal, es salvar a la novia de lo que el narrador llama "las ignominias", la "tiranía innoble de la carne" (pp. 10-11). El hombre reconoce que la "perversión" había contaminado su "filosofía y [su] vida íntima" por lo que se esfuerza en no poner en juego [las] "*energías sensuales*" de Luty, que era "pura y sin malicia" (pp. 9-10, énfasis mío).

En la superficie del texto, es claro que el narrador sigue la dicotomía romántica entre el amor puro, ideal, y el del cuerpo, su opuesto. A la manera en que tantas obras literarias famosas han descrito ese tipo de amor, el narrador traza fascinantes cuadros para instilar el deseo de morir en su novia:

> Nuestras almas con formas imponderables, unidas en abrazo estrechísimo, cruzaban los espacios planetarios, como visiones del Paraíso de Alighieri. Yo, con amoroso desvarío, prendía á Aldebarán, rojo como un rubí incendiado, en los rubios cabellos de mi amada; arrancaba perlas á la Vía Láctea y formaba collares para la garganta de Luty (p. 13).

En esta visión que encanta a la muchacha enamorada, se desliza luego una nota que por su repetición en otras obras, deviene en motivo recurrente, e indicio importante para su lectura. El novio continúa de esta manera los deliciosos viajes por los mundo astrales:

Luego seguíamos en maravillosos ziszás, recorriendo eternamente
mundo encantados, en donde los seres tenían sentidos nuevos, *en donde la corporeidad desaparecía* y las formas se esfumaban entre gasas sutiles
y tules luminosos (p. 13, énfasis mío).

El deseo de un amor ideal, con la eliminación del cuerpo, aparecerá en varios de los cuentos que se analizarán en las páginas futuras y el
asunto por averiguar es el por qué de su existencia. Este relato ofrece
menos claves que los otros en esa dirección, quizás porque su meta
central es mostrar la maldad del narrador, y mofarse de su hipocresía y
la de los que continúan insistiendo en el amor "ideal". Podemos especular que el crimen nace de posibles deficiencias del hombre, *enmasca-
radas* bajo los ideales con que describe a la novia, pero no hay indicios
específicos de un caso de impotencia sexual, como se sugerirá en otras
obras. Sobre este amor ideal, hay que recordar que en la "realidad" del
idilio, el hombre es "amo absoluto" de Luty, a la que hace llorar a
voluntad, hecho que representa esclavitud y abuso, más que una situación ideal.

Respecto al título "Idealismos" en plural, lo prefiero porque creo
que encubre a varios significados: el de creer en un más allá eterno y
venturoso; el del amor ideal del personaje que desea eliminar el sexo;
y el de un representante del patriarcado que sueña con tener el dominio absoluto sobre la mujer. Que este dominio se va socavando, lo
ilustra el próximo relato.

"Una historia vulgar" (1904), es uno de los relatos más atrevidos
de *Cuentos malévolos*, no sólo por mostrar a una mujer con deseos sexuales, sino además porque la realización de esos deseos cruzan la frontera
de lo permitido y entra en lo criminal. Otra vez se usa el recurso del
enmarque de la historia, pero aquí el narrador, a quien un médico
amigo se la ha contado, es también personaje importante en ella. La
distancia derivada de este marco aumenta con el hecho de que ocurra
en Francia con personajes franceses.

Lo que se cuenta aquí continúa la reflexión del relato anterior,
sobre la dicotomía entre el amor llamado "puro" y el "impuro", encarnado el primero en Ernesto (Ernest en la primera edición), y el
segundo en su amigo, el cínico narrador. Si en la simbología tradicional, hecha cliché en el romanticismo y en el decadentismo, la mujer

rubia de ojos azules representa la pureza, aquí Ernesto es el estereotipo del inocente virtuoso. Además de ser protestante y puritano, se acentúa que en el joven:

> su alma noble de niño grande, se transparentaba en todos sus actos y brillaba en la mirada de sus grandes ojos azules, en su francos apretones de mano y en la dulzura y firmeza de su voz (p. 40).

Más importante aún, es que Ernesto, contrario a su amigo el narrador, no cree en la existencia del mal, y concibe a la mujer como ser "inmejorable" (p. 40). En cuanto al amor, este personaje es convencido partidario del tipo espiritual, como se ve en el siguiente argumento que presenta al narrador, aficionado a tener amantes y cambiarlas con facilidad:

> —Eres un loco —me decía en amar *así* con tanta prodigalidad. Llegarás á viejo con el alma brumosa y el cerebro y los nervios agotados; llegarás á viejo sin conocer el amor puro, el verdadero amor con sus delectaciones espirituales, más duraderas, más hondas y más nobles que el amor epidérmico de que hablaba Chamfort. *Conocer mucho á la mujer en ese aspecto, es aprender á despreciarla* (p. 41, primer énfasis de Palma, segundo mío).

La cita muestra claramente que la mujer "inmejorable" es sólo espíritu, y que su sexualidad (el así de la primera línea), o sea su cuerpo es despreciable. Las palabras se apoyan en la autoridad médica (recuérdese que ambos personajes estudian medicina), para exponer, aunque un tanto ambiguamente, que la actividad sexual desgasta el organismo del hombre, noción popular en el siglo diecinueve, en que las enfermedades venéreas eran de frecuencia alarmante. Esta noción aparecerá en otros relatos en los que se representará el temor masculino al sexo más explícitamente.

Al cínico y escéptico narrador, misógino consumado, le parece que el alma de la mujer es aún peor que su cuerpo (p. 41). Este "realista" como él mismo se considera, tiene gran claridad sobre el juego de poderes que esconde una relación amorosa, y lo que aprecia es el dominio, la "posesión absoluta" de una mujer, para él la fuente del mayor goce (p. 41).

Suzón, la muchacha de la que se enamora Ernesto, proviene de una familia "digna", respaldada por una situación económica respetable (p. 44), importantes indicios para comprender el significado del título, sobre el que volveremos. La joven, al revés de su apacible, seria y rubia hermana, se describe de la siguiente manera:

> Suzón, no tan rubia, tenía dos años menos [que su hermana], y era alocada y precipitada en todo: tenía encantadoras vehemencias que le iluminaban la cara y le hacían brillar los ojos de cervatilla (p. 45).

Los ojos de cervatilla sugieren un color oscuro, adecuado —según el cliché— a la mujer de temperamento apasionado, que se asoma en esas "vehemencias" y se afirma luego con "el fogoso apasionamiento con que hacía todo" (p. 46).

Estos indicios son preparación para entender la magnitud del choque que recibe Ernesto —ya novio de Suzón— al sorprenderla en un acto "infame" con sus primos de quince y de trece años. El acto no se describe, pero las consecuencias empujan al lector a imaginar algo tan prohibido que no sólo provoca el destrozo de las ilusiones del joven (p. 48), sino su suicidio. El lector también va a recordar algo inadvertido en una primera lectura: Suzón "adoraba a los niños", ellos le regalaban confites, y la muchacha les correspondía "con sonoros besos, llevándoles á su cuarto á jugar" (p. 46). En otras palabras, esta joven burguesa de una familia respetable, poseería una sexualidad tan poderosa que la induciría a cometer pedofilia. Por esta razón, creo que el título "Una historia vulgar" apunta más al hecho de lo "corriente" o "frecuente" del acontecimiento, aún en familias consideradas respetables, y no a la connotación de "vulgaridad" o crudeza que parece preferir Kason (p. 68).

A semejanza de lo que se cuenta en "Idealidades", pero con los géneros sexuales revertidos, el narrador concluye que "el idealismo sentimental" mató a Ernesto más que la "lujuria hipócrita" de su novia (p. 50). Palma se sirve de la autoridad de la medicina para reiterar la desmitificación de los niños que acompaña a la de la mujer. En la carta que escribe al marido de Suzón años después, cita de la *Fisiología del amor* de Larcher, para afirmar que "Los pilluelos son menos inofensivos de lo que parecen" (p. 51).

Si esta historia expuso directamente la fuerza de la sexualidad femenina, en "Los ojos de Lina", que veremos a continuación, Palma bucea más finamente en los recovecos psicológicos que el descubrimiento de esa sexualidad provoca en el varón. Una vez más hay que recordar que una secuela importante de la modernidad fue poner en cuestión —ayudada por los descubrimientos de la medicina y la psicología— numerosos prejuicios sobre la "naturaleza" de la mujer que, por conveniencia ideológica (de la economía patriarcal), obliteraba su sexualidad para concebirla sólo como recipiente adecuado para la maternidad. Palma es en este punto sumamente subversivo, porque en sus narraciones no hay madres, y sus mujeres gozan del sexo, aunque para ello tenga que inventar disfraces para esconder tal subversión, como se verá en el próximo capítulo.

"Los ojos de Lina" (1904), es uno de los cuentos más conocidos de *Cuentos malévolos* gracias al estudio de Alberto Escobar en *Patio de Letras* (1965), y de su inclusión en la difundida *Antología del cuento fantástico peruano* (1977) de Harry Belevan. Escobar comienza su estudio diciendo que la "idea del egoísmo femenino" tiene una larga y conocida historia, con lo que de inmediato sugiere que el cuento que va a analizar estaría relacionado centralmente con tal idea. Las hipótesis que plantea para explicar la elección de Palma de tal "tópico" tendrían que ver con estereotipos sobre la limeña, cuya "belleza, picardía e impiedad" se seguiría celebrando (pp. 142-143). Hoy, con los conceptos popularizados por el feminismo, es difícil tolerar aserciones generales tan marcadas por la tradición cultural machista. Pero, más difícil es probar que la mujer del cuento es egoísta o despiadada. Lina es la que sacrifica sus ojos por su amado, y es él el que para mostrar "sus fueros" masculinos, la "tiraniza" y le exige sacrificios (p. 59).

El estudio de Escobar cubre lúcidamente aspectos de la estructura y del lenguaje del cuento, por lo que no entraré en ellos, aunque sí deseo reiterar la importancia del marco y el escenario y los personajes extranjeros (noruegos), distanciadores del horror de su hecho central. Aquí se agrega además otro recurso que tiene el efecto de disminuir ese horror: una coda final en que Jym, el personaje y narrador principal, declara que lo contado es una invención espoleada por el alcohol, asunto que incide en la clasificación genérica de la obra. La mayoría de los estudios ubican "Los ojos de Lina" en la categoría de lo fantástico.

Disiento de tal clasificación pues el hecho que la justificaría: el arrancarse los ojos de Lina, horroroso como es, no es imposible en el mundo que conocemos. Menos le conviene la etiqueta de fantástico, cuando se considera la deconstructiva coda final aludida. Lo extraordinario del hecho, colocaría el cuento en el campo de lo "extraño", de acuerdo a la clasificación de Todorov y Brooke-Rose, entre otros teóricos.

Para empezar una lectura diferente a la que hace Escobar, es necesario recordar que la visión que se da de Lina, y el efecto que tienen sus ojos sobre el narrador Jym, proviene exclusivamente de él, pues no hay otro mediador ni testigo de lo que se cuenta. El mismo confiesa que "á nadie causaban [los ojos] la impresión terrible" que le causan a él. El enigma que se plantea entonces, es el por qué de tal fenómeno, y para ello hay que fijarse en cómo se describe a Lina.

Lina es joven, muy bella, pero es morena, de cabellos negros, color que representa a la mujer apasionada, de acuerdo al cliché decimonónico nombrado. La siguiente descripción de parte del rostro de Lina le otorga ciertos rasgos especiales que hay que tener en cuenta para explorar los sentimientos del narrador:

> Los labios [...] por cierta tirantez del labio superior, eran tan rojos que parecían acostumbrados á comer fresas, *á beber sangre* [...] de buena gana me hubiera dejado morder por aquella deliciosa boquita, á no ser por los ojos endemoniados que habitaban más arriba (pp. 56-57, énfasis mío).

Es imposible ignorar la sugerencia de que el hombre ve en su novia ciertos rasgos vampíricos, una de las causas que pueden generar su sentimiento de mortificación. Como se verá en el próximo apartado, Palma asoció a varios de sus personajes femeninos con el vampirismo, motivo central en la modalidad del gótico y del decadentismo. La vampira fue la representación que escondía el deseo sexual, todavía asunto tabú en la época, sobre todo en relación a la mujer. Al revés de esos personajes, el lector no tiene evidencias sobre este aspecto en el caso de Lina, por lo que puede investigar las acciones y especular sobre ellas sólo a través de las palabras del narrador.

Como dice la cita, y se reitera a través del texto, son los ojos el centro del malestar de Jym. Esos ojos, para el narrador, tienen "tonos felinos y diabólicos", y la mirada de la muchacha son miradas de Luzbel que lo subyugan (p. 58). Importa entonces especular por qué el hombre siente así, cuando asegura que su novia lo adora y le obedece (p. 59). El primer fenómeno que Jym menciona en relación a lo que le molesta en esos ojos, son las ideas que él es capaz de entrever, y que le posibilitan adivinar los estados de ánimo de su novia.[22] Es obvio que el autor está jugando con la noción de que a ciertos varones les molesta una mujer que piense, y peor aún, que ponga ideas en la mente masculina, como es el caso de Jym (p. 55). Pero hay otros aspectos de Lina que perturban al narrador, y que se le trasmiten a través de los ojos:

> los hervores de la sangre de Lina, sus tensiones nerviosas, sus irritaciones, sus *placeres*, los alambicamientos y juegos de su espíritu, se denunciaban por el color que adquiría ese punto de luz misteriosa (p. 58, subrayado mío).

Si se considera que Jym afirma también que Lina "tiene ardores de mujer apasionada", bien pudieran los "placeres" de la cita estar conectados con esos "ardores". Estos atributos que tiene la muchacha, según el hombre, hay que relacionarlos con una autoconfesión, inusitada en el contexto del machismo imperante: Jym confiesa que "tiraniza" y hace llorar a su novia para esconder su cobardía (p. 59), y reconoce que Lina tiene "poder sobre él" (p. 58). Hay que asentir entonces, que el temor está en la base de la mortificación del personaje.

Algunos indicios señalan que el temor de Jym está relacionado con el deseo sexual de su novia. Una vez sostiene que lo que denomina las "rojas fulguraciones" del amor que le profesa Lina, le hacen el efecto de "cien cañonazos disparados contra sus nervios" (p. 59). Más expresivo aún es un sueño/pesadilla en que los ojos lo persiguen hasta el pánico:

---

22. Dejo de lado la tentación de citar las descripciones que el texto da de las ideas y su influencia en Jym, porque ya las discutí en *El cuento modernista*. Es esas descripciones, la calidad imaginativa y poética de la prosa, y el sentido del humor, se adelantan a la que se hallará más tarde en los textos de Felisberto o de Julio Cortázar.

De noche los veía fulgurar como ascuas en la obscuridad de mi alcoba; veía el techo y allí estaban terribles y porfiados; miraba á la pared y estaban incrustados allí, cerraba los ojos y los veía adheridos sobre mis párpados [...] Al fin, rendido, dormía, y las miradas de Lina llenaban mi sueño de redes que se apretaban y me estrangulaban el alma (p. 60).

El sueño pesadilla en que los ojos estrangulan, señala en la dirección de castración o impotencia según las lecturas freudianas ("The Uncanny), y una mujer con poderosos deseos sexuales puede concitar ambos fenómenos.[23] Freud se refiere a la "peculiar violencia y emoción" que en los neuróticos (el narrador es histérico) produce la amenaza de la castración (p. 207). Si en los relatos ya repasados, se expresó el anhelo de eliminar la corporeidad, aquí son los ojos castradores los eliminados. El acto "real" o simbólico de Lina de arrancarse los ojos, indicaría un matiz diferente, pues aunque Jym admira y desea el cuerpo de su novia, lo teme. Las ideas son una explicación parcial para ese temor, ¿hay otras?. Quizás, muy veladamente, se esté aludiendo a una posible impotencia en el hombre, impotencia incapaz de responder a los "ardores" de la mujer que lo ama. Lo que Jym llama su "mortificación" debido a los ojos de Lina, es una reacción demasiado intensa y continuada para tomarla como síntoma sin importancia. Recuérdese que esa mortificación lo lleva a visitar a un médico, quien lo declara histérico. Si la histeria, considerada enfermedad femenina en el siglo XIX, se relacionó con problemas relativos a la sexualidad, no hay razón para que no lo sea también en el caso del varón.[24] La posibilidad de la impotencia por otro lado, no es tan descabellada, pues está en

---

23. Freud a propósito del cuento "The Sandman" de Hoffmann dice: "A study of dreams, phantasies and myths has taught us that anxiety about one's eyes, the fear of going blind, is often enough a susbstitute for the dread of being castrated" (p. 206).

24. Aunque la coda final deconstruya la posibilidad de que Lina se haya sacado los ojos para librar a su amado de la mortificación que le provocan, la acción queda como testimonio simbólico de su sacrificio, pero también de los problemas que enfrenta el sujeto masculino cuando se va reconociendo a la mujer el derecho a su sexualidad.

consonancia con lo que sucede en otros relatos, como se verá. Si se examina toda la narrativa de Palma, se puede comprobar la frecuencia con que aparecen amadas muertas o por morir, es decir sin cuerpos exigentes, o personajes masculinos que sueñan con mujeres asexuadas. Pero de esta materia me ocuparé en el próximo capítulo.

CAPÍTULO III

CIENCIA, DROGAS Y ENFERMEDADES

No hay duda de que el avance de las ciencias durante el siglo XIX fue cuantioso y veloz, y ya me referí al temor que produjo tal avance, temor que generó reacciones como el abrazo del esoterismo y ocultismo. En *El cuento modernista* señalé la ambivalente actitud de atracción y rechazo a la ciencia entre los modernistas hispanoamericanos. Clemente Palma no fue ajeno a esta ambivalencia, como se verá en los cuentos a analizar en esta sección. A diferencia de los autores que traté en el libro mencionado, el escritor peruano en general, utiliza la ciencia para parodiarla, o conseguir un efecto de horror, como se vio en cuentos precedentes.

Iniciaré este apartado con algunas consideraciones sobre el cuento "En el carretón" de 1894, que no fue incluido en *Cuentos malévolos*, sino en *Historietas malignas* de 1925. Lo elijo como comienzo para ilustrar el uso que hace Palma de la ciencia, específicamente de la medicina, para conseguir el efecto del horror. La presencia de médicos, o estudiantes de medicina, como sucede en este relato, no es nueva. Se da en "Una historia vulgar" como vimos, y aparecerá en "Vampiras" y "Mors ex vita". Por otro lado, la alusión a enfermedades, es frecuente. En "Idealismos" se habla de "aguda neurastenia", de "clorosis invencible" y de "nervios enfermos" que afligen a Luty. Recién vimos que Jym de "Los ojos de Lina" sufre de histeria. Todas estas enfermedades son típicas en las representaciones de los decadentes que, acicateados por los descubrimientos de la psiquiatría, otorgan un papel preponderante al sistema nervioso, como expuso Palma en sus primeros ensayos.

Fernando Burgos en su reciente libro *Vertientes del modernismo* (1995), estudia la estructura de "En el carretón", y discute si se puede clasificar o no como fantástico, por lo que me ocuparé de cuestiones no tocadas por este crítico, uno de los pocos que reconoce el mérito de la obra de Clemente Palma, después de la monografía escrita por Nancy Kason.

La marca de producción temprana en la obra de Palma, es evidente en la inserción en esta obra del tópico del joven enamorado de la luna, y la presencia de Pierrot asociado con ella, tan frecuentemente trabajado en el modernismo, sobre todo en su primera fase (véase "Cuento de marionetes" en *El cuento modernista*). Como los relatos ya estudiados, éste también tiene un narrador homodiegético que cuenta un hecho extraordinario que le sucedió. Sea por efecto del alcohol, o de una herida que recibió, o por razones inexplicables que están más allá del entendimiento humano, el joven viaja en un carretón lleno de muertos que van camino hacia el cementerio.[1] La combinación de la medicina para lograr el efecto del horror se da desde el comienzo. Así describe el narrador su despertar después de haber sido herido:

> Sentí una cabeza recostada pesadamente sobre mi hombro, y los labios fríos y viscosos de un muerto besaban mi oreja. Estaba entre mis vasallos, entre los muertos, entre mis buenos amigos de la sala de disección, a quienes descoyuntaba los huesos, abría las arterias, sajaba los músculos y arrancaba las vísceras [...] [la luz penetraba sobre] los rostros lívidos o amoratados de mis compañeros de viaje, sobre sus miembros lesionados o sanguinolentos, sobre cóndilos que se desbordaban de los cráneos rotos, sobre los abcesos y tumefacciones monstruosas (p. 96).

El efecto del horror de la cita sigue al intercalarse la historia de Rob, quien tiene la cabeza en sus rodillas porque fue cercenada por un

---

1.   Estoy de acuerdo con Burgos de que la ambigüedad con que se trabajan los diversos planos, no permite resolver la incertidumbre de si lo que aconteció es sólo una pesadilla, resultado de una borrachera (en cuyo caso se clasificaría como "extraño"), o si hubo comunicación con los muertos, que lo haría relato fantástico.

padre que no lo aceptó como yerno. La macabra historia de Rob, que "puso cuidadosamente su cabeza sobre los hombros" para contar lo que le sucedió, ilustra la nota de humor macabro que tiene este relato. No hay mucho humor, sin embargo, en las descripciones de algunas mujeres, a quien el narrador observa con su "ojo clínico" de futuro médico. Antes de ser herido, por ejemplo, el joven describe a la amada de su amigo Karl, como "una rubia anémica, con ojos luminosos de tuberculosis" (p. 95). Ya en el carretón, se encuentra con una cortesana que "aun tenía abierta la llaga que hicieran en su pecho el bisturí y el cauterio", y nota que de ese "rebanado seno" salía "una tufarada de pestilencia" (p. 97). El estudiante recuerda luego que ella es la misma mujer a quien él "sujetó de las piernas" para aplicar el cauterio (p. 100). No está claro si esta segunda mención del cauterio significa una segunda operación. Si fuera lo último, bien puede pensarse que se trataría de una enfermedad venérea como la sífilis, de la cual se ocupó Palma en los cuentos que examinaremos al final de esta sección. Aunque el relato deconstruye el misterio al decir al final que lo contado pudo ser efecto del alcohol, las descripciones y la terminología médica van en serio. El efecto de horror o de asco que se busca aquí, es un aspecto a considerar como importante línea de la escritura modernista, no tomada en cuenta por la crítica.

"Un paseo extraño" también se relaciona con la ciencia y produce el efecto del horror, con la diferencia fundamental de que el hecho que se cuenta en su historia no es un sueño o pesadilla provocada por el alcohol o la droga, sino que habría sido vivido en la "realidad". En este relato además, hay un matiz paródico evidente, que lo aparta de las obras examinadas, e ilustra una rica vertiente en la escritura de Palma. "Un paseo extraño" fue incluido en la segunda edición de *Cuentos malévolos*, y su personaje central es Feliciano, hermano gemelo de Macario, el narrador. El asunto principal de la historia es un viaje que realiza Feliciano por las alcantarillas de Lima. Aquí apenas se alude a la adicción al alcohol de este personaje, que aparece en "El príncipe alacrán" protagonizado por Macario, a su vez adicto a la morfina, razón por la cual este relato irá en un apartado dedicado a las drogas.

Feliciano, como su hermano Macario, es ávido lector de libros raros. Para este viaje, de desconocido destino al comienzo para el narrador y para el lector, el personaje acumula una gran cantidad de obras y mapas de la antigüedad y del Renacimiento. Feliciano se jacta de que su viaje será por un lugar "no menos extraño y curioso" que el que describen Olaus, Munster y Marco Polo (p. 187),[2] y el sabor paródico del relato lo da no sólo la realización de que el viaje será a la alcantarilla, sino que entre esos libros se cuenta *Cosas admirables y más admirables elogios de ellas*, de 1676, en que se alaban las pulgas, las moscas, la fiebre, la sombra, la sordera, para nombrar sólo las mencionadas en el cuento (p. 188), clara burla de los libros de viajes, tan admirados en el tiempo.

El elemento paródico se advierte en otra relación, aunque ella no se nombra, con la novela *À Rebours* de Joris-Karl Huysmans. Si se recuerda, Palma admira a este autor, y cita extensamente de *Là-bas*, como se ilustró en otros capítulos. La relación intertextual que vemos entre "Un paseo extraño" y *À Rebours* —epítome de la escritura decadentista— es la famosa escena en que Des Esseintes "viaja" a Inglaterra. Allí el personaje sale de su casa provisto de maletas, mapas y ropa adecuada, preparado para un largo viaje. Mientras espera la salida de un tren, decide beber y comer en una taberna de aspecto inglés. Con el paso de las horas, y la atmósfera que le hace sentir ya en Londres, decide que no vale la pena moverse cuando puede viajar imaginaria y más cómodamente desde una silla. El cuento de Palma parece una versión paródica de este viaje, ya que Feliciano prepara su viaje en la tina de baño, y no va muy lejos de su casa. La diferencia, claro está, es que el personaje peruano sí viaja, y el paisaje que encuentra está muy distante del placer que halla el noble francés desde su asiento.

Como parodia del espíritu científico que primaba en la época, puede verse la cuidadosa preparación del viaje. Feliciano compra una escafandra, flotadores de caucho, y hace cálculos atentos a la temperatura del agua y a la cantidad de aire que va a necesitar. Semejante a un buen "científico", el personaje hace primero algunos ensayos para medir la calidad de los aparatos a usar. Parecidos a cuadros surrealistas —como se ven las ideas en "Los ojos de Lina"— se representan los

---

2. El trabajo que Palma realizó en la biblioteca de Lima, sin duda le permitió revisar libros poco conocidos. Se mencionan por ejemplo, *Gentibus Septentrionibus* de Olaus Magnus, *Hortus Malabaricus* de Rhede, y el libro de los monstruos de Aldebrandi, entre otros (p. 187).

peces, o las páginas de un libro que escudriña a través del vidrio de la escafandra en el agua de la tina de baño (p. 190).

Vestido de buzo, y provisto de "oxígeno, dos lámparas y una piqueta", Feliciano baja a la alcantarilla, guiado por un minucioso plano de ella. Sapos, culebras, lombrices, murciélagos y "millones" de cucarachas, se cuentan entre los seres que el viajero va encontrando a su paso. Una de las escenas en que se ilustra la tónica del discurso y el efecto de asco y horror que produce, es la siguiente, reminiscente del poema "Une charogne" de *Les fleurs du mal* de Baudelaire:

> Sobre una piedra saliente estaba el cuerpo de un perro, brillaba desde lejos por efecto de la putrefacción, como si estuviera bañado de fósforo líquido. El cuerpo del animal estaba cubierto de innumerables bestiecillas asquerosas que pululaban, se introducían en las entrañas y salían por las vacías cuencas ó por las devoradas ancas (p. 192).

El asunto de la sexualidad, tan importante como se ha visto, y se continuará viendo en los próximos relatos, asoma también —como en el poema de Baudelaire— y aunque se trate de animales, se trasunta un cierto desdén a lo que puede considerarse como un "idilio" entre las bestias. El desprecio al sexo que vimos en "Idealismos" reaparece aquí en el calificativo de "estúpida" para la voluptuosidad amorosa, y el de "asquerosa" para una posible descripción de la emisión después del coito:

> En otro lugar encontró [Feliciano] un matrimonio de escuerzos; la enorme bocaza de los dos animales parecía contraída por una sempiterna sonrisa, en tanto que las miradas de sus ojos parecían perderse en ensueños de una voluptuosidad estúpida. Los chupos y vejigas de sus cuerpos trasudaban una especie de resina asquerosa. De un puntapié les arrojó mi hermano al agua y allí se sumergieron alegremente, para posar después sus amores sobre otra piedra (p. 194).

De manera similar a la que se hace respecto a los excesos de la pareja en "Leyendas de hachisch" y como una llamada científica de advertencia, el texto recuerda que en los reinos animal y humano, la lucha entre la vida y la muerte es encarnizada, como preconizaban las teorías de Darwin, tan favorecidas en la época:

La vida y la muerte tenían allí su factoría misteriosa [...] De esa obscura alquimia de la descomposición y de la podre (sic) surgían millones de organismos vegetales y animales, que á la vez que eran formas de la vida contenían todos los poderes de la muerte. Una gota de esas aguas infiltrada en una vena humana habría producido el tifus, la tuberculosis, el cólera, la viruela, el cáncer ó la lepra (p. 194).

La advertencia continúa con la descripción de los "seres indescriptibles" que parecen creados "por la fantasía de un loco ó por el enlace sexual de anfibios con plantas acuáticas", sintagma que recuerda la frecuencia con que Palma menciona seres "híbridos" en varios de sus cuentos. Como hará en la descripción de un paisaje corroído por la sífilis en "Leyendas de hachisch", aquí se da un cuadro de parecido horror. De nuevo esta escena trae a la memoria algunas páginas de *À Rebours*, que combinan placer y asco, aunque el peruano aquí eliminó el primero y acentuó el segundo:[3]

Las piedras estaban cubiertas de hongos y líquenes de variadísima coloración. Las había grises que parecían una cabeza tiñosa: las había amarillas que simulaban purulencias; otras suavemente purpúreas, que hacían el efecto de quistes cancerosos; blancas y apelotonadas como desborde de sesos (p. 195).

El tono paródico del cuento se corona con su final en que Feliciano, ya de regreso a su hogar recuerda que había hecho "con Virgilio" una travesía por "los siete círculos del infierno" y que en él los "inmundos" escuerzos representaban a Paolo y Francesca (p. 196).

¿Ciencia ficción o su parodia?

El matiz burlesco que se observó en "Un paseo extraño" es aún más marcado en "La última rubia" (*Cuentos malévolos*, 1904). En *El cuento modernista* clasifiqué este relato como de ciencia ficción, por el em-

---

3. Escenas por ejemplo en que Des Esseintes describe las plantas exóticas que hace traer a su casa, hermosas y amenazantes a la vez, o aquellos momentos en que debe alimentarse con enemas.

pleo de aparatos técnicos y científicos que utiliza su personaje/narrador en su desplazamiento por el mundo. Como señalé en ese libro, la ciencia ficción (C/F) es género o modalidad [4] que contiene un descubrimiento o invento nuevo, basado en los presupuestos de la ciencia del día. Para Darko Suvin, experto en esta materia, el raciocinio científico, más que la prueba rigurosa de la ciencia, es lo que se apreciaría en esta escritura (p. 80). El arcaico razonamiento dado por el personaje de este cuento, y su cómica adhesión a creencias medievales, me lleva ahora a ver a "La última rubia" como una parodia de la ciencia ficción.

El subtítulo "Cuento futuro", explicado por la ubicación de su historia en el año 3028, resulta humorístico desde el comienzo cuando el lector se entera de que su personaje busca en la "ciencia" medieval, especialmente la alquimia, la fórmula que le permitirá la fabricación del oro, extinguido entonces. Según el narrador, los científicos de su tiempo, buscan la "piedra filosofal" con "mayor furor" que en la Edad Media (p. 86), y la mezcla de "ciencia" antigua y moderna, sin duda va en solfa. Así, si el personaje puede viajar en aeroplano a lugares remotos, provisto de "carnalina" y "legumina", que se adelantan a los complejos vitamínicos y alimentos concentrados que se van a popularizar en el siglo veinte; o que aparatos como un libro fónico y un espejo fotogenófono, permitan la identificación de los pasajeros en un aeropuerto, por otro lado, hay "científicos que en la persecusión del oro machacan "los estambres de la flor de lis" con "bilis de oso polar", y luego someten la mezcla a descargas eléctricas de "una bobina de Rumkffork" (p. 86).

La fórmula misma, descubierta por el personaje narrador para fabricar oro, es cómica en contenido y forma. Imitando el discurso cabalístico tradicional, con innecesarias frases en latín, se cita la "receta" hallada en un libro antiguo:

Tomarás un cabello de mujer rubia (*rubicundae faemine, capellae*, sic) y lo pondrás durante cinco lunaciones á remojar en un matraz con una dracma

4.   Todavía se discuten la clasificación y definición de la ciencia ficción. Véase al respecto *El cuento modernista* (pp. 111-112).

de ácido muriático [...] Enseguida echarás en el líquido media dracma de
drago, media dracma del licor que resuda el laurel, y llenarás por fin el
matraz con agua marina (*aquae marinis*). (p. 87, cursivas de Palma).

En el dibujo de la prominencia de la alquimia, una llamada intertextual parodia "El rubí" de Darío que, como se recuerda, arremete
contra la fabricación artificial de piedras preciosas. Aquí no sólo se
hacen perfectos y baratos diamantes "del tamaño de una naranja" (como
los rubíes del nicaragüense), sino que un alquimista, en la búsqueda
del oro:

> logró obtener en una caja de uranio fosforescente, un depósito de rayos
> de sol, que sometidos á una presión de 12.000.000.000.000.000.000.000.813
> atmósferas, daba una pasta dorada que podía sustituir al oro [...] si no
> tuviera la detestable propiedad de liquidarse con el frío y evaporarse
> (p. 86).

Los hermosísimos rayos "rayos del poniente solidificados" que
en Darío forman el rubí, se degradan a la exagerada presión para convertirse en una mera pasta volátil.

El blanco de la burla en este relato es, sin embargo, el abierto
y exagerado racismo del personaje central. Dada la proliferación de
teorías pseudo científicas de la época, que pretendían probar la "superioridad" de una raza sobre otra —que el mismo Palma sustentó en sus
tesis de estudiante, como vimos— la burla resulta más punzante y
atrevida.

Con resonancias similares a las que se escucharon a fin de siglo sobre la "decadencia" que experimentaba Europa, el narrador se
lamenta:

> ¡Pobres pueblos europeos! Un tiempo fueron formados por razas viriles
> y dominadoras, cuyas energías, en constante acción, se desgastaron y
> decayeron rápidamente; ese fue el momento en que la raza amarilla inva-
> dió el mundo, como un alud gigantesco (p. 89).

Para el año 2279, según el narrador, los mongoles y los tártaros
habían "malogrado las razas europeas y americanas con la mixtión de

su sangre impura" (p. 87).[5] Mestizo él mismo de samoyedo, chino y afgano, el hombre se empeña en hallar una rama europea de su ancestro, porque está seguro de que "son rubios como el sol" (p. 88). Ciego o inconsciente a su racismo, el personaje se autollama "retrógrado", se ufana de sus "añejos" gustos aristocráticos, y no advierte la burla cuando cita a su padre hablando contra los parientes "estúpidos que tienen la chifladura de la pureza de la sangre" (p. 89).

El narrador no es tan ciego, no obstante, para no reconocer que junto con el deseo de hallar a sus parientes, está el anhelo de hacerse rico con la fabricación del oro (p. 90). La codicia del narrador, el otro blanco de la historia, tiene su réplica en el tío Houlot, europeo que huyó a tierras cercanas al polo norte para no mezclarse con otras razas. La hija de Houlot, joven "blanca, pálida, de aspecto enfermizo" que el hombre admiraba en las estampas" (p. 93), lo escucha hablar de su admiración por las cabezas rubias, y naturalmente se tiñe el pelo para conquistarlo. Hasta el idilio de estos primos que dura tres meses, se deconstruye en la representación del narrador al decir: "nos amamos locamente al parecer" (p. 93). Naturalmente también, el uso del cabello teñido hace fracasar el experimento, y el "amante" alquimista abandona a su novia, con el conocimiento de que "la última rubia" era falsa, y que tendrá que resignarse a tener por esposa a alguna de las despreciadas mujeres de tez amarilla.

"El día trágico" de 1913, incluido en *Historietas malignas*, comparte con "La última rubia" el empleo de nombres, aparatos y fenómenos relacionados con la ciencia, que lo acerca a la modalidad llamada ciencia ficción. El matiz burlesco con que se marca a su personaje principal, sin embargo, lo aproxima mejor a una parodia de este género, y su tratamiento y tema central al modo alegórico. Subtitulado "Crónica de los días del cometa", su historia desarrolla la posibilidad del fin del mundo que muchos predijeron ante la aparición del cometa Halley en 1910. La primera parte de la obra se ajusta al patrón de la crónica al reproducir juicios científicos (por ejemplo de Flammarion), dados en los periódicos, sobre el peligro de una lluvia de letales gases de cianógeno. Una advertencia posterior sobre el "arreglo" que los periódicos

---

5. De acuerdo al contexto, se referiría a los americanos de Estados Unidos por lo del pelo rubio.

hacen de las noticias para disipar la inquietud de la población, explicaría lo que metadiscursivamente el texto llama "incongruencias" en lo publicado sobre el cometa. Como lo va a hacer Borges mucho más tarde, Palma incluye datos falsos en los supuestos telegramas de las agencias noticiosas. Por ejemplo el asesinato de Clemenceau, que nunca ocurrió, o los juicios del astrónomo Bode, muerto en 1825.[6]

La segunda parte del relato encierra el verdadero cuento anunciado por el título, y a pesar del carácter serio que implica una posible muerte general provocada por gases venenosos, el texto es burlesco, como lo confirma su coda final.[7] Los dardos satíricos van en contra de Oliverio Stuart, ingeniero norteamericano que, ante el peligro de una destrucción universal, construye un subterráneo para salvarse él y su novia. Inventor de una máquina de escribir que "a la vez efectúa operaciones de cálculo (¿un pre-computador?), este joven trabaja para la Compañía minera de Cerro Pasco, establecida en el Perú. Tal vez por el resentimiento generado en Latinoamérica por tales empresas, o por residuos de la ola anti-EE.UU. que despertaron los hechos de 1898, este hombre se dibuja desde el comienzo como extremadamente egoísta. Él mismo repite más de una vez que su universo se reduce a su persona y a su novia, y reitera además su orgullo nacional:

> A un ciudadano de la gran república no le faltan ideas nunca —respon-dí con ese orgullo que en nosotros dista mucho de ser la fanfarronería de los latinos (p. 245).

El personaje valora la "resignación firme y serena" que según él, tienen los yanquis "frente a los hechos inevitables", defiende el egoísmo que engendra el amor, y en una combinación de Nietzsche y Darwin, se convence de que su misión (y la de su novia) es "conservar las simientes del porvenir" (p. 258).

---

6.   El relato mezcla hechos verídicos y falsos. Entre los primeros, la mención del laboratorio de Juvisy de Camille Flammarion (1842-1925). Entre los falsos, el asesinato de Clemenceau, que vivió hasta 1929, y la declaración del astrónomo alemán Johann E. Bode (1772-1825).

7.   Como en muchos relatos, Palma deshace el efecto de terror al agregar en la conclusión que lo contado fue una "fantasía" de su personaje central.

En la parte científico/técnica figura un aparato para producir oxígeno "con la decomposición de peróxido de manganeso" y una variedad de artefactos y utensilios para vivir un mes bajo tierra (p. 249). El relator, además, está consciente de su papel de Noé, y hace varias alusiones a la Biblia, que es la línea intertextual más obvia de la segunda parte.

No obstante la vívida descripción del peligro, y luego de la muerte de todos los habitantes que rodean el subterráneo salvador, el egoísmo y mezquindad de los personajes, y sobre todo el final que deshace la historia, debilitan la fuerza del relato. El poder que un asunto como la destrucción del mundo puede evocar, que tiene un comienzo escrituralmente valioso se desvía, a mi juicio, a una caricatura antiyanqui, de menos mérito.

El rol de la ciencia en los relatos que siguen, parece menos conspicuo que los recién repasados, aunque la presencia no explícita de la medicina es sombra inevitable para asuntos que tienen que ver con enfermedades y otros males del entorno histórico/social que se temían tanto como la desaparición del mundo.

Drogas y sífilis

El decadentismo no sólo representó a drogadictos, sino que algunos de sus más famosos representantes tuvieron experiencias con ellas. A este propósito, Jean Pierrot sostiene que la publicación de *Les Paradis artificiels* de Baudelaire en 1860, popularizó las drogas e hizo famosa la obra de Thomas de Quincey *The Confessions of an English Opium Eater*, que el francés tradujo y citó extensamente (pp. 32-36). Es sabido además, que con el establecimiento de las colonias europeas en África y Asia, el negocio y consumo de drogas se intensificó. No hay que olvidar que la medicina de la época recetaba frecuente y liberalmente el opio, el láudano y la morfina, aun para dolores simples como el de muelas o de estómago.[8] Edouard Roditi, en el prólogo de *Artificial Paradise* que manejamos, recuerda cómo los románticos adoptaron el opio como parte de

---

8. De Quincey empezó su adicción al láudano para curar dolores de estómago. Lo mismo se dice de Coleridge, Poe y Baudelaire.

un "credo estético", pues "liberaba las intuiciones primitivas en el hombre civilizado" (p. xii). De igual manera, los decadentistas pensaban que las drogas eran un medio para extender el campo imaginativo a través de las visiones y alucinaciones resultantes de la ingestión de estupefacientes.

La sífilis, por otro lado, es también asunto que naturalistas y decadentistas exploraron con frecuencia en sus historias, y muchos padecieron en sus vidas.[9] Roger L. Williams titula un libro suyo al respecto *The Horror of Life*, y ese horror es precisamente la sífilis, llamada "le Mal" por los franceses. La obra de Williams es una galería de escritores famosos —Baudelaire, Flaubert, un Goncourt, Maupassant, Daudet— que murieron afectados por esa enfermedad.

A la manera de algunos cuentos de Poe, Clemente Palma creó varios personajes masculinos que consumen drogas para olvidar la muerte de la mujer amada ("La granja blanca", "Mors ex vita"), o que son drogadictos por otras causas ("El príncipe alacrán). En esta sección me detendré primero en "Leyendas de hachisch" (1904), que considero uno de los mejores relatos de *Cuentos malévolos*.[10] Luego examinaré "El príncipe alacrán" del mismo volumen, cuyo personaje central es morfinómano, y agrega el bestialismo a la serie de 'perversidades' en que incursiona el autor. Como repasé ambas obras en *El cuento modernista*, omitiré ciertos detalles de sus historias, aunque no podré evitar la repetición de algunos aspectos pertinentes al asunto que deseo tratar aquí.

En *Skin Shows: Gothic Horror and the Monsters*, Judith Halberstam, asegura que tanto el decadentismo como el gótico romántico fueron maneras literarias creadas para sacar a luz lo reprimido, especialmente lo que atañe a la sexualidad (p. 42). Ya cité en páginas anteriores el nombre de Robert Tracy, quien piensa que el decadentismo decimo-

9. Recuérdese que el decadentismo derivó en cierto modo del naturalismo. Ambos tomaron en serio el conocimiento del cuerpo y de la mente humana, con la diferencia de que el último persigue la "verdad" científica, y el primero sobre todo la belleza.

10. En la primera edición de 1904, el cuento se titula "Leyendas de hachischs". En la segunda de 1913, es "Leyenda de hachisch" que puede ser uno de los numerosos errores tipográficos del libro. Creo que como son tres las que se cuentan, debe primar el plural "Leyendas".

nónico utilizó vampiros y muertos reaparecidos para hablar de sexo, asunto tabú en una Europa que censuraba autores y obras.[11] En "Leyendas de hachischs" Palma recurrió a la droga del título para descorrer el velo que ocultaba a la sífilis, la enfermedad símbolo del fin de siglo y de la literatura decadentista.

Sobre las drogas, Baudelaire tiene una actitud ambigua de rechazo y atracción, que las alaba y condena a la vez. Las palabras siguientes, se refieren al haschish, y son pertinentes al relato:

> hashish causes an intensification of one's individuality, as well as a very keen awareness of events and settings, [...] Whereas every joy and comfort is intensified, every grief or anguish becomes immensely profound (p. 17). *Man will not escape the fate of his physical and mental nature: to his impressions and intime thoughts, hashish will be a magnifying mirror,* but *a true* mirror, nonetheless (p. 43, la primera cursiva es mía, la segunda del autor).[12]

El acento en la individualidad corresponde a una de las metas de los decadentes y de Palma, como vimos en sus tempranos escritos. Si Baudelaire tiene razón al decir que el hashish es un espejo verdadero de los sentimientos del que la ingiere, cabe preguntarse por los que experimenta el personaje de este cuento. En este sentido, importa retener de la cita esa categórica afirmación sobre el cuerpo y la mente como factores determinantes en la "verdad" que mostrará la droga. La complejidad y ambigüedad de "Leyendas" no permite afirmar con certeza cuál es la "auténtica naturaleza" de lo que proyecta ese "espejo", pero las palabras de Baudelaire se prestan para explorar a qué se refieren esos pensamientos íntimos que revelará el haschisch.

Al comienzo del cuento, el narrador/personaje cuenta de su dolor por la muerte de su esposa Leticia, dolor que en el momento de la

---

11. Tracy menciona el célebre juicio contra Oscar Wilde, la prohibición de algunos estudios de Havelock Ellis, y el encarcelamiento del editor Zola, entre otros casos.

12. "El hashish causa la intensificación de la propia individualidad a la vez que una aguda conciencia de hechos y lugares. A medida que cada alegría y comodidad se intensifica, de igual modo se profundiza el dolor y la angustia (p. 17). El humano no escapará a la fatalidad de su cuerpo y de su mente: el hashish será un espejo magnificador pero *verdadero* de sus impresiones y pensamientos íntimos"(p. 43).

enunciación lo lleva a consumir la droga del título. A diferencia de los personajes de Poe —drogadictos y en duelo, pero con amores más bien cerebrales— Leticia ha muerto por ardor sexual, como explica el narrador:

> Nuestra locuras y caprichos debían matarla y así fué. Su cuerpo anémico había nacido para el amor burgués, metódico, sereno, higiénico, y no para el amor loco, inquieto y extenuante exigido por nuestros cerebros llenos de curiosidades malsanas, por nuestras fantasías bullentes y atrevidas, por nuestros nervios siempre anhelantes de sensaciones fuertes y nuevas (p. 137).

La cita como se ve, es casi una proclama decadentista. Ya se ha notado la importancia que para el decadentismo, tienen los nervios en la representación de las sensaciones, y el deseo y la curiosidad para alentar experiencias nuevas. Las palabras transcritas ponen de relieve además, la diferencia entre el amor "burgués" no sólo metódico, sino también *higiénico* (adjetivo que importa para el asunto de la sífilis), que contrasta con el "decadente", impulsado por esa curiosidad "malsana".

El cuerpo de Leticia, descrito como "anémico" en la cita, se adhiere al ideal estético del decadente que ve belleza en lo enfermizo, y su descripción hace recordar cuadros prerrafaelitas, tan admirados por él. Las curvas del cuerpo de la esposa son comparadas con las de las místicas de las "santas en las vidrieras góticas", y el narrador se complace en acentuar que ese cuerpo tenía *"la delicada pureza de una virginidad cristalizada, el encanto infantil y la gracia de una adolescencia detenida en los músculos antes de la expansión que experimentan éstos cuando una joven ha visitado la isla de Ceres"* (p. 138, subraya Palma). El énfasis que pone el autor en la descripción de este cuerpo virginal, tiene que ver en la primera parte, que sirve como marco a las tres leyendas, con el concepto de amor "ideal" al que aspira la pareja, pero que no consigue, como se vio en cuentos anteriores. Arrepentidos de sus noches de pasión los esposos al contemplar el cielo, se saturan de "amor místico", y se sienten *"impregnados del alma serena del cosmos"* (p. 136, subraya Palma). Lo que interesa para una tentativa interpretación posterior, es la relación que se hace entre ese amor deseado y el andrógino, al que también apuntó indirectamente la descripción citada del cuerpo de Leticia. Sobre las noches en que sueñan con ese amor "puro e ideal", dice el narrador:

"Nos creíamos acaso andróginos y cruzábamos los misterios de la noche vinculados por una entrañable fraternidad asexuada" (p. 137, énfasis del autor).

Es obvio que Palma desea llamar la atención del lector sobre esa fraternidad asexuada por medio de sus subrayados, y tendremos que volver al andrógino y la asexualidad a propósito de la leyenda tercera. Por ahora posponemos mayores comentarios, para comenzar por la primera.

La primera leyenda contiene la primera alucinación producida por el hashish, y en ella Palma muestra un inusitado despliegue imaginativo. El narrador, convertido en discípulo de un fakir hindú, llega con su maestro a una región del Himalaya corroída por los estragos de la sífilis.[13] El efecto de horror del paisaje, efecto cultivado por el decadentismo y por Palma, recuerda al que suscitan las plantas exóticas, y la pesadilla sobre la viruela que sufre Des Esseintes, el personaje central en el capítulo VIII de *À Rebours* (pp. 134, 139), y el bosque horrendo que ve Gilles de Rais en *Là-Bas* (p. 201), las novelas de Huysmans. No se trata con esto de sugerir "influencias", concepto anacrónico en un tiempo en que la intertextualidad se reconoce como central en la creación literaria, sino al contrario, decir que esta conexión es casi esperable, dado que el primer libro de Huysmans se considera el "clásico" del decadentismo. Parte del macabro paisaje, Palma lo describe así:

Por todas partes se veían las enmarañadas copas de árboles extraños, cuyos troncos estaban llenos de pústulas [...]. Las aves que cruzaban el espacio, tenían los cuerpos purulentos, con una que otra pluma desmalezada: volaban tardamente, lanzando graznidos lastimeros; las fieras cruzaban nuestro camino con paso dificultoso de bestias baldadas por la elefantiasis, tiñosa la piel y los hijares hundidos, como interiormente

---

13. El descubrimiento de que sea la sífilis la causa, se da paulatinamente y con suspenso en el relato, y así lo expuse en *El cuento modernista*. Con un diferente enfoque, aquí omito detalles dados en ese libro.

corroídos por un mal implacable. Las flores apenas abiertas, caían moribundas sobre el césped raquítico y gris; sus pétalos ardían en violenta fiebre, y sus estambres se estremecían y retorcían en las convulsiones de intenso dolor (p. 142).

No es difícil ver bajo las antropomórficas acciones y calificaciones atribuidas a plantas y animales, un blanco centrado en el humano, como reafirma el hecho de que este paisaje desolado esté gobernado por la Reina Sífilis. Más sugerente aún es que el rostro de Sífilis se le aparezca al narrador como el de su difunta esposa Leticia, y que una segunda visión sea la cabeza de Ovidio Nasón, el autor de Las metamorfosis y El arte de amar. El cuento deja en silencio la relación y significado de estas dos visiones, aunque se pueden insinuar las siguientes posibilidades: primera: Leticia pudo haber muerto de sífilis; segunda: el narrador tiene miedo de la enfermedad; tercera: el narrador teme a la mujer y al sexo. Sobre la primera y la segunda opción, hay que recordar la misoginia del decadentismo, rechazador de lo natural, y por lo tanto de la mujer, encarnación de la naturaleza. Esta misoginia se acrecentó al culpar a la mujer de las enfermedades venéreas. Interesa más la tercera posibilidad, menos obvia que las otras, pero que quizás ayude a una mejor comprensión de todo el relato. Antes, sin embargo, unas pocas palabras sobre la leyenda segunda, que no tiene explícita relación con la sífilis, pero quizás sí con el espejo revelador de la droga con que comencé esta sección.

Como resumí en El cuento modernista, en la segunda leyenda el narrador se ve dotado de fuerzas tan descomunales que puede "hacer vibrar la creación entera". Con resonancias a las enseñanzas de Schopenhauer y Nietzsche sobre el yo como meollo generador de todo fenómeno, el narrador dice al respecto:

> noté que estaba dotado de unas fuerzas desmesuradas, hiperbólicas, *todo en mí era fuerza; yo era el núcleo de donde partían impulsiones en todo sentido* (p. 145, énfasis de Palma).

Si las alucinaciones que provoca la droga revelan una verdad íntima, como escribe Baudelaire, y recordamos las palabras de Palma citadas antes, sobre la necesidad de explorar las carencias humanas ("lo que no se tiene"), se puede pensar que el sintagma citado expresa el deseo del narrador de poseer fuerzas que no tiene. Cierta relación con una posible debilidad corporal, vinculada quizás con el temor a la enfermedad que sugiere la leyenda primera, se halla en la capacidad del personaje de escudriñar el interior de su organismo como si fuera una máquina.[14]

Antes de ver la tercera leyenda, hay que advertir que el texto presenta los tres microrrelatos separados por blancos y números romanos, y que al final de cada uno, el protagonista vuelve a la "realidad" de su cuarto. En otras palabras, este formato parecer sugerir que las visiones de cada leyenda son independientes. No obstante, otros signos textuales incitan a buscar las relaciones entre ellas. Pienso, por ejemplo, que la tercera leyenda deconstruye la primera, porque si en la última, la naturaleza se representa como corrompida y moribunda, en la tercera el narrador se va a enfrentar a una que "parecía reanimarse, volver a latir con la vida" (p. 154). La "extrañeza de esta vida, sin embargo, en que seres "híbridos" se mezclan con bellas mujeres, añade suficiente ambigüedad como para no poder afirmar nada categóricamente.

La visión central de la leyenda tercera proviene de una viñeta de un libro de cartografía que el narrador tiene en su escritorio, de la cual se desprenderá una hermosa ninfa que lo conducirá por diversos espacios.[15] La primera región que atraviesan se describe como "silenciosa y helada", alumbrada por "la aurora boreal" (p. 152).[16] En aquella región, el narrador ve a mujeres "pálidas, esqueletizadas" que buscan algo "entre las grietas del hielo". La ninfa guía le explica al narrador que esas mujeres "son las novias difuntas que buscan a sus amantes infieles" (p. 153), hecho que reitera la unión de Eros y Thanatos, motivo muy usado por Palma, como ya dije. El paisaje cambia por fin a

---

14. Con gran riqueza de fantasía, el personaje repasa sus diferentes vísceras y funciones, especialmente del cerebro. Allí el narrador ve diminutos gnomos que cazan ideas con las canastillas usadas para atrapar mariposas, echándolas en diversos compartimientos (p. 147).

15. La ninfa y la galera en que navegan se describen en ornado estilo "rubeniano" poco usual en las narraciones de Palma, que tienden a una eficaz economía.

16. El lugar se llama Upernawick, que debe corresponder a Upernavik en Groenlandia, isla que pertenece a Dinamarca. Palma usa el mismo lugar en "La última rubia", y ya se sabe de la preferencia de los modernistas por lugares remotos y/o exóticos.

uno al parecer más amable, en que se observa "el regreso a la vida". Lo peculiar es que este regreso, según el narrador, no es "a la vida natural, sino á una vida nueva, desconocida y extraña" (p. 154). Con imaginación y poesía, Palma dibuja un escenario que parece arrancado de obras prerrafaelitas. Allí:

> las aves [...] tenían cabezas de sierpes y por colas ramos de lis. Llegamos á una costa en que las peñas eran de cristal opaco [...] además de los centauros, faunos, esfinges e hipogrifos, observé muchos seres híbridos: perros cubiertos de hojas y con las extremidades de aves palmípedas, serpientes con cabezas humanas, salamandras que comenzaban siendo campánulas. Había violetas, heliotropos y camelias aladas que, como mosquitos chupaban no el jugo ó néctar de las flores, sino la sangre-savia de todos aquellos animales ambiguos de ornamentación (pp. 154-155).

Se puede argumentar que todo este paisaje está inspirado por la viñeta de "retorcidos acantos de ornamentación" del libro de cartografía que lee el personaje, populares al fin del siglo XIX y comienzos del XX. Para nuestra lectura, sin embargo, interesa el énfasis en la hibridez de los seres descritos, y la insinuación al "vampirismo" sugerido por ese chupar de sangre, fenómenos ambos que se harán centrales en los relatos a estudiar más adelante.[17]

En este paisaje de poetizada hermosura, el narrador se enfrenta a Afrodita, la diosa del amor, cuya belleza lo hechiza. Contrario al silencio de Leticia/Sífilis, aquí la diosa enuncia un discurso apasionado que es significativo:

> Mírame... Yo soy el Amor con todas las energías... yo soy la eterna pasión con todos sus misterios de placer y de vida. Yo soy el delirio loco del amor de las almas vibrando en los nervios más sutiles y en la más pequeña gota de sangre viva... Ámame que yo soy el Supremo Espasmo, en la doble ventura de las almas y de los cuerpos (p. 156).

Lo dicho por Afrodita está en consonancia con las premisas de varios cuentos de Palma, en que se aboga por la necesidad de abolir la

---

17. El vampirismo fue un asunto elaborado en obras góticas y decadentistas, y que Palma usó en varias de sus narraciones, como veremos.

dicotomía romántica entre espíritu y cuerpo, y concebir el sexo como componente esencial del amor. Pero, si la exaltación de la pasión física que se trasluce en esta leyenda, cancela el horror que produce la contemplación de los efectos de la sífilis en la primera, la cancelación es ambigua, ya que la aparición de la diosa viene precedida por la de otras mujeres que complican la lectura. Antes de la visión de Afrodita, el narrador, en "un bosque de tulipanes grandes como hoteles", divisó mujeres paseando "por los pétalos", correspondientes a la rubia de ojos azules, representante de la pureza que se vio en los cuentos anteriores:

> eran mujeres, las mujeres más idealmente bellas que se puede concebir, envueltas en tules de rocío hilado. Sus carnes eran como de marfil y nácar blandos, sus ojos azules dirigían miradas candorosas y angelicales, sus labios parecían impregnados en la sangre de las granadas, y sus cabelleras rubias como el Jerez pálido, descendían en apretadas guedejas hasta más abajo de los muslos (p. 155).[18]

Las caricias "inocentes" de estas mujeres, producen en el narrador un "placer purísimo", un amor "sin deseos, sin turbaciones", "místico e inefable", que le hacen anhelar una estancia permanente entre ellas (p. 155). La guía, sin embargo, lo arranca violentamente de su éxtasis, explicándole que esas bellas son *"mujeres sin sexo"*, y su amor, el amor del Limbo.

Antes de intentar darle un sentido a esta visión, hay que recordar que ella precede la aparición de Afrodita, quien exalta la pasión del cuerpo, a diferencia de estas bellas asexuadas que enamoran al narrador. Es decir, en este microrrelato de la leyenda tercera, se enfrentan dos clases de amor, semejantes a aquellas en que se debatía la pareja al comienzo del cuento, y los amantes de "Idealismos". Se puede suponer que el amor que propone Afrodita es el que triunfa, puesto que su imagen es la última que ve el narrador, y la que conserva al despertar. El párrafo final de la obra parece confirmar esta victoria, pero con

---

18. La llamada a "la sangre de las granadas" en los labios de estas bellas, es subrepticia señal de peligro, oculto en la belleza, que puede aludir tanto a la sífilis como al vampirismo, este último frecuente motivo en Palma, como veremos.

una torcida de tuerca que le agrega ambigüedad. En él el narrador, ya despierto, contempla el retrato de Leticia llamándola "*implacable* amada difunta", "*triunfadora* anémica", "pálida é inolvidable" (p. 157, énfasis mío). Si recordamos que Leticia comparte con su compañero la pasión física a que llama Afrodita, es lógico que pensemos que es éste el tipo de amor que se exalta, y homologa a la esposa con la diosa. Pero también Leticia es la sífilis en la visión del hombre, con lo que se agrega una nota negativa a ese amor. En este contexto, la "triunfadora" e "implacable" sería la sífilis, y a ella se dirigiría la dirección central del relato. El asunto no es tan simple, sin embargo, pues hay otros indicios que hay que considerar.[19]

La preferencia del narrador por la belleza andrógina, y el hechizo que experimenta ante las mujeres asexuadas, si bien señala hacia el peligro de la sífilis, puede ser además signo de otros deseos y sentimientos ocultos en el narrador. Esta posibilidad me movió a hacer una lectura conjunta de este cuento y "El príncipe alacrán", con el propósito de iluminar silencios de ambas obras. Esta lectura es perfectamente válida si se estudian los *Cuentos malévolos* como colección de relatos integrados (Mora, 1993, capítulo V).

Palma colocó "El príncipe alacrán" inmediatamente después de "Leyendas de hachisch" en la primera edición de *Cuentos malévolos*, orden que abonaría la intuición que tenemos sobre la relación profunda entre ellos.[20] Digo profunda, porque en el nivel superficial, es fácil ver el enlace. El narrador/personaje, Macario, es adicto a la morfina, y la historia central es una visión producida por la droga. Común es también el efecto de horror que suscitan las escenas alucinatorias, y la ambigüedad de algunos indicios, como signos claves ocultos en el subtexto. Diferente es en este cuento el fenómeno de bestialismo que

---

19. No tomamos en cuenta que en ese párrafo final, el narrador tiene cabellos en sus manos, que si fueran de Afrodita tornaría el cuento en uno fantástico, como piensa Kason. Creo que la ambigüedad del texto admite también que el cabello sea de Leticia, pero la cuestión de lo fantástico no interesa al presente enfoque.

20. En la edición de 1913, aparecen separados por "Tengo una gata blanca" y "Ensueños mitológicos", relatos a mi modo de ver de menos importancia y calidad. "El príncipe alacrán" va seguido por "Un paseo extraño", que como se vio tiene los mismos personajes.

ocurre, motivo que aparece entre las "perversidades" elaboradas por los decadentistas.

Antes de enfocar esa visión central, interesa detenerse en un fenómeno que la literatura de hoy celebra como uno de sus descubrimientos más efectivos, pero como mostré en *El cuento modernista*, es de cultivo mucho más temprano. Me refiero a la división del yo que, aunque en relación a las drogas, se dé como una de sus consecuencias, en este cuento tiene otras causas. Macario inicia la narración con quejas sobre su hermano gemelo, Feliciano, el mismo de "Un viaje extraño", que es adicto al alcohol. El tener cuerpos idénticos, pero distintas personalidades, lleva a Macario a pensar que puede "servir a la ciencia" si cuenta los "fenómenos psicológicos" que padece (p. 172):

> Desde pequeños éramos tan semejantes de cuerpo y de rostro que *a nosotros mismos nos era absolutamente imposible distinguirnos*. Cuando estábamos igualmente vestidos y en una situación incolora de espíritu, la semejanza de los cuerpos y la entonación idéntica de la voz nos causaban el efecto de que *ambos éramos incorpóreos* [...] ambos teníamos conciencia de nuestra persona interna, pero no así *de la de nuestros cuerpos* (p. 172, énfasis de Palma).

Como se verá en el último capítulo, Palma parece obsesionado con el tema del doble y sus consecuentes problemas relativos a la formación de la identidad. Aquí me interesa el acento puesto en el cuerpo como causa principal de las molestias que sufre Macario. Este personaje dice estar "perdido dentro de sí mismo", y puede suponerse que ésta es una de las razones que lo llevaron a la morfina, asunto que retomaré.

Como adelanté, la historia se centra en la alucinación del narrador después de inyectarse con morfina. El discurso logra muy hábilmente una indiferenciación entre "realidad" y sueño, porque antes de que Macario se duerma completamente, mata un alacrán que, escondido entre sus libros, lo incomodaba con su ruido.[21] La visión simula

---

21. En *El cuento modernista* listé los nombres de la biblioteca de Macario, importante por contener obras decadentistas célebres como *Zo-har* de Mèndes y *L'animale* de Rachilde, a las que nos referiremos en el próximo capítulo.

ocurrir cuando el personaje está despierto, lo que aumenta el horror. Importa fijarse en el tamaño del alacrán, al final de la cita:

> De pronto desperté, miré en torno mío y quedé frío de terror: por todas partes estaba rodeado de alacranes que agitaban pausadamente las tenazas de sus extremidades anteriores haciendo un ruido de mandíbulas que masticaran. Infinidad de ojillos fosforescentes y bizcos me miraban con fijeza codiciosa. [...] de las articulaciones y de los pelos salía un sudor rubio, viscoso como la miel. Y las erguidas colas se inclinaban hacia adelante ostentando sus púas agudas y ponzoñosas [...] El suelo de mi habitación estaba cubierto de escorpiones: *los más pequeños tendrían la longitud de mi brazo* (pp. 177-178, mi énfasis).

Es obvio que el efecto buscado aquí es de asco y horror, que como vimos Palma persiguió desde sus más tempranos relatos.

En *El cuento modernista* leí éste y otros cuentos, incluido "Leyendas de haschish", como textos que exponían esencialmente un temor a la mujer, secuela de la aparición de la Mujer Nueva, parte importante de los cambios traídos por la modernidad. En este sentido, bien puede pensarse que ese miedo a la mujer podría ser resultante de impotencia sexual, fenómeno que se ha relacionado con la ingestión y/o efectos de las drogas (Hayter, p. 322).[22] Lecturas posteriores, y pareados entre cuentos, como intentamos hacer aquí, me llevó a buscar otras respuestas. La escena que transcribiré nos acerca a una de ellas. Véase lo que teme Macario, una vez que comprende que los alacranes intentan destruirlo por haber matado a su rey:

> Comprendí que venían a vengar la muerte sin compasión que yo había dado á su rey; comprendí que sólo esperaban una orden para devorarme: unos me hundirían las púas en los ojos; otros cogerían mi lengua entre las tenazas y me la arrancarían; otros penetrarían por mi ensangrentada boca á las entrañas (p. 179).

---

22. El libro de Alethea Hayter, *Opium and the Romantic Imagination*, dice que es frecuente la opinión sobre la impotencia en ciertos escritores, como resultado de la ingestión de opio, pero fuera del caso "presunto" de Poe, no halla otras evidencias. Walter Benjamin en "Central Park" llama a la impotencia la base del calvario de la sexualidad masculina, a propósito de Baudelaire, y la ve como originadora del fetichismo del francés por las mujeres angelicales Aquí se trata de los personajes, y Palma pudo elaborarlos, quizás con esa opinión dada sobre ambos escritores.

La connotación sexual de los verbos *devorar, hundir, penetrar,* sugieren a mi juicio, un deseo homosexual, reprimido con temor en el personaje, sacado a la luz por la droga. Este deseo podría explicar la alienación del cuerpo y la duda sobre su personalidad que observa Macario. Confirma esta línea de lectura, la descripción del alacrán reina, que viene a vengar la muerte de su compañero. Otra vez importa fijarse en el tamaño de la alimaña:

> Un alacrán negro, hiperbólicamente grande, se irguió encima de los demás, estaba cubierto de telarañas enredadas entre la cabeza chata y horrible, las velludas patas y la espiga de su ponzoñosa cola. Tenía una corona grabada en el coselete toráxico. Un sacudimiento de horror contrajo todo mi cuerpo. Aquel bicho *tenía las dimensiones de un muchacho* (p. 181, mi cursivas).

Si mi lectura está en lo cierto, aquellas andróginas y asexuadas que vimos en el cuento anterior, podrían tomarse como señales en la misma dirección de deseo y miedo a la homosexualidad, que se habría ocultado más cuidadosamente que la adicción a la droga, o la sexualidad heterosexual desbocada.

En cuanto a la bestialidad que presenta el cuento, se realiza a pedido de la reina escorpión que le perdonará la vida a Macario a cambio de una cópula sexual, pues desea tener un hijo con la inteligencia humana. Por supuesto la unión busca de nuevo el efecto del horror y del asco:

> Y su boca viscosa y deforme se adhirió amorosamente á la mía; y sus tenazas enlazaron mi cuerpo. ¡Oh qué horrible el contacto de esa bestia fría, melosa, áspera, fétida! (p. 283).

Esta cita, como las anteriores, representa al personaje totalmente pasivo: primero al imaginar el ataque, y luego en el abrazo sexual. Más sugerente es aún, el que Macario acepte la cópula con el animal, a pesar del asco y el horror que le produce.

Afirmé más arriba que las drogas, los vampiros o las muertas resucitadas, habrían sido recursos de los escritores para hablar de sexo en años en que el tema era tabú. La audacia de Palma para representar la fuerza del deseo sexual, y fenómenos prohibidos como el bestialismo o la droga-adicción es indudable. Lo curioso es que aun esos recursos no le permitieron develar más explícitamente el deseo homoerótico, y lo ocultó más profundamente en el subtexto. La posible explicación de este hecho se puede hallar en la cultura de la época, que sancionaba la homosexualidad con más rigor que las otras prácticas en el contexto histórico hispanoamericano.

La fuerza del sexo en dos últimos relatos, se combina de una u otra manera con la idea de la muerte, recurriendo así al viejo motivo de Eros y Thanatos, importante en el decadentismo, y usado por Palma con inusitada frecuencia en sus narraciones. Como veremos en el próximo capítulo, el autor peruano utilizó el recurso del espiritismo, o de pactos diabólicos para regresar muertas de ultratumba, que reanudan la pasión sexual que tuvieron en vida con sus amantes. En estas narraciones, la fisicalidad de las uniones sexuales, se da como un esfuerzo de afirmar la vida y trascender la muerte, y a manera de llenar ese vacío del que hablaban Nietzsche y los decadentes.

CAPÍTULO IV
VAMPIRAS Y MUERTAS RESUCITADAS

Aunque en capítulos anteriores he mencionado de paso ciertos rasgos dados como característicos de la escritura gótica (efecto del horror, violencia, muerte y erotismo), pensé que las obras a estudiar en este capítulo, por ajustarse mejor al patrón más reconocido de dicha modalidad debían ir en un apartado especial. Por esta razón, lo inicio con una breve discusión sobre ese tipo de escritura, como antecedente para los análisis.

Breves notas sobre el gótico

La muerte es un reconocido tema universal en la literatura de todos los tiempos. Su representación, apoyada en postulados religiosos, y el histórico alto índice de mortalidad durante la Edad Media y el Renacimiento, la hicieron una presencia "familiar", "domesticada" para la mayoría (Thompson, 1987: p. 6). A fines del siglo dieciocho, sin embargo, los adelantos científicos, y la progresiva erosión de la fe religiosa impulsaron la curiosidad por conocer mejor el fenómeno físico de la muerte, y las dudas sobre la vida en el más allá, que se continuarán y profundizarán en el siglo diecinueve. Ya me he referido a los trastornos producidos por la llamada "modernidad", que con el socave de la metafísica tradicional (Kant, Hegel) y la muerte de Dios (Nietzsche), ponen en cuestión la naturaleza y el significado de la realidad, y contribuyen al sentimiento de alienación que experimenta el ser humano cada vez con mayor intensidad. Vimos también que un resultado del creciente secularismo y de los descubrimientos científicos, fue el renacimiento de cultos prohibidos, y la popularidad de toda clase de creencias esotéricas. Muchas de estas creencia (sino todas), se relacionan con la ansiedad que produce la muerte, sobre todo cuando el paraíso ultraterreno ha perdido credibilidad. Esta ansiedad se dio como germen del género gótico en el siglo dieciocho, y en su renacimiento en el diecinueve.

Como sucede con todas las clasificaciones de períodos y escuelas literarias, hay una gran disparidad sobre definiciones y taxonomías sobre el gótico, aunque no hay duda de que el estudio de esta escritura goza hoy de renovado interés crítico.[1] Obras como *The Endurance of Frankenstein* (1979), de George Levine y U. C. Knoepflmacher (1979) y *The Literature of Terror: A History of Gothic Fiction From 1765 to the present day* de David Punter (1980), echaron las bases para el gran número de publicaciones que existe hoy sobre los cultores y las características del género.

Literatura escrita para consumo popular, ancestro del folletín decimonónico, el gótico habría nacido en el siglo dieciocho como una manera de desafiar una época que fomentaba el predominio de la razón sobre todas las facultades (Punter I, p. 17). Las truculentas historias de los "clasicos" que iniciaron la modalidad —*El castillo de Otranto* (1764) de Horacio Walpole; *Los misterios de Udolpho* (1794) de Ann Radcliffe; *El monje* (1796) de Mathew Lewis, *Frankenstein* de Mary Shelley (1818) y *Melmoth the Wanderer* (1820) de Charles Maturin— habrían echado las semillas de lo que se convirtió en sus convenciones características: escenarios arcaicos, uso de lo sobrenatural, personajes estereotipados, y especialmente la búsqueda del efecto de terror (Punter I, p. 1). Tras las historias de fantasmas, persecusiones de inocentes doncellas por pérfidos villanos, muertes violentas en ruinosos castillos, los estudiosos de hoy día, sin embargo, ven dos fenómenos característicos de la emergencia de la modernidad: la intuición de la

---

1. M. Levi lamenta la proliferación de obras calificadas como góticas que incluye narraciones tan dispares como las de Radcliffe, Walpole o Lewis, a contemporáneos como Graham Greene o S. Maugham (Smith/Sage, pp. 1-3).

fragmentación del yo, y la importancia de la sexualidad (Punter, Senf, Halberstam, Day), que se hallan en la obra de Palma.

El que románticos prominentes como Blake, Coleridge, Keats, Shelley y Byron, hayan sido influidos por esa literatura (Punter, I, p. 87), da fe de que bajo el melodrama de sus historias, se ocultaba una problemática cultural que atrajo a artistas que también intentaban rebelarse ante ciertos hechos, como es el caso de los decadentes.

La crítica latinoamericana ha prestado poca atención al sobriquete "gótico" que encubre también la fase decimonónica del género, con novelas tan populares como *El retrato de Dorian Gray* (1891) de Oscar Wilde, *Doctor Jekill and Mister Hyde* (1886) de L. R. Stevenson; *The Island of Dr. Moreau* (1896) de H. G. Wells y *Dracula* (1897) de Bram Stoker, autores y obras conocidos por el lector y la crítica hispana e importantes en el desarrollo de la narrativa de Clemente Palma. Más directamente relacionada con él, no obstante, está la figura de Edgar Allan Poe, cuya narrativa se considera pivote en la reanimación del gótico, cuando se creía ya muerta esta modalidad. La gran contribución al género de parte del norteamericano, es haber sentado las bases para crear una teoría del gótico (Haggerty, p. 81), y según Punter, la especial estructura y tono de sus relatos, que elevó su calidad artística (I, pp. 176-177).

De los rasgos que se dan como característicos del gótico, el que se cumple con más frecuencia en las narraciones de Palma, es el empleo de lo sobrenatural, representado en figuras popularizadas por el género, como son el vampiro y los muertos reaparecidos. Estas figuras, enlazadas en Poe a temas universales como la muerte, la locura y el miedo (Thompson, 1973: p. 89), se ven hoy específicamente relacionadas con la emergencia de la importancia del sexo en la vida humana. Punter ve los motivos del sueño y de vampiros como representaciones de liberación sexual (I: p. 104), y asegura que la raíz del gótico es el erotismo (II, p. 191). Para Robert Tracy el vampirismo fue usado para representar ciertas ansiedades y obsesiones inadmisibles en la literatura anterior (p. 35). Palma, sin duda alguna, se interesó por los asuntos de vampirismo, como vimos que se asoman tangencialmente en "Leyendas de hachisch" y "El príncipe alacrán". Este interés se tradujo como motivo central en el relato "Vampiras", y como secundario en "La granja blanca", que estudiaremos a continuación, como antecedentes de la novela corta "Mors ex vita". Los análisis irán descubriendo otras especificidades que tienen que ver con las modalidades gótica y decadentistas, usadas en sus elaboraciones.

La granja blanca

En "*La granja blanca* de Clemente Palma: relaciones con el decadentismo y Edgar A. Poe" (*Casa de las Américas* 205, 1996), como sugiere el título, intenté rastrear algunos rasgos decadentistas en el cuento de Palma, y cotejarlo con dos relatos de Poe ("Morella" y "Ligeia"), para comprobar las diferencias entre ellos, dado que la crítica siempre mencionó la influencia del autor norteamericano sobre el peruano. En ese estudio no puse atención a los elementos góticos que también se dan en la narración, asunto que trataré aquí.

En capítulos anteriores se ha visto cómo, en el afán de oponerse a la ideología burguesa, los decadentistas abrazaron de hecho y obra los cultos prohibidos como el espiritismo, la magia negra y el diabolismo. Esta afición, reavivó el interés por temas y motivos relacionados con esos cultos, entre ellos el retorno de los muertos, meollo de la historia que se cuenta en "La granja blanca". Viejísimo asunto, popular en el folclor y la literatura universal, el retorno después de la muerte se hizo popular en el gótico y en el romanticismo, y fue retomado por el decadentismo con peculiares matices.[2] En relación al cuento de Palma, importa recordar que en la narrativa de E. A. Poe, la muerte de una joven hermosa se convirtió en el tópico "más poético de los temas universales", como él mismo expresa en su "The Philosophy of Composition". La obra de Poe, dada a conocer por Baudelaire en Francia, pudo inspirar otras historias famosas con este asunto, entre ellas *Spirite* y "La muerte amorosa" de Teófilo Gautier y "Vera" de Villiers de L'Isle Adam, autor este último que Palma conoció muy bien, como se comprobará al estudiar su novela *XYZ*. El análisis de "La granja blanca" dará oportunidad de ver que Palma elabora un texto diferente al de sus predecesores, y ratificará la predilección del peruano por ciertos motivos reincidentes en su obra.

---

2. Sobre autores románticos y decadentes que trabajaron el tópico del retorno de una muerta, ver los capítulos primero y cuarto de *The Romantic Agony* de Mario Praz.

"La granja blanca", publicado por primera vez en *El Ateneo de Lima*, en 1900, bajo el título "¿Ensueño o realidad?" (sobre el que volveremos), formó parte de *Cuentos malévolos* de 1904. Dividido en diez secciones, sin indicios referenciales de espacio o de tiempo, el relato tiene un narrador homodiegético, tal vez siguiendo el consejo de Poe en su "Philosophy of Composition" de dar voz al que llora la muerte de su amada. Al revés de los narradores de poca o nada confiabilidad de Poe, sin embargo, éste de Palma aparece en la mayor parte del cuento, como un joven "normal" en cuya palabra se puede confiar. A diferencia también del gótico clásico y poeiano, el escenario de "La granja" carece de los elementos tétricos buscados para inspirar horror. La casa de Cordelia y la granja misma son espacios claros, hermosos, la última llena de flores y mariposas, apropiada para el idilio perfecto de la pareja. El cambio de atmósfera que ocurre al final de la historia, es correlato afín a la abrupta transformación del personaje narrador, que ve el entorno con ojos alterados supuestamente por la enfermedad o la locura.

Como en muchos textos góticos y decadentistas, los personajes centrales son ricos (tienen "tierras de mayorazgo que producían cuantiosa renta", p. 112), por lo que viven consagrados a su amor. Cordelia, prima y prometida del narrador (como muchas heroínas de Poe), es una bella rubia, de "serena disposición", parecida a las mujeres pintadas por los prerrafaelistas, tan del gusto de Palma, como hemos visto antes:

> Era Cordelia alta, esbelta y pálida, sus cabellos abundantes, de un rubio de espigas secas, formaban contraste con el encendido de sus labios y el brillo febril de sus ojos pardos. No sé qué había de extraño en la admirable belleza de Cordelia que me ponía pensativo y triste. [...] Siempre que estaba con Cordelia recordaba tenazmente el cuadro [*La resurrección de la hija de Jairo*] de la doncella vuelta a la vida (1913: p. 110, énfasis de Palma).

La "extrañeza" como rasgo unido a la belleza, es muy característico de las heroínas de Poe, quien siguió en esto un concepto expresado por Francis Bacon, como el mismo Poe asegura en sus textos (Thompson, 1973: p. 83). El cuadro "La resurrección de la hija de Jairo", puesto al comienzo del relato, es temprano indicio premonitorio de la muerte de Cordelia y su "fantástico" retorno, como sucede en el relato bíblico a la hija de Jairo. La juventud (veintidós años para ella y él), la belleza de la muchacha, y el profundo amor que une a la pareja, aumentan el hálito de tragedia que Palma imprime a las primeras páginas, semejantes a las que se popularizaron en el romanticismo:

> En el invierno, mientras afuera caía la nieve, pasábamos largas veladas tocando las más bellas sonatas de Beethoven y los apasionados nocturnos de Chopin. Esa música brotaba impregnada del sentimiento que nos unía, y sin embargo, al mismo tiempo, sentía como si algo de la nieve [...] se infiltrara en mi alma, como si en el admirable tejido de harmonías se hubiera deslizado un pedazo del hilo, ya cortado de la madeja de las parcas; sentía una impresión triste é indefinible de pesadez de loza sepulcral (pp. 111-112).

Como se ve, este paisaje invernal es puro recurso retórico, para crear un ambiente adecuado a episodios por venir, que nada tiene que ver con el Perú del autor, con lo que se cumple el rechazo a la estética realista enunciada por Palma en sus escritos tempranos. Por otro lado, ese paisaje discursivamente romántico, se aparta de esa modalidad, al seguir pautas decadentistas en otros aspectos de la historia. Así, el amor que comienza por una gran "compenetración" de los espíritus de los jóvenes, se convierte más tarde en la pasión "loca y vehemente" que preconizaba el decadentismo, y vivía la pareja de "Leyendas de hachisch" estudiada. Como intenté demostrar en el estudio citado al comienzo, en la concepción de Palma del amor, al revés del romanticismo, se acentúa la importancia de lo físico, aún en situaciones en que se enlaza Eros y Thanatos. El binomio que tradicionalmente opone vida/muerte, aquí se convierte en amor/muerte, pues el primer término se da como sinónimo de vida. Véase en la cita que sigue que el narrador coloca al amor como vencedor de la muerte, que es lo que desarrollará la historia de la obra:

> El amor es vida. ¿Por qué, adorando ciegamente á Cordelia, percibía como un hálito impalpable de muerte? La sonrisa luminosa de Cordelia era vida; sus miradas húmedas y apasionadas eran vida; la íntima felicidad que nos enajenaba llenando de alegría y fe nuestras almas era vida (p. 111).

La fogosidad del amor físico, manifestado en esas miradas húme-
das y apasionadas de Cordelia, difiere grandemente del que sienten
otras bellas que mueren en la literatura romántica o gótica, en que la
fogosidad se le atribuye al varón.[3] Aumentada por la súbita enfermedad que ataca a Cordelia, la pasión amorosa bordea el vampirismo,
que como dije es tópico frecuente de la modalidad gótica. Como va a
elaborar Palma en "Vampiras", es la mujer la que se inviste de la pasión que parece querer "absorber" al hombre. La escena que transcribiré
cuenta lo que ocurre después de dos años de feliz matrimonio, antes
de que la joven desaparezca para siempre, y el narrador empiece a
dudar de la "realidad" de esos dos años conyugales:

> Y ese día nuestro amor fue una locura, un desvanecimiento absoluto:
> Cordelia parecía querer *absorber toda mi alma y mi cuerpo*. Y ese día fue
> una desesperación voluptuosa y amarga: fue algo así como el deseo
> de derrochar en un día el caudal de amor de una eternidad. Fue como
> la acción de un ácido que nos corroyera las entrañas. Fue una demen-
> cia, una sed insaciable, que crecía en progresión alarmante y extraña.
> Fue un delirio divino y *satánico*, fue un *vampirismo ideal y carnal*, que
> tenía de la amable y pródiga piedad de una diosa y de los *diabólicos*
> ardores de una alquimia infernal (p. 122, énfasis mío).

Las palabras que subrayé quieren llamar la atención sobre la idea
del amor como conjunción de alma y cuerpo, que disuelve la dicotomía romántica que los separaba, pero además el concepto muy decadente del derroche, en este caso de las energías sexuales, opuesto a la
economía libidinal que fomentaba la burguesía (Bataille, p. 235). No
hay que olvidar que era común pensar que la emisión seminal del
hombre en el acto sexual, le restaba fuerzas a su mente y a su cuerpo
(Dijkstra, p. 334). La cita es útil además para recordar que la presencia de Satanás, tan frecuente en la narrativa de Palma, es relevante
aquí también. Un pacto con el demonio parece pedir el narrador

---

3. No deseo insistir en la misoginia de la cultura reflejada en la literatura, que perse-
vera en crear mujeres "puras", "espirituales", prácticamente sin sexualidad. Es sólo
a partir de fines del siglo XIX, con los drásticos cambios sociales que ocurren,
cuando empieza a reconocerse la fuerza del sexo en la mujer. En esto Palma es un
importante innovador.

cuando, desesperado por la enfermedad de Cordelia, suplica por su salud: "Diéramela Dios ó el diablo poco me importaba [...] *no una sino mil condenaciones eternas habría soportado sucesivamente* como precio de esa ventura" (p. 115, énfasis de Palma). Cordelia a su vez ruega a alguien no identificado, y aunque el misterio y la ambigüedad caracterizan los hechos a ocurrir, ellos apuntan más a un pacto diabólico que divino, por medio del cual habría ganado dos años, a cambio de su alma. Los indicios más seguros de dicho pacto se hallan en la alusión de la joven a "un plazo fatal" (p. 119), y la fantástica desaparición de Cordelia y su autorretrato, exactamente el día en que se cumplían dos años de matrimonio.[4] La atmósfera creada para la ocurrencia de los episodios extraños e inexplicables está teñida de la truculencia acostumbrada en la modalidad del gótico, y es absolutamente distinta a la que se creó al comienzo sobre el idilio de la pareja. La escena siguiente describe el despertar del narrador y su descubrimiento de la desaparición de su esposa:

> Sería la una de la mañana cuando desperté sobresaltado: en sueños había tenido la impresión fría de una boca de mármol que me hubiera besado en los labios, de una mano helada que hubiera arrancado el anillo de mi dedo anular; de una voz apagada y triste que hubiera murmurado á mi oído esta desoladora palabra ¡Adiós! (p. 123).

La cita transcrita inicia la segunda parte de la historia, que cuenta los hechos que la hacen fantástica, y la consecuente transformación del narrador. Antes, sin embargo, debo referirme al nacimiento de una hija de Cordelia, después de un año de su matrimonio. La excelente estructura del relato, y el tono asertivo del narrador, no provocan dudas sobre la ocurrencia de los sucesos que se narran. La pareja vive feliz en la granja (que en realidad es un palacio), y la felicidad aumenta con la venida de la pequeña Cordelia. La evidencia posterior de que la esposa había muerto efectivamente dos años antes, a través

---

4. El texto dice: "¡El lienzo en blanco! ¡En el lugar que ocupaban los ojos en el retrato que yo había visto, había dos manchas, dos imperceptibles manchas que simulaban dos lágrimas!" (p. 125). A diferencia de "El retrato oval" de Poe, donde el pintor absorbe vampirísticamente la vida de su modelo, aquí es Cordelia quien pinta su retrato, y el diablo el que se beneficiará con su muerte.

de una carta de la madre de la joven, y la noticia de su entierro en el periódico, hay que contraponerla con la existencia tangible de la hija. Lo extraordinario del imposible fenómeno del nacimiento después de un año de fallecida la madre, es que existe un testigo confiable que puede avalar la existencia de tal hija. Ese testigo es un profesor de filosofía, calificado metadiscursivamente por el narrador como "un poco actor" en la historia (p. 109), que sí tiene una participación importante en ella. Este profesor, que conoció a Cordelia madre desde pequeña es el que, al ver a la niña, la reconoce como una verdadera reproducción de la joven ("Es Cordelia que renace" repite varias veces), e inspira en el narrador la idea de criarla como futura esposa.

El temple discursivo del relato en sus últimos fragmentos, se hace francamente gótico, o es parodia de tal modalidad, como se lee hoy a Poe.[5] El razonable profesor de filosofía, movido por su estricta moral se convierte en asesino para prevenir el pecado del incesto —tema frecuente en el gótico—, arrojando a la niña desde una ventana. Al caer, estrellándose contra las lozas, el "pequeño cráneo" hace un "ruido seco", pero esto se magnifica con más tintas truculentas luego:

Largo rato estuvo [el perro] Ariel guardando en medio de las tinieblas el cadáver de la niña. El pobre animal aullaba y ladraba. Los lobos olieron la sangre y poco á poco fueron acercándose, se colaron por la verja, y hasta que vino el alba no estuve oyendo otra cosa que gruñidos sordos y trituraciones de huesos entre los dientes agudos y formidables de las bestias feroces (p. 134).

Esta macabra escena final llega a un ápice con el incendio de la granja a manos del narrador, quien en la última frase del texto anuncia casualmente, que la anciana sorda que les servía, se quema con la casa. El acto malévolo y la ausencia de remordimientos del ejecutor de dicho acto, están a tono con rasgos trabajados en las modalidades

5. G. R. Thompson, en el prefacio a las *Great Short Works* de Poe (1970), pone especial énfasis en combatir las erradas lecturas que no vieron los elementos satíricos o irónicos en los relatos del escritor norteamericano. El efecto paródico lo ve Bourdieu como inevitable cuando se lee un texto del pasado en un nuevo "campo cultural" (p. 31).

gótica y decadentista. Sin embargo, Palma al parecer, deseó exonerar a su personaje, con la tranformación que sufre abruptamente después de lo que él llama "la verdadera muerte de Cordelia", tras dos años de convivencia matrimonial.

Al desaparecer su esposa y ver el lienzo vacío de su retrato, el narrador siente que "la Muerte y la locura tiran de él" (p. 125). La posible locura se manifiesta en un vuelco muy contemporáneo de autorreflexión, en que el personaje reconoce síntomas como la división de su yo en seres diferentes, que explicaría en parte su transformación en criminal y posible padre incestuoso:

> Después se verificó en mí un fenómeno extraño: una invasión de indiferencia, de estoicismo, de olvido, que subía como una marea de atonía. Me parecía que surgía dentro de mí un nuevo individuo, que había roto la identidad de mi yo con la superposición ó intromisión de una nueva personalidad (p. 126).

La transformación del personaje, no obstante, estaba ya anunciada desde el comienzo del texto, aunque tan sutilmente que pasa inadvertida. El narrador abre el relato contando sobre las repetidas discusiones que mantenía con su "viejo maestro de filosofía" sobre cuestiones ontológicas. El profesor insiste en el postulado hegeliano de que *"todo lo real es ideal, todo lo ideal es real"* (p. 107, y el subrayado autorial ya debe alertar sobre su importancia), a lo que el narrador responde que "no hay tal mundo real". Para el personaje, a la manera de Borges, la vida es el sueño de un "soñador eterno":

> el mundo es un estado intermedio del ser colocado entre la nada (que no existe), y la realidad (que tampoco existe): un simple acto de imaginación, un ensueño puro en el que flotamos con apariencias de personalidad, porque así es necesario para divertir y sentir más intensamente a ese soñador eterno, á ese durmiente insaciable, dentro de cuya imaginación vivimos (p. 108, paréntesis de Palma).

El indicio que constituye este pronunciamiento del narrador se repite en varias formas sobre las que volveremos. Ahora me interesa ilustrar más específicamente cómo el comienzo del relato predice la transformación del narrador. Para el profesor, su pupilo "dislocaba y deformaba toda teoría", por lo que "jamás sería un filósofo, sino un *loco*" (p. 108, énfasis mío). Mejor aún, el maestro no sólo anuncia metafóricamente el cambio del personaje, sino además su desbocada carrera por el bosque al enterarse de la muerte de Cordelia, y el incendio que se producirá:

> Y, añadía mi maestro, que yo le hacía el efecto, bien de esas flores de ornamentación que comienzan siendo correctamente vegetales y terminan en cuerpos de grifos, cabezas de silvanos ó disparatadas bestias; bien de un potro salvaje y ciego que galopara desaforadamente en una selva incendiada (p. 109).

Si estos indicios al comienzo de la obra pueden advertir al buen lector sobre una posible brecha en la confiabilidad del narrador, no ayudan sin embargo, para establecer el tema de la obra o el carácter del personaje. Como texto moderno, este cuento por su gran ambigüedad se presta a lecturas diferentes. Respecto a su tema central, Harry Belevan piensa que la "La granja blanca" es una "muy fina y sutil modificación del tema de la doble identidad" como aparece específicamente en "Morella" de Poe (p. 4), juicio con el cual disiento. Es verdad que el doble es fundamental en ese cuento de Poe y en otros relatos de Palma que estudiaré en el último capítulo. Pero en "La granja", como traté de probar en el ensayo publicado por Casa de las Américas, el doble es importante, pero secundario. Aquí, la niña vive sólo dos años, y la doble personalidad del narrador puede ser efecto de la enfermedad "cerebral" al recibir la noticia de la muerte de su esposa. A mi parecer, el esquema filosófico al comienzo del relato, encierra el hilo más seguro para una interpretación. Dice el narrador:

> ¿Realmente se vive o la vida es una ilusión prolongada? ¿Somos seres autónomos e independientes en nuestra existencia? ¿Somos efectivamente viajeros en la jornada de la vida ó somos tan sólo personajes que habitamos *en el ensueño de alguien*, entidades de mera forma aparente, sombras trágicas ó grotescas que ilustramos las pesadillas ó los sueños alegres *de algún eterno durmiente*? (p. 107, subraya Palma).

Este inicio del cuento, sería el resorte provocador de la historia que atañería específicamente a la diferencia entre realidad y ficción.

El título que le dio Palma en su primera publicación —¿Ensueño o realidad?— señala en esa dirección. Además, la declaración del narrador después de la desaparición de Cordelia y de la muerte de su hija, de que "nada había cambiado y que nada había existido nunca" (p. 126), apoyaría nuestra lectura. Pero este sintagma se abre también a una pluralidad de significados. Por un lado, podría estar diciendo que la segunda mitad del cuento (desde la quinta a la décima sección) es un sueño o una alucinación del narrador cuando, al saber de la muerte de su novia, cae al suelo con un agudo dolor al cerebro (p. 116). En otras palabras, habría dos niveles de "realidad" en el relato: el primero sobre el idilio de la pareja, en el que no hay nada de "anormal" o sobrenatural, y el segundo en que se realiza el matrimonio, nace la niña, y la catástrofe final, que entra en el terreno de lo fantástico, si no se lo lee como alucinación.[6] Pero aún si se acepta este último fenómeno como explicación, se enfrenta el problema del por qué aparecen estas figuraciones y no otras. ¿Son el deseo incestuoso por la hija, la quemazón de la casa y de la anciana, o la relación sexual con una muerta anhelos subconscientes del personaje?

Algunas respuestas a estas preguntas, creo, pudieran darlas las obras decadentistas que Palma tanto admiró. El incesto, la necrofilia, y otras acciones "perversas" se cuentan en narraciones populares de esta modalidad como es *Zo-har* de Mendès, o *L'animale* de Rachilde, nombradas en "El príncipe alacrán", además de la Justina del Marqués de Sade, uno de los inspiradores de dicha corriente. Por otro lado, esa segunda sección, mirada desde la discusión sobre la naturaleza de la realidad con que se inicia la obra, podría verse como un giro deconstructor y metaliterario que, recordándonos que estamos en el terreno de la ficción, borraría no sólo los hechos fantásticos, sino que esfumaría toda la historia y sus personajes. La maestría del autor nos obligó, por lo menos en el tiempo que duró la lectura a "creer" y crear un mundo con ocurrencias imposibles, y a orillar un problema ontológico que viene preocupando al hombre desde siempre.

---

6.   La posibilidad de la locura se puede descartar por la "normalidad" del discurso del narrador que enuncia retrospectivamente, y cuenta los hechos con lucidez y razonabilidad.

Para nuestro estudio sobre Palma, importa señalar la "radicalización" que hace éste del tópico del retorno de una mujer muerta. Este tópico tradicional desde los clásicos griegos, pasando por Goethe, Poe, L'Isle Adam, entre otros (ver el estudio de Yates), no tuvieron la audacia de sugerir una relación sexual con la retornada, y menos una preñez después de la muerte. En "Morella" y *Zo-har* ocurren nacimientos póstumos, hecho posible en la realidad, pero la concepción del hijo sin duda ocurre mientra la mujer vivía. Tal vez consciente de su temeridad, Palma cubrió el hecho con la ambigüedad de si efectivamente ello aconteció o no. Más tarde construirá "Mors ex vita" alrededor del mismo tópico, pero esta vez con mayores e irrefutables pruebas sobre la ocurrencia del suceso, por más increíble que sea. La reincidencia posterior en la elaboración del tema del doble, la necrofilia y otros como el incesto y el crimen que aparecen en varios relatos de *Cuentos malévolos*, muestra la fidelidad del autor por asuntos y discursos caracterizadores de las modalidades gótica y decadentista. Estas modalidades son también fuerza generadora de "Vampiras" al que ahora se pondrá atención.

Vampiras

Si "La granja blanca" ofrece al lector una respuesta ambigua a la pregunta sobre si el retorno de la muerte es un hecho sobrenatural (y por lo tanto fantástico por inexplicable), o una alucinación del narrador, "Vampiras" recurrirá a un científico como testigo de la ocurrencia "fantástica". Este cuento de 1906 (seis años después de "La granja"), a pesar de centrarse en el vampirismo, que como dijimos es tópico frecuente del gótico, difiere de esa modalidad por el tono más liviano de la narración y su final feliz. Ocurre con este cuento lo que se ha dicho de E. A. Poe: que simultáneamente emplea recursos del gótico y se burla de ellos (Haggerty, p. 82).

El vampirismo se encuentra en el folclor universal en mitos referidos a animales o fantasmas que necesitan sangre para existir. En el siglo XVIII, según Carol A. Senf, la obsesión con vampiros se hizo epidémica en Europa, que culpaba a los países del Este (Hungría, Moravia, Rusia) de originarlos (p. 20). Como dijimos, para el gótico y el decadentismo, la emergencia de este tópico en la literatura, se ha relacionado con la importancia que paulatinamente se va prestando a la sexualidad, gracias a los estudios de la medicina y de la psicología. El clásico en el tema es sin lugar a dudas *Dracula* de Bram Stoker (1897), aunque hubo antecedentes importantes como *The Vampyre* de Polidori (1816), *Varney the Vampire*, atribuido a Thomas Beckett (1840s), y "Carmilla" de Le Fanu (1871), entre los más conocidos. Como dije en un estudio previo sobre "Vampiras" (1997), *Dracula* impuso el modelo de un muerto que, succionando sangre humana, puede regresar a la vida y hacerse inmortal. Al revés de "La granja blanca" y "Mors ex vita", Palma va a trabajar más bien con una mujer viva en "Vampiras" precisamente para explorar la sexualidad femenina.

Dividido en tres secciones y una coda final, el relato comienza con un narrador personaje —Stanislas— quien cuenta de su visita al doctor Max Bing a instancias de su madre y de su novia Natalia, por su progresivo debilitamiento físico. Los nombres extranjeros y la carencia de especificidades de lugar y tiempo (se nombra Suiza y la Costa Azul), siguen la preferencia del modernismo latinoamericano por los lugares remotos respecto del país del autor.[7] El doctor Bing será el narrador de la segunda sección, que constituye un cuento dentro de la historia de Stanislas, quien pasa a ser narratario de lo que dice Bing. A diferencia del científico Val Helsing de *Dracula*, que sostiene la existencia de vampiros con estudios esotéricos, Bing ha presenciado el ataque de vampiras al joven Hansen, que le causaron la muerte.

La preparación científica del médico se representa en una minuciosa búsqueda de síntomas y auscultamiento de Stanislas, que sugieren que ya sabe lo que busca:

—Sí; aquí están las huellas muy borradas de las mordeduras y de la succión... Los poros se han dilatado aquí en un radio tres veces mayor que el natural... Oh, percibo perfectamente la profundidad de esta ruptura vascular. La carótida seriamente comprometida por la esquimosis provocada por formidable ventosa (p. 212, suspensivos de Palma).

---

7. En "Decadencia y vampirismo en un cuento de Clemente Palma" sostengo que este uso puede ser una maniobra defensiva para protegerse de los connacionales que no vean con buenos ojos un relato en que el sexo tiene un papel importante (p. 193).

La imitación del lenguaje científico se combina en el texto con otro de tipo esotérico, típico del vaivén entre ciencia y superstición del Modernismo. El doctor Bing cree que hay fenómenos que son negados por la "ciencia oficial" porque no son "verificables" por las leyes científicas, pero su seguridad sobre el mal que aqueja al joven le hace decir:

> eres víctima de sortilegios misteriosos. Te mueres en sueños y tus enemigos te atacan dormido. Aun hay, en este siglo de las luces y de la incredulidad, fuerzas misteriosas, poderes ocultos, supervivencias de la energía, malignidades activas de voluntades secretas, radiaciones psíquicas desconocidas, fuerzas no estudiadas, *espíritus*, como se dice vulgarmente, espíritus de muertos o *de vivos* que obran, hieren y aun matan en la sombra (p. 213, primer énfasis de Palma, segundo mío).

La historia de Hansen, que cuenta Bing a Stanislas, se presenta con varios rasgos góticos. El médico es llamado a la casa de Hansen porque el joven está gravemente enfermo. Mientras atraviesa un bosque cree oír "gritos y aullidos extraños", su caballo se encabrita ante invisibles obstáculos, y a su regreso siente el "zumbido de piedras" disparadas contra él (pp. 219-220). Persuadido por las "manchas rojas en el cuello" de Hansen, decide esconderse en la alcoba del joven, y por supuesto, a las doce de la noche comienza el episodio vampiresco. Véase la descripción truculenta de las mujeres, sugerentes de una agresiva perversidad, con el toque decadente de nervioso cinismo:

> De pronto oí lejanas voces de mujeres mezcladas con aullidos. [...] las formas vagas fueron condensándose en cuerpos de mujeres. Como aves carniceras se dejaron caer sobre los armarios y muebles. Eran mujeres blancas de formas nerviosas y cínicas; tenían los ojos amarillos y fosforescentes como los de los búhos; los labios, de un rojo sangriento, eran carnosos y detrás de ellos contraídos en perversas sonrisas, se veían unos dientecillos agudos y blancos como los de los ratones (p. 222).

El cambio del ideologema de la mujer "pura", "ángel del hogar", "asexuada", al de la devoradora insaciable, se produjo en el siglo diecinueve a partir de nuevos reclamos feministas, importante secuela de la modernidad. La imagen de la Mujer Nueva, creada entre otras razones, por el ingreso femenino a la fuerza laboral, y a su mayor educación, contribuyeron a reforzar la misoginia característica de las letras del siglo. La misoginia del doctor Bing, entrevista en la cita anterior, se advierte más clara al expresar un concepto generalizado en la cultura de la época: la creencia de que el hombre pierde energía y poder en la relación sexual. En el siguiente párrafo, el médico es asertivo sobre la importancia de tener una "reserva" de fuerzas varoniles, y la insidia femenina que desea apoderarse de ellas. Al contemplar las huellas de mordeduras en el cuello de Stanislas exclama:

> ¡Qué terrible gasto inútil de vida! Seguramente hay otras pérdidas nerviosas, egresos forzados de energía, aprovechados ó transformados en misteriosas regiones... ¡Ah, malditas; ah, insaciables!... Felizmente, hay una gran reserva de fuerzas para la lucha; no es el caso perdido (p. 212).

Los estudios sobre el vampirismo, realizados desde una perspectiva feminista, se han detenido especialmente en la representación de la mujer metaforizada en la vampira, que en las versiones más conocidas, quiere castigar a la insaciable sexual, que derrocha el dinero y la energía del hombre (Djistra, p. 334, Senf, p. 60). Recordemos que antes del siglo XIX, el vampiro con escasas excepciones era masculino, por lo que la creación de vampiras es signo de la magnitud del cambio ideológico que iba ocurriendo *vis à vis* la mujer. Lo destacable en el uso del tópico es que en el caso de ambos sexos, el empleo del vampirismo va acompañado de una carga erótica de gran fuerza. En "Vampiras" esa carga es extraordinaria, si se considera la pacata literatura coetánea. Así se describe el ataque al joven Hansen:

> La primera que bajó se precipitó ansiosa sobre el joven dormido y le besó rabiosamente en la boca; luego con una contracción infame de sus labios, cogió entre los dientes el labio inferior de Hansen y le mordió suavemente, y siguió succionando su sangre, mientras su cuerpo se agitaba diabólicamente [...] Bajaron al lecho otras dos: parecían *hambrientas de sangre y placer*; una se apoderó de una oreja, otra sentóse en el suelo y con la punta de la lengua, que debía ser áspera como la de los felinos, se puso á acariciar la planta de los pies de Hansen. Estos contraíanse como electrizados (p. 222, énfasis mío).

Como se ve por mi subrayado, estas vampiras no sólo buscan alimento sino también goce sexual. Al contrario de los textos más conocidos, en que los vampiros succionan sangre más que nada como medio de sobrevivencia, aquí el cuerpo del varón es usado para otros deleites (acariciar una oreja o la planta de los pies, ciertamente no es succionar sangre). Los adjetivos y adverbios con que Palma intenta enfatizar la perversidad de las acciones de las vampiras ("rabiosamente", "infame", "diabólicamente") no alcanzan a disfrazar el placer que reciben y dan. En el caso de Hansen, igual que en "Las leyendas de hachisch" y "La granja blanca", el placer sexual se elabora íntimamente relacionado con la muerte. Como dijimos, a propósito de esos relatos, la conjunción Eros/Thanatos, es motivo recurrente en la narrativa de Palma, y así lo muestra la unión de goce y dolor que experimenta Hansen, y su imagen como un muerto devorado por un animal:

> Otra, siniestramente hermosa, se arrodilló en la cama y, con la espina dorsal encorvada, con los cabellos echados sobre la frente, adhirió su boca al pecho de Hansen: parecía una hiena devorando un cadáver. Todo el cuerpo del joven se retorció con una desesperación loca *que tanto podía ser la contracción de un placer agudo ó de un violento dolor* [...] Y otra y otras más, diabólicas, hermosas, perversas, bajaron y adhirieron sus cabezas á diferentes partes del cuerpo de Hansen (p. 222, énfasis mío).

Lo más extraordinario de este relato, a mi juicio, es que Palma aprovechó el tópico del vampirismo para hablar de sexo no sólo en relación a seres sobrenaturales, como pueden ser las que atacan y matan al joven Hansen, sino que también para los deseos de muchachas "respetables" y "puras", como es la novia de Stanislas. En la sección tercera de la obra, que vuelve a ser narrada por el joven, se cuenta cómo, aconsejado por el médico y alertado de un posible ataque nocturno, Stanislas "vive" la experiencia que le da cariz fantástico al relato:

> no dormía. Oí de repente pequeños ruidos, ligeros crujidos, y luego el deslizamiento de algo impalpable sobre la alfombra. El cabello se me erizó de espanto. Sentí que el aliento tibio y perfumado de unos labios de mujer me acariciaba la sien, y una *voz sin ruido* me murmuró

al oído candentes frases de amor, promesas de infinita dicha... Luego
sentí que un cuerpo duro y ardoroso *que no pesaba*, tomaba sitio á mi
lado y que unos labios se adherían a mi cuello. Loco de terror me
incorporé dando un grito ahogado; y tratando de asir y extrangular
(sic) á la maldita vampira sólo logré morderla en el brazo (p. 225,
énfasis de Palma).

La descripción más positiva de la presencia ("aliento tibio y perfumado"), sugiere tanto a Stanislas como al lector, que ella puede ser
Natalia, la novia del joven. Efectivamente, al día siguiente, Natalia
muestra una "lastimadura reciente", que cancela la posibilidad de que
el episodio transcrito haya sido un sueño o alucinación del narrador.
El carácter fantástico del relato, y las reiteradas afirmaciones sobre la
virtud de la novia, no permiten "probar" que, rompiendo las convenciones relativas a la conducta de las "decentes", ella haya visitado a su
amado la noche anterior. En cambio, sí permite que Bing, con su autoridad de médico avale el hecho, inusitado como explicación para la
época, de que la fuerza del deseo sexual es "natural" en una mujer:

No debes tener ninguna idea depresiva sobre tu novia, la cual merece
tu amor y respeto, porque es pura como los ángeles. Lo que hay es
que no porque sea pura, inocente y buena, deja de ser mujer, y como
tal tiene imaginación, deseos, ensueños y cálculos de felicidad; tiene
nervios, tiene ardores y vehemencias naturales y, sobre todo te ama
con ese amor equilibrado de las naturalezas sanas (p. 226).

El progreso que significa en 1906, cuando se publicó este relato,
el admitir que el deseo sexual es natural en la mujer, se acompaña sin
embargo, con otra explicación extraída de postulados esotéricos, reavi-
vados por el decadentismo, como hemos dicho en páginas anteriores.
El doctor Bing cree que el cuerpo sin peso que sintió Stanislas, es la
"materialización" del pensamiento de la novia, posibilidad que aunque mezcla ciencia y pseudo ciencia es creída por una gran mayoría.[8]
Explica Bing a Stanislas:

---

8.   La materialización del pensamiento es la hipótesis que trabaja Lugones en su relato
      "El psychon" de *Las fuerzas extrañas*, publicado también en 1906.

Son sus deseos, sus curiosidades de novia, su pensamiento intenso sobre ti, los que han ido á buscarte anoche. Los pensamientos, en ciertos casos, pueden *exteriorizase, personalizarse*, es decir, vivir y obrar, por cierta energía latente é inconsciente que los acompaña, como seres activos, como entidades sustantivas, como personas. Todo ello es obra de la fuerza psíquica que tiene un radio de acción infinito y cuyas leyes, son aun misteriosas. Si preguntas á tu prometida qué hacía anoche, á la hora en que tuviste la visión, te responderá que pensaba en ti, que soñaba contigo (p. 226, énfasis de Palma).

La cita ejemplifica la atracción que produjeron los descubrimientos de la psicología sobre el poder de la mente humana, que popularizó experimentos de hipnosis, mesmerismo y telepatía, entre otros explorados por la literatura decimonónica. Al igual que la afirmación de Bing sobre la fuerza del deseo sexual en la mujer, creo que su afirmación sobre la de la mente va también en serio en el relato. Digo esto porque hay otros fenómenos que se socavan con el temple burlesco del discurso.

Al comienzo de esta sección, insinué que Palma, a semejanza de Poe, usa y a la vez parodia algunos rasgos del gótico, y así lo prueba el final de "Vampiras". En vez de la muerte del vampiro, que exigen las convenciones del gótico, aquí hay matrimonio. Natalia, la supuesta vampira se casa con su amado Stanislas, siguiendo el consejo de Bing de que "para alejar vampiras y súcubas nada mejor que un pilluelo [...] con sangre de nuestras venas" (p. 214).[9] Mejor ilustración de la burla del autor sobre el tópico del vampirismo y en cierto modo también de la ciencia médica, se da en la coda que cierra el relato. En ella Stanislas, en un tono de temple burlesco, se despide diciendo:

El doctor Max Bing es indudablemente un sabio. ¡Y cuán hermosa é inofensiva mi vampira! Os deseo cordialmente una igual (p. 227).

---

9.   Este consejo se puede leer como otro rasgo misógino al ver la satisfacción de la mujer sólo como madre. Al mismo tiempo, sin embargo, está reafirmando la importancia de la sexualidad femenina.

MORS EX VITA

A propósito de los cambios traídos por la modernidad, hemos mencionado varias veces el resurgimiento de cultos esotéricos, pero no hemos considerado el espiritismo, que gozó de gran boga durante el siglo XIX y primeras décadas del XX. La popularidad de las sesiones espiritistas ha sido verificada no sólo en las clases menos educadas, sino también entre renombrados intelectuales. A. W. Friedman afirma que el deseo de probar la existencia de Dios y/o de los espíritus hizo teósofos y partícipes de esas sesiones entre otros a Conan Doyle, Henry James, R. M. Rilke y W. B. Yeats. Aun Freud, según este estudioso, creyó que el contacto con los muertos no era imposible (p. 145). En Hispanoamérica se sabe que Rubén Darío y Leopoldo Lugones fueron aficionados al esoterismo.

Ya hemos visto que Palma admira obras que emplean material esotérico, pero en relación al espiritismo, existe una referencia específica en cuanto a su posición personal al respecto. En un ensayo escrito en 1909 para estudiantes universitarios que mostraban interés por estudiar el ocultismo, el escritor se declara totalmente escéptico ante sus ideas y prácticas. Para él, las personas que creen ver y hablar con apariciones de ultratumba están "obsesionadas por la doctrina y predispuestas por su constitución nerviosa a ser víctimas de alucinaciones" ("Notas de artes y letras", p. 166). La firmeza de su posición de incredulidad, hace más sorprendente que haya elegido como centro de *Mors* precisamente la comunicación entre muertos y vivos mediante sesiones espiritistas.

"Mors ex vita", publicada en 1918, fue agregada a los tres relatos que componen las *Historietas malignas* de 1925, edición de la cual citaremos. Obra no reeditada y apenas mencionada por la crítica, hace necesario el repaso de lo que se cuenta, para su mayor comprensión y merecida divulgación. La narración se divide en siete secciones, y su historia ocurre en un "aquí" no identificado, aunque es un lugar lejos de Europa, exportador de "pulpa para papel y bacalao", que puede apuntar al Perú del autor. El tiempo de la enunciación es 1921, marcado por la frase "A principios del año pasado, o sea 1920" (p. 53). No obstante, la historia central ocurre entre 1912 y 1913, y la calificamos así porque en esos años ocurre la muerte de Lodoiska y su reaparición de ultratumba, llamada por el amor de Loredano.

El narrador de la historia es Marcelo, amigo íntimo de Loredano, que en la extensa primera sección del relato insiste en asegurar su calidad de testigo confiable por haber presenciado el hecho a narrar. Marcelo reitera además su escepticismo en asuntos de espiritismo, estudiada táctica para ganar la confianza del lector, dada la naturaleza increíble de lo que presenció. Su confiabilidad la sella Marcelo con su "palabra de honor" de que no habrá ni exageración ni mentira en su relación del "suceso maravilloso" que causó primero la locura y luego la muerte de su amigo Loredano (p. 6). El anuncio de la muerte del personaje al comienzo de la historia, como se verá, no disminuye el elemento de sorpresa que deparará la lectura.

Marcelo/narrador es hombre escéptico tanto en cuestiones esotéricas como en el amor. Respecto a las primeras, Marcelo se burla con humor y cierto cinismo de la moda espiritista, desenmascarando trucos de algunos médiums que se aprovechan de los ingenuos para robarles. En cuanto al amor, lo califica de motivo "necio y vulgar", indigno de que alguien sufra o se enferme por él, como le pasará a Loredano (p. 9). Marcelo caracteriza a su amigo con rasgos que calzan al héroe hallado en obras góticas y decadentistas. Loredano, de veintisiete años, es riquísimo, y vive en una mansión lujosa, llena de objetos artísticos.[10] A pesar de esto, es poco sociable, y se muestra reconcentrado y "meditativo" (p. 7), aunque en la segunda parte del relato pasa rápidamente de la depresión a la euforia, rasgo que según Kosofsky Sedgwick distingue al héroe gótico (p. 155). Como buen personaje modernista, además, Loredano es aficionado al esoterismo, y su "ocio" lo inclina a organizar sesiones espiritistas que lo convencen de la "realidad del contacto y relación entre el mundo de los vivos y de los muertos" (p. 6).

---

10. Al contrario de los artistas pobres, protagonistas frecuentes de las narraciones modernistas, Loredano representa al rico capitalista. El joven no trabaja, vive de sus rentas. El narrador dice al respecto: "La fortuna que heredara de sus padres cada vez era más sólida. Su administración, confiada a entidades bancarias de fuerte garantía, no podía estar más segura". Fuera de darse todos los gustos, Loredano consume sólo "una tercera parte de su renta, yendo el resto de ella a capitalizarse" (p. 8). Es evidente que esta minuciosa aclaración va como dardo satírico.

El universalismo que cultivan el Modernismo y Palma, aparece en el origen alemán de Loredano y el noruego de su amada Lodoiska. La joven de veinte años, tiene la belleza de tipo prerrafaelista, gustada por los decadentes y el peruano. A esta belleza, Palma añadió la nota de "extrañeza", característica de las heroínas de Poe, que el autor usó en cuentos como "La granja blanca" y "Los ojos de Lina":

> Rubia, alta, esbelta, de grandes ojos verdes y pestañas y cejas negras, de cutis blanquísimo que parecía hecho con pulpa de rosas pálidas, tenía Lodoiska una de esas bellezas sorprendentes y *extrañas* que explican fácilmente la pasión más absorbente y trastornadora en el alma de un hombre (p. 9, énfasis mío).

Como la amante esposa de "La granja blanca" de Palma, la joven muere antes de poder realizar su boda con Olao, su novio noruego. Igual que en ese relato, también la muerte provoca una seria enfermedad en Loredano, que la ama a pesar de su noviazgo. Al recuperar su salud —cuidado por sus tres tías y Marcelo— Loredano decide dedicar su vida a "cultivar el recuerdo" de la muerta (p. 19), propósito que nace de la creencia de que ella con su muerte lo salvó del suicidio, y que en su "nuevo estado" podrá comparar su amor "infinito" con el de su rival noruego (p. 19).

Las tías —Filomena de 50, Marta de 46 e Hipólita de 40 años— que van a tener un papel relevante en la historia, se describen como bellas con temperamento "nervioso", cliché de la época para la mayoría de las mujeres, pero que en este caso las adecúa para hacer de mediadoras de la comunicación de ultratumba.[11]

Otro personaje de la obra recuerda la actitud ambigua de atracción y rechazo hacia la ciencia, característica de muchos modernistas. Aquí el doctor Kellerman, como el médico en "Vampiras" de Palma, será testigo de la aparición ultraterrena. A diferencia del último relato, sin embargo, Kellerman no cree en el misterio y se burla de "las

---

11. Hay consenso entre los críticos en afirmar la misoginia de los escritores de fin de siglo (Weir, Felski, Dijsktra). En cuanto a Hipólita, con ella se refuerza el motivo de Eros y Tanatos de la obra, pues vio morir a su novio, despeñado en una excursión de alpinismo, cuando intentaba arrancar una flor para su amada.

necedades taumatúrgicas, esotéricas, ocultistas y teosóficas" (p. 37). El texto a su vez, se mofa de la presuntuosa seguridad del doctor que cree saberlo todo, puesto que luego los hechos lo desmienten. Este médico asegura, por ejemplo, que los fenómenos vistos en las primeras sesiones son resultado de sugestión e histerismo (p. 38). Más tarde, cuando él mismo ve la fosforescencia que cubre el retrato de Lodoiska, explica que son "fulguraciones hertzianas del pensamiento proyectadas en el espacio" (p. 47); combinación de ciencia (Hertz) con la idea de la materialización del pensamiento, propugnada por el esoterismo.[12] La burla del texto contra el médico se acentúa al final cuando, después de convencerse de la aparición de la muerta, huye horrorizado para aparecer años más tarde como miembro de la Sociedad Teosófica de Nueva York (p. 53).

La actitud ambigua hacia la ciencia la encarna también el narrador, a pesar de sus protestas iniciales de incredulidad. Antes de comenzar la sección quinta anunciada metadiscursivamente como la "más interesante del relato" (p. 26), Marcelo reitera su "natural" escepticismo ante los hechos "ciertos e inexplicables" que va a contar, y reafirma su fe en la ciencia que, según él, podrá explicar todo fenómeno en el futuro (p. 27). No obstante, este escéptico que cree que las apariciones en las sesiones espiritistas son un noventa por ciento superchería (p. 1), se propone en una de ellas conseguir la presencia de espíritus específicos (como Platón o Lutero), para impedir que Loredano llame a su amada (p. 31), deconstruyendo así sus aserciones anteriores.

El amor necrofílico, importante en el decadentismo y otros relatos de Palma como "Leyendas de hachisch" y "La granja blanca", lo declara taxativamente el mismo personaje: "Estoy enamorado de una muerta" (p. 18). A esta declaración se agrega otra contra la "depravación" de Dios por haber destruido "tan maravillosa obra" como era su amada (p. 19), reminiscente de la actitud blasfema de muchos decadentistas, y marcada en relatos vistos en el capítulo segundo, como "Parábola", "El quinto Evangelio" y "El hijo pródigo".

---

12. Mencioné ya "El psychon" de *Las fuerzas extrañas* de Leopoldo Lugones, que trabaja la idea de que el pensamiento se puede volatilizar o materializar en "medallas psíquicas". A. W. Friedman en su capítulo "Life after Death" se refiere a la teoría del éter, la sustancia invisible que ayudaba a explicar muchos fenómenos relacionados con experiencias psíquicas y místicas, popular en el siglo XIX (p. 146).

La inscripción del fenómeno de la división del yo, bien trabajada por nuestro Modernismo, y por Palma, aparece en la novela para acentuar la fuerza del amor que siente Loredano. En un comentario autorreflexivo, el joven sostiene que sólo su no-yo será "accesible" al mundo externo, mientras que su "verdadero yo" aparecerá únicamente en comunicación con Lodoiska (p. 22).

A semejanza de "La granja blanca", cuyo hecho misterioso viene precedido de ciertas disquisiciones filosóficas sobre la naturaleza de la realidad enlazadas a ese hecho, aquí también se da sostén teórico al fenómeno fantástico, pero esta vez proviene del esoterismo. Loredano desea combatir a los "escépticos y materialistas" que creen que la muerte es el fin definitivo de la vida, y apoyándose en lo que llama "teoría espiritista" afirma que:

> las almas, desprendidas del cuerpo por el fenómeno físico de la muerte, continúan ligadas por el vínculo afectivo a la humanidad viva de que formaron parte [...] [y] es posible restablecer [...] el contacto con ellas [...] por procedimientos especiales fundados en la concentración del pensamiento y de la voluntad (p. 29).

Fuera de la pseudo-ciencia, inspirada por los recientes descubrimientos de fenómenos psíquicos, lo que separa este relato de otros que cuentan apariciones de muertos, es la fisicalidad del contacto soñado primero, y luego realizado por Loredano, contacto cuyo origen es claramente el deseo sexual. Haggerty sostiene que la fisicalidad es fuente principal del poder que tiene la ficción gótica sobre el lector (p. 29), pero sus ejemplos, sobre todo en relación a los cuentos de Poe, se refieren al detalle minucioso de objetos amenazadores que crean una atmósfera de horror (p. 85). Muy diferente es la fisicalidad en "Mors" que, como se comprobará está directamente relacionada con el sexo.

Las primeras apariciones de Lodoiska, representadas como esbozos de una forma femenina, según el sorprendido narrador (p. 33), llevan a Loredano a insistir en su anhelo de que la amada llegue a *materializarse y hacerse tangible"* (p. 36, énfasis de Palma) deseo que se cumplirá pronto.

La sección VI del relato no deja lugar a dudas sobre el tipo de relación física que se da entre Loredano y Lodoiska. La invocación del joven es clara al respecto, como muestra el texto citado a continuación, en que se sostiene que sólo la muerte ha hecho posible el acceso a la amada, y se afirma paradojalmente la calidad "real" de una ilusión:

—Amada mía.... mi esposa, una vez más acudo a mitigar en tus brazos la insaciable sed de mi amor, de este amor que sólo tu muerte ha hecho accesible... ¡Ven, oh *esposa* mía, complaciente y dulce, ven oh divino y *tangible* fantasma [...] ven piadosa y tierna a consolar mi angustia; ven forma *viva* de mi delirio, creación real de mis ilusiones inextinguibles (p. 44, énfasis mío).

El "deliquio inefable" en que se "hunde" el personaje en su contacto con la amada, confirma el subtexto sexual que pespuntea la escena, reforzado además por el matiz satánico que se introduce de inmediato. Característico del decadentismo y de los relatos de Palma estudiados, la última sesión espiritista tiene a un Loredano "diabólico" en su intento de hipnotizar a las tías, usadas como intermediarias de la comunicación (p. 49). Su indiferencia a las consecuencias negativas sobre la salud de sus parientes, confirma el potencial para la violencia que tiene el héroe gótico (Kosofsky Sedgwick, p. 156).

La luminosa aparición de la muerta es vista por seis testigos (Loredano, las tres tías, más el narrador y el médico escondidos). Marcelo reitera que ve "la aparición real de un ser inexistente" (p. 49), y describe a Lodoiska —al contrario de lo que hace Poe en "Ligeia" o "Morella", por ejemplo— con toques que afirman la belleza de la vida y no la fealdad de la muerte. La mención como al descuido del anillo, es un indicio importante en la historia que se revelará al final:

Envuelta en tules, que velaban púdicamente las formas, vimos, sin lugar a la menor duda, la fisonomía y el cuerpo de la bellísima joven [...] Tenía todo el relieve y la vida de la realidad: su pecho movíase al impulso de una respiración anhelosa, y con muestras de tierno afecto, dirigía sus brazos hacia Loredano en dulce solicitud. Era tan clara la imagen, que pudimos percibir en la mano izquierda el brillo pálido de una sortija (p. 48).

La descripción de esta muerta/viva, va seguida de un detalle maestro. Al dejar a oscuras la habitación, se destierra la vista como instrumento de comprobación, pero al mismo tiempo se introduce otro sentido —el oído— tanto o más útil para la conclusión a que llegará el doctor Kellerman (y tal vez el lector):

> Después, la obscuridad más completa saturó la habitación y no pudimos ver nada más. Pero *oímos*, pocos segundos después, ruido de besos y suspiros, el ruido blando de la presión corporal sobre los cojines y muelles del *causy-corner* (p. 50, subraya Palma).

Ante tales sugestivas manifestaciones, no sorprende que el médico piense que se trata de un acto sexual incestuoso entre Loredano y su tía más joven, que lo impele a encender la luz, provocando la catástrofe final. El efectivo empleo de los sentidos, primero la vista y luego el oído está acorde con la importancia que tiene en el gótico la representación de un fenómeno sobrenatural a través de las sensaciones específicas de un testigo (Haggerty, p. 25).

El desenlace de esta sección recuerda el de "La granja blanca", en el que su enloquecido narrador prende fuego a su hogar con una anciana sirvienta adentro. Aquí el insano es Loredano, quien incendia la mansión con las tres tías, que pueden, o no, haber muerto antes, episodio que evoca otros parecidos en conocidas obras góticas y decadentistas.[13] Como si esto fuera poco, Palma le dio un vuelco espectacular a la historia en su sección VII. Pasados nueve años, y después de resumir algunos hechos, Marcelo metadiscursivamente anuncia que dará la palabra a su primo Max que ha vivido por diez años en Europa. Max fue testigo ocular de la inhumación de los restos de Lodoiska en el panteón familiar de Noruega. Al abrir el ataúd se ve en una mano del cadáver una argolla que no es la de su compromiso de noviazgo, lo que provoca la furiosa huida de Olao, el novio noruego. Más macabro aún es el toque final de la caída de un feto de seis o siete meses al levantar el cadáver.

Compuestas con ciertos toques semejantes a las narraciones detectivescas, las dos últimas secciones atan algunos cabos sueltos. Así,

---

13. "Le Horla" de Maupassant termina con un espectacular incendio, pero el crimen se da contra ese algo desconocido que aterroriza al protagonista. *Le hors nature* de Rachilde (1897), finaliza también con un incendio, después de que el héroe decadente es estrangulado por su hermano.

antes del incendio de la mansión, Marcelo recoge un anillo que encuentra en el sofá "pecaminoso" donde estuvieron Loredano y Lodoiska. Ese anillo lleva la inscripción siguiente: "Olao a Lodoiska, 12-V-1911" (p. 52). En una especie de construcción paralela, la sortija que recoge Max de la tumba de la joven, lleva inscrita la heráldica familiar de Loredano. De este modo aparecen en el relato no una, sino dos "pruebas" como objetos concretos para confirmar lo imposible: el retorno de la muerta y su maternidad.

No hay duda de que lo más chocante de la narración es ese feto con que se concluye. El cuidadoso recuento cronológico dado en el discurso, asegura que sólo pudo ser resultado de una cópula sexual después de que Lodoiska ha muerto. Esta idea que parece una aberración, no fue tan inusitada. Por ejemplo, Ricardo Gullón recuerda que Swedenborg en su *Amor conjugalis* de 1769, cree que el sexo no está excluido en los matrimonios del más allá (p. 425). Pero son los autores decadentistas decimonónicos los que al parecer popularizaron esa idea, asunto que orillaremos a continuación, como demostración de que este tópico fue cultivado por algunos de los más conocidos decadentistas.

En "La biblioteca infernal" (1899) de Leopoldo Lugones, prosa recogida en *Las primeras letras de Lugones*, figura *Zo-har* de Catulo Mendès, que el argentino llama "el tratado del incesto" (p. 86). Esta obra, considerada ejemplo de decadentismo, se nombra también en "El príncipe alacrán" de *Cuentos malévolos* de Clemente Palma. Allí, el personaje central tiene una biblioteca que reúne "en revuelta confusión los autores más opuestos en inspiración y en épocas" (p. 179). Junto con "clásicos" como Cervantes y Goethe, aparecen la *Parerga* de Schopenhauer y *Las Disquisitione magicarum* de Martín del Río, relacionadas con las preferencias filosóficas y esotéricas del Modernismo. En esa biblioteca están además obras admiradas por los decadentistas, como la *Justine* del Marqués de Sade, o producciones populares escritas por reconocidos decadentes como *L'animale* de Rachilde y *Zo-har* de Mendès, ya mencionado por Lugones.

Sobre Schopenhauer y Nietzsche se ha comentado ya cómo sus obras —conocidas por Palma— contribuyeron grandemente a la erosión de la filosofía idealista que preparó el terreno para los cambios traídos por el auge de la ciencia y la industria en el siglo XIX. El libro de Martín del Río es una referencia puntual a la inclinación por el conocimiento esotérico característico del modernismo. Pero, a propósito de "Mors ex vita" interesan más específicamente las obras de Rachilde y Mendès.

Rachilde (Marguérite Eymery), fue llamada "satánica flor de decadencia" por Rubén Darío en *Los raros* (p. 365). En su ensayo sobre la escritora, a quien el nicaragüense desea defender, se refiere a la protagonista de la novela *Monsieur Venus* de Rachilde como una mujer de "cerebro malignamente femenino y peregrinamente infame", (p. 366) afirmando enseguida que esta obra no tiene antecedentes "excepto *Justine* y *Zo-har*" (p. 368).[14]

En "El príncipe alacrán" de Palma, su narrador/personaje imagina que la protagonista de *L'animale* de Rachilde "había seducido al desventurado La Roquebrussanne" el héroe de *Zo-har* (p. 179). La protagonista de la primera obra es una *femme fatal* que merece los calificativos darianos citados más arriba, que termina cometiendo bestialismo sexual, como sucede en "El príncipe alacrán." Por su lado, *Zo-har* cuenta los amores incestuosos de una joven y su hermano (tienen el mismo padre). Lo importante en cuanto a "Mors" es que la novela de Mendès concluye con el descubrimiento de un feto en el cadáver de la hermana incestuosa, hecho que pudo inspirar el final de la obra de Palma, ya que su autor conocía y admiraba *Zo-har*.[15] No obstante, éste le dio una vuelta de tuerca doblemente fantástica al amor necrofílico al hacer que la concepción del hijo se realizara después de la muerte de la amada. En la novela de Mendès, por el contrario, la unión sexual se da en vida de los hermanos, lo mismo que la noticia del embarazo y el hecho "posible" de un alumbramiento póstumo (p. 298).

La intención de Palma de afirmar el hecho "imposible" de la concepción de ultratumba, se reconoce en el escrupuloso recuento cronológico que se hace en la historia. En ésta no hay evidencia de que Lodoiska haya conocido el sexo mientras vivía. Al contrario,

---

14. Decimos que Darío defiende a Rachilde, pues para darla a conocer reproduce "Imagen de piedad", un relato muy pío y moral que poco tiene que ver con la obra más conocida de la autora.

15. Palma habla de *Zo-har* como "novela cruel e implacable [...] el libro más perverso y emocionante, pero también el más artístico escrito por Catulle Mendez" (sic), en "Novelas extrañas" (Lima, *El Modernismo*, 1901, 1, 5, enero, 1901: pp. 56-57).

el narrador pone cuidado en subrayar la inocencia y pureza de la
joven enamorada de Olao antes de morir. El detalle de que el feto era de "seis o siete meses" (p. 59), se ajusta al tiempo transcurrido
entre el primer entierro y las sesiones espiritistas que invocan a Lodoiska. Todo esto lleva a la conclusión de que ese feto sólo puede ser
producto de una relación sexual ocurrida meses después de que la mujer está muerta.

Recordemos que en "La granja blanca" Palma usa el mismo tópico del amor necrofílico y la posibilidad de un embarazo después de
la muerte, pero allí está elaborado con mayor ambigüedad. Como dije
en la sección anterior, pienso que hay en ese relato un margen para
especular que toda la historia pudo ser producto de una enfermedad
cerebral del protagonista, al saber la noticia de la muerte de su esposa.
En "Mors ex vita" en cambio, se acentúa lo macabro, y el discurso es
asertivo en cuanto a la ocurrencia de los hechos. Esta aserción de lo
imposible fue tal vez la razón por la cual el autor eligió plantar esos
hechos en medio de sesiones espiritistas.

Pero "Mors ex vita" está emparentada con "La granja blanca" no
sólo por el tópico del amor por una muerta. En ambos relatos se da a
manera de sustrato explicativo del fenómeno fantástico la idea del
poder del amor. Para el narrador/personaje de "La granja" el amor "es
vida" (p. 127). En "Mors ex vita" el triunfo del amor sobre la muerte,
es declarado por Loredano más de una vez en la historia: su amor por
Lodoiska es "más permanente que la vida y más poderoso que la
muerte" (p. 19). Lo importante de este concepto —y que lo relaciona
con el decadentismo— es que ese poder del amor está muy asentado
en la unión sexual; o como expresan los personajes, es amor compuesto de "alma y cuerpo" ("La granja", p. 137). Esta repetida concepción
del amor en Palma, está muy lejos del erotismo místico que se le ha
atribuido a autores como Valle Inclán, tildado también de decadentista. Para el español, "la complacencia erótica se basa justamente en
la desmaterialización de la carne" (Litvak, p. 107), juicio del que se
burlan muchos personajes de Palma.[16]

---

16. Por ejemplo, los juicios del narrador en "Una historia vulgar", o la parodia hecha
del amor "espiritual" en "Idealismos", ambos de *Cuentos malévolos*.

He dicho con frecuencia que Edgar Allan Poe fue un escritor preferido del autor peruano, y que más de un crítico ha afirmado la influencia que el norteamericano tuvo en él. En el trabajo en que intenté mostrar las diferencias entre los dos escritores en relación a "Ligea" y "Morella", marqué la fisicalidad del amor en "La granja", opuesta al cerebralismo de los sentimientos representados por Poe. Sobre esta fisicalidad, hice hincapié en cómo ella erosiona el concepto, popular en la época, de la indiferencia de la mujer al sexo. Sin embargo, como en "La granja blanca", y "Leyendas de hachischs", en "Mors ex vita", obra modernista, y como tal llena de ambigüedades, la amada es una muerta, con lo que volviendo a Poe, se podría cuestionar tal erosión.

Elisabeth Bronfen, entre otras investigadoras, ha escrito sobre la importancia que adquirió en la literatura romántica y decadente el ya mencionado *dictum* de Poe de que el más poético de los temas universales es el de la muerte de una joven hermosa (1992: p. 59). El feminismo contemporáneo se ha detenido con atención en esta idea, relacionándola con el surgimiento de la Nueva Mujer, consecuencia importante de la modernidad, cambio cultural que habría instilado temor en el varón, y originado obras con amor por enfermas, inválidas o muertas (Felski, Dijskra). En los estudios sobre Poe, se ha relacionado ese temor con episodios de la vida del escritor, como su temprana orfandad y la muerte de su joven esposa (Bronfen, 1990: p. 249).

En el caso de Palma, con menos material biográfico conocido, es difícil afirmar si el resorte inspirador de sus obras con motivos necrofílicos tiene algo que ver con el temor a la mujer de carne y hueso u otras razones. Como especularé sobre esta materia en el último capítulo, ahora prefiero reconocer el humor en "Mors", importante rasgo del relato. El frecuente tono paródico en esta novela corta, es diferente al temple más sombrío de Poe (a pesar de sus pasajes satíricos), o del melodramático de Rachilde o Mendès. Aunque es cierto que en "La granja blanca", y en "Mors" las amadas mueren antes del matrimonio, en ambas se da el significativo hecho de que ellas al regresar a la vida gozan del sexo en su nuevo estado. En otras palabras, las narraciones de Palma muestran una actitud más abierta a la sexualidad y al placer femenino, que en Poe o en otros relatos con asuntos semejantes. Si esto es así, es obvio que hay que considerar el paso del tiempo como un factor importante en este cambio de visión, tanto respecto a Poe, como a los autores franceses mencionados.

Por otro lado, existe también la posibilidad de que Palma haya elaborado esta novela y los relatos de *Cuentos malévolos*, con la intención de *épater les bourgois* que, como ha mostrado Gonzalo Sobejano, movió a muchos escritores españoles e hispanoamericanos de 1900. Uno de los recursos "contra la gravedad burguesa" según este estudioso, fue precisamente el empleo de "la tremebundez [...] o la truculencia neo-rromántica", para invertir los valores tradicionales, mediante la representación de placeres considerados perversos (pp. 215, 212). Es claro que la necrofilia es una de estas perversidades, y para la época, también lo era una mujer con deseos sexuales. Dicho de otro modo, en "Mors ex vita" tanto como en algunos relatos de *Cuentos malévolos*, se percibe la intención de criticar prejuicios culturales, principio pivote de los modernistas en las modalidades gótica y decadentista. La pudibundez cultural del día habría obligado al escritor a ocultar su deseo de representar el deseo sexual, sobre todo el femenino, enmascarándolo bajo la figura de monstruos ("Vampiras"), o de muertas que regresan a la vida ("Mors ex vita", "La granja blanca").

CAPÍTULO V

EL DOBLE, EL CINE Y
LA NOVELA DE CIENCIA FICCIÓN

EL DOBLE

Los expertos en el tema del doble en literatura, se remontan a la antigüedad (Sócrates, San Agustín) para rastrear los orígenes de la representación de la dificultad que tiene el ser humano para conocerse cuando se siente dividido entre impulsos contrarios, o hallándose incompleto, anhela encontrar a otro que lo complemente. Materia difícil por cuanto tiene que ver con la pretensión de conocer la "verdadera" naturaleza humana, los investigadores del tema todavía disputan sobre las definiciones de los términos más apropiados y las taxonomías necesarias para estudiar el fenómeno. Robert Rogers, por ejemplo, se queja de lo que considera confusa proliferación de vocablos —división del yo (*splitting of the ego*), doble, fragmentación, descomposición, doppelgander, personaje compuesto— usados por los estudiosos. Rogers, que se inclina por la palabra "descomposición", hace una útil distinción entre el "doble" por división o por multiplicación; y el doble manifiesto o latente (pp. 4-6), nociones que usaré más adelante.

Los estudiosos de la antropología, folclor y psicología invocan el nombre de Otto Rank como pionero en los estudios del doble. Rank relaciona este fenómeno con la creencia antiquísima de que la sombra humana representaría el alma, primera división del humano, concebida al comienzo como positivo custodio del hombre (pp. 49-50). En su revisión de diversas elaboraciones del motivo del doble en la literatura, Rank lo asocia a significados de muerte (p. 52), impotencia (p. 56) y/o sexualidad anormal (p. 71). Este investigador además, siguiendo hipótesis de Freud sobre la paranoia, reafirma la íntima relación que habría entre el doble como significado de muerte y el narcisismo (pp. 69-71).[1]

El más conocido trabajo de Freud sobre esta materia se halla en su ensayo sobre lo que llama *"uncanny"*. Allí se detiene especialmente en el doble que provocaría el efecto "siniestro" o "inquietante" que se empeña en definir.[2] Las variadas representaciones del doble, según Freud —en personajes repetidos o divididos, en sueños, en autómatas, en visiones— estarían relacionadas con el narcisismo (p. 211) y/o con experiencias reprimidas (p. 225), tesis que ha tenido aceptación universal. De Rank, toma Freud las conexiones entre el doble y "espejos, sombras y, ángeles guardianes con el miedo a la muerte", y piensa que habría sido una especie de seguro contra la destrucción del ego (p. 210). El descubrimiento freudiano del inconsciente, por supuesto ayudó a refinar las consideraciones sobre este fenómeno.

Aunque la experiencia de la división del yo se había asomado en la literatura del siglo dieciocho —sobre todo en el gótico— hay consenso en que el tema proliferó enormemente a partir del romanticismo, como natural secuela de la empecinada exploración subjetiva adoptada por sus adherentes. La figura del doble en el siglo de las luces aparecía separada en personajes diferentes, generalmente dibujados de manera maniquea, representativos del bien y del mal (el diablo o el ángel). El romántico descubrió que las luchas entre fuerzas antagónicas eran inevitables y habitaban en todo ser humano. Sobre la literatura de fin de siglo, algunos asocian la popularidad del doble en las letras de este

---

1. No todos los investigadores unen el fenómeno del doble con la paranoia. Rogers cita un estudio de Lawrence Kohlberg sobre el doble en Dostoiewski (*Daedalus* XCII, Spring, 1963) en que refuta la tesis de Rank (Rogers 38 y nota 30 de pág. 177).

2. Las traducciones de *"uncanny"* son múltiples: "sospechoso, extraño, incómodo, escondido", entre otras. Lo importante es el efecto de miedo que se asocia a la vivencia del doble, miedo relacionado con la pérdida de la identidad, vista como una especie de muerte simbólica.

tiempo, con el impulso dado por la industrialización y la invención de máquinas capaces de crear objetos "animados" inconcebibles antes (Coates, p. 2). Creaciones como *The Sandman* de Hoffmann, *Frankenstein* de Mary Shelley o *La Eva futura* de Villiers, son clásicos que quisieron representar en los entes fabricados artificialmente, la parte obscura de la psiquis.

A su vez, relatos como "William Wilson" de E. Allan Poe, *Dr. Jekill and Mr. Hyde* de Stevenson, para nombrar los más conocidos, usan el desdoblamiento en la forma más trabajada de la división de un yo, en que el doble es un juez censor. Otras lecturas del doble en literatura, influidas por las teorías adelantadas por la psicología, se mencionarán al final, en un intento de explicar la obsesiva recurrencia del tema del doble en Palma. El cuento "Aventura del hombre que no nació" y la novela *XYZ* de Palma, objeto de este capítulo, son una culminación del tema del doble, que asomó ya abiertamente en "La granja blanca" y "El príncipe alacrán". Digo abiertamente, porque de manera latente se halla también en los relatos, ya vistos, que enfrentan dos tipos diversos (como el diablo a Jesús, en el capítulo II); o en que dos personajes de características diferentes se complementan, como sucede en "Una historia vulgar" (el narrador y Ernest), o en "Dmitri era un excelente amigo" (el narrador y Dmitri). Si seguimos a los críticos que junto con el diablo colocan a vampiros, fantasmas y muertos reaparecidos como otra variedad del doble, la lista de Palma se extiende considerablemente. Examinaré el cuento primero, como un preludio al análisis de la novela, y dejaré para el final las especulaciones sobre el por qué de esta evidente preocupación del autor por este tema.

AVENTURA DEL HOMBRE QUE NO NACIÓ

Este relato incluido en *Historietas malignas* de 1925, tiene un narrador homodiegético que cuenta la experiencia de ver y hablar con su doble. El caso es representativo de aquellos de la división manifiesta del yo como realización de un deseo (*"wish-fulfillment"*, Rogers, p. 30). El doble tiene el nombre, la voz, el físico y el cargo de Aristipo Bruno, pero además las cualidades que desearía el personaje. El doble goza de popularidad, tiene el don de la palabra y éxito en la vida pública. Aristipo

narrador se autodescribe como "arisco y huraño", "retraído, tímido y
desconfiado"(p. 84). El único valor que reconoce en sí, es ser "justiciero
y tolerante" con las faltas de peones y empleados (p. 85). Adicto a leer
filosofía, especialmente cuestiones ontológicas, como vimos que hacía
el personaje de "La granja blanca", Aristipo se espanta al saberse elegido diputado, función que le llevará a la ciudad (es agricultor y vive en
el campo), donde ocurrirá el episodio misterioso, sucedido veinte años
atrás (en 1897), que lo persigue hasta el hoy de la enunciación.

El relato sería un típico ejemplo de alucinación visual (*autoscopy*
para los entendidos), si no contuviera hechos imposibles o inexplicables que lo colocan en el área de lo fantástico. El día en que Aristipo
va al palacio presidencial en funciones de diputado, su presencia pasa
inadvertida, pese a los ruidos o movimientos que hace. La existencia,
sin embargo, de un edecán, testigo que lo ve y escucha, obstaculiza
una lectura que vea la visita como totalmente imaginada.[3] Aun si se
considera como significativo para esta última lectura el que el personaje
recuerde "vagamente" que no oía su propia voz, y piense que quizás
las palabras del edecán sean atribución suya (p. 90), no hay modo de
explicar otros acontecimientos. Por ejemplo, la publicación en los
periódicos del éxito que tuvo el discurso del doble, y la noticia del
grito (de Aristipo) que lo interrumpió.

Lo importante de la historia es la fuerza con que el personaje
describe su aflicción desde el encuentro con su doble: "Desde entonces no sé si soy o no soy [...] tengo la sensación de [...] prestación emo-
cional de [...] un otro *yo* cuya vitalidad se desbordara sobre mí" (p. 83,
subrayado de Palma). Si por una parte, es fácil concluir que el doble
representa las cualidades que Aristipo no tiene, es más difícil decidir
cuál de los dos hombres es el "verdadero", que es precisamente lo que
el texto quiere poner en duda. Palabras como las que citaré a continuación ilustran esta dificultad, y la manera contemporánea del cuestionamiento de la identidad que se hace. Reminiscente de los juegos
pronominales de Cortázar en "Las babas del diablo", así habla el doble
al enfrentarse a Aristipo:

---

3.   Este edecán no sólo ve y escucha a Aristipo, sino que comenta el parecido que halla
      entre los dos hombres (p. 89).

Créeme, amigo querido, que yo soy tu persona, tu alma, tu ser... No te entristezcas ni sufras por ello porque no tienes derecho a impedirme que yo sea el que soy, cuando tú no eres el que eres, sino que eres el que soy... (p. 92).

La palabra *perfectihabía* que sigue a la cita y que Palma subraya, sugiere que Aristipo no es en el presente lo que pudiera ser en el futuro, sugerencia que se reafirma en el segundo encuentro entre los hombres, que ocurre en la Cámara de diputados, donde el doble pronuncia un discurso que tiene gran éxito, y que es importante indicio para cualquier lectura de este texto.

La parte del discurso de su doble que Aristipo narrador reproduce, hace recordar las ideas nietzscheanas que repasamos en el capítulo primero. En él, el orador castiga la falta de iniciativa y esfuerzo (que es muerte en vida), y llama a la disciplina de la actividad, del "dolor y de la lucha" (p. 93). Es claro que al decir "Hay vivos que están muertos y muertos que están vivos" y que hay seres que son "reflejos de otras existencias", no nacidos todavía, se apunta al título del texto, y es comprensible que las palabras traumaticen a Aristipo hasta el punto de enfermarlo.

Como el personaje, el lector quedará con la duda sobre si el "brillante político" que triunfa en el Congreso tiene otro yo que corresponde al opaco y retraído narrador, o si este último lleva en sí a otro —su opuesto deseado— que podría nacer algún día. El cuento termina con una reflexión que reúne preocupaciones vistas al comienzo de este trabajo, o esparcidas a través de otros relatos, que tienen que ver con la muerte, el mal, y la ansiedad que produce no tener respuestas seguras para las grandes preguntas:

Tengo el terror de la inmortalidad porque si soy el hombre que no nació debo ser también el hombre que no muere jamás. ¿Os imagináis el horror de la duda y de la angustia eterna?... Bendito sea el Infierno que es la eternidad del mal y del dolor... ¡pero del dolor y del mal de los que no se duda! (p. 94, subraya Palma).

Como se ve, este relato repite en diferente forma la elección del mal, vista en "Parábola" y en otros de los primeros cuentos, como preferible a la incertidumbre de la existencia.

Si en "Aventura del hombre que no nació" Palma utilizó la modalidad del fantástico para reflexionar sobre problemas de la identidad, en *XYZ* empleará la ciencia ficción (C/F) y el doble para continuar explorando el mismo asunto. Se trata de C/F no sólo porque su personaje central es un investigador reconocido, sino porque su razonamiento —como requería Darko Suvin— parece seguir pautas científicas. Contrario al cuento recién visto, el doble en la novela es una copia fabricada por un científico, no de sí mismo, sino de otro ser, con lo que se aleja del patrón tradicional de la auto-división. La utilización del cine como invento inspirador del acto de duplicación, coloca la obra en el campo que Schwartz llama "Cultura de la copia", que considera el doble como reflejo de las fuertes discordancias traídas por la modernidad (p. 81). Sobra insistir sobre la perfección a que la industria y la técnica han llegado en materia de reproducción. En este año (1998) cuando se debate el pro y contra de las investigaciones sobre la reproducción de seres vivos (*"cloning"*), las palabras de Villiers con que iniciaremos el estudio de *XYZ*, resultan asombrosamente proféticas.

XYZ: NOVELA DE CIENCIA FICCIÓN

> *La ciencia ha multiplicado sus descubrimientos. Los conceptos se han sutilizado. Muchos instrumentos identificadores de calcar han alcanzado una precisión perfecta. Los recursos de que dispone el hombre son otros muy distintos a los que tuvo antaño. De aquí en adelante, nos será dado realizar fantasmas potentes, misteriosas potencias-mixtas, que habrían hecho sonreír dolorosamente y negar su acabamiento a aquellos precursores a quienes sólo se hubiera insinuado el proyecto.*
>
> (VILLIERS DE L'ISLE ADAM, *La Eva futura*, p. 82)

Villiers escribía las palabras del epígrafe en 1886, abrumado y fascinado a la vez por los acelerados avances de la ciencia. Un sentimiento semejante parece haber tenido Clemente Palma en 1933 cuando escribió *XYZ*, inspirado por la obra del francés, aunque ahora maravillado por el cine. Es innegable que los instrumentos creados para copiar, a que alude Villiers en el epígrafe, han alcanzado hoy una perfección inimaginada por el escritor. Aún así, los inventos creados en su tiempo debieron considerarse extraordinarios por lo que no extraña que haya elegido dar el nombre Edison al científico inventor de la Eva ideal de su novela. Como se sabe, el personaje histórico Edison creó en el campo de la reproducción, entre otros aparatos, el fonógrafo, el telégrafo, el teléfono y el kinestocopio, origen del cine. Si se considera que el cine es también un aparato reproductor —de imágenes, sonidos, movimientos— tenemos los dos fenómenos más importantes que combinó Palma en su novela: la posibilidad de crear vida artificialmente, y la utilización del cine en la elaboración de la historia y del discurso de su obra. El estudio de *XYZ*, entonces, invita a un cotejo con la obra francesa, pero además a una exploración con narraciones en que la creación de vida artificial y/o el cine sean relevantes.

La posibilidad de crear copias de seres humanos tiene remotos antecedentes, como el conocido golem de la mitología judía. Pablo Capanna menciona un papiro del siglo III a.C. con muñecos animados (p. 44); y una enciclopedia de ciencia ficción cita a Alberto Magnus y sus esfuerzos por crear un hombre artificial en el siglo trece (p. 32). Capanna recuerda que autores famosos como Richter, Hoffmann y Poe, crearon "autómatas vivientes" (pp. 51-52), pero recalca que la más conocida creación pertenece a Mary Shelley con el monstruo de su novela *Frankestein* (1817), que como vimos, se considera un clásico de la modalidad del gótico, y un hito en el desarrollo de lo que más tarde se llamaría C/F. La novela de Shelley desarrolla el tópico, frecuente en la C/F, del científico ambicioso que, imitando a Dios, crea una criatura, con fatales consecuencias para ambos. *La isla del doctor Moreau* (1897) de H. G. Wells, y *Brave New World* (1932) de Aldous Huxley, las dos famosas novelas, también consideradas dentro del gótico que elaboran este tópico, se han mencionado en relación a *XYZ* (Kason: *Breaking Traditions*, p. 108).[4] Si es cierto que la novela de Palma comparte

4. Nancy M. Kason, clasifica la novela como de ciencia/ficción distópica, adjetivo con el que no concordamos del todo, y que retomaremos más adelante ("The dystopian vision in *XYZ* by Clemente Palma"). Los artículos de Virgil Warren y Donald Yates, mencionados en la bibliografía final, se limitan a contar la historia. Yates considera a *XYZ* como literatura fantástica, etiqueta correcta si se piensa que es imposible crear una réplica humana. Con las investigaciones sobre el "cloning", la cosa no es tan segura hoy.

ese tópico, creo que es útil señalar algunas diferencias, para cuestionar la posible insinuación de poca originalidad que esas menciones pudieran sugerir.

La obra de Wells reconstruye humanoides con cruzamientos y partes de animales, y su meta es claramente denunciar al científico cruel, indiferente al mal que causa. La remota isla en que el investigador realiza sus experimentos es un lugar infernal (recuérdese "the house of pain" donde despelleja a los animales), muy diferente a la paradisíaca que el científico de *XYZ* construye para sus dobles hollywoodenses. Así como el espacio y la atmósfera creada por Moreau es tenebrosa, aterrorizadora, donde el dolor físico es ocurrencia diaria, la del sabio del peruano, muy cuidadoso de no provocar el menor tormento en sus sujetos de experimentación, recuerda un lugar de recreo de los que fomenta el turismo (rasgo que puede ser paródico, asunto sobre el que volveremos). Al doctor Moreau retratado como un insano que hará cualquier cosa por proseguir sus investigaciones, se le dota con un orgullo y altanería de carácter satánico que le lleva a despreciar a las criaturas que lo rodean. Como se verá, el científico de Palma, no sólo se preocupa del bienestar de sus dobles, sino que siente afecto por ellos.

Por otro lado, *Brave New World* se distingue de *XYZ* por su claro objetivo de crítica política y social contra el totalitarismo. Si es cierto que *XYZ* satiriza la vida artificial, y la avidez de dinero en Hollywood, no creo que la obra esté concebida como una distopia, como se reconoce es la novela de Huxley. La novela inglesa construye un mundo que, aunque alegóricamente alude al nuestro, no tiene específicos índices referenciales a la sociedad y al tiempo de hoy, como lo hace el libro de Palma. Modelo de distopia en el género de C/F, en *Brave New World* predomina el tono satírico, sin lugar para los sentimientos positivos que se supone debe alentar la civilización terrestre (la excepción es el personaje de el Salvaje, que afirma la alegoría política de la obra).

Como mencioné más arriba, el cine es clave en la historia y estructura de *XYZ*, lo que hará necesario detenerse a repasar obras que tengan que ver con el arte fílmico, por lo menos en la literatura hispanoamericana publicada antes de la aparición de la novela de Palma, ya que posteriormente es muy cultivado (basta recordar *La invención de Morel* de Bioy Casares, que quizás conoció *XYZ*, o varias novelas de Puig). Antes, sin embargo, daré una breve reseña de la historia que se cuenta, dado que la obra es prácticamente desconocida, además de inhallable.

Desterrado en Chile en 1933, por motivos políticos, Clemente Palma confiesa en el prólogo de su novela, que entretuvo su soledad y nostalgia por la familia, viendo en el cine "pastiches dramáticos, aventureros o cómicos" (p. 7). El cine y el tiempo libre, le habrían llevado a recordar un viejo proyecto, no realizado, de escribir una novela sobre el cine. Este proyecto habría sido espoleado por la lectura de *La Eva futura* de Villiers de L'Isle Adam, que el peruano llama "la novela del fonógrafo" (p. 8). Aunque su juicio de esta obra no es tan entusiasta como el que otorga a los *Cuentos crueles* del francés, pensó que "la deleitosa y espiritual conquista de la ciencia" que era el cine, merecía también una novela (p. 8). Al final del prólogo, el autor dice haber elaborado su "romance grotesco" entre marzo y mayo de 1933, brevísimo tiempo para las 247 apretadas páginas de que consta la obra.[5] Retomaré más adelante los calificativos con que Palma caracterizó a su novela y las películas que posiblemente vio.

Publicada en 1934, *XYZ* se divide en tres partes. La primera, titulada "La ciencia" tiene diez secciones narradas por Anthony Perkins (Billy) quien se propone dar un testimonio sobre su amigo Rolland Poe, cuya muerte ha sido un escándalo en la prensa.[6] Amigo del actor Douglas Fairbanks, Poe tiene la oportunidad de ver filmaciones en Hollywood, y conocer a ciertas actrices que admira. Esta visita va a ser el germen inspirador de su invento: fabricar dobles no sólo visibles sino tangibles de las estrellas del celuloide. Esta primera sección reproduce extensamente la palabra de Poe para enunciar su hipótesis científica central, y los procedimientos requeridos para llevarla a la práctica. Su idea es generar vida por medio de células orgánicas, y aplicarlas a las figuras presentes en los filmes. Partiendo de una fórmula secreta que prepara con albúmina de huevos, Poe utilizará el radio como agente "vitalizador". Así, si en *La Eva futura* Villiers usó la electricidad como

---

5.   La primera, y al parecer única edición de *XYZ* (Lima: Ediciones Perú Actual, 1934), de la que cito, trae innumerables errores tipográficos.

6.   El apellido de Rolland aparece como Poé y Poe. Creo que el primero puede ser error, pues el personaje se dice pariente de Edgar Allan Poe.

"La Scherezada milagrosa para animar a su muñeca" (p. 124), en XYZ, será el radio el elemento que dará vida o muerte (p. 97).

La segunda parte de la novela, titulada "El romance" tiene quince secciones en las que predomina el formato epistolar. Billy reproduce nueve cartas de Poe en que cuenta el resultado de su experimento. Después de lograr réplicas de animales, obtiene una de cuarenta centímetros de Maurice Chevalier, y el triunfo total con una doble de tamaño natural de Greta Garbo. Este éxito anima al científico a reproducir simultáneamente cuatro actrices: Joan Crawford, Norma Shearer, Joan Benett y Jeanette MacDonald, y por último, la reanimación de Rodolfo Valentino, que había muerto años antes.

El tercer capítulo se llama "La tragedia" y consta de nueve partes y un epílogo. Descubierta la existencia de las dobles y de la isla en que opera Poe, un estudio de Hollywood se propone contratar a las cuatro mujeres para hacer dinero. La expedición de rescate, formada por un director de cine y los actores Gary Cooper, William Powell y George Bancroft, entre otros, logra su cometido, y se prepara un gigantesco programa para presentar a las estrellas y sus dobles. A este espectáculo concurre Poe, quien presencia el desleimiento de sus réplicas en escena, y se suicida. El epílogo aclara que el suicidio fue motivado por un cáncer contraído por la manipulación del radio.

Como modernista que fue, no extraña que Palma haya elegido a los Estados Unidos, epítome de lo "moderno", para escenario de su obra, y a personajes norteamericanos para una historia que tiene que ver con el cine y sus estrellas. Los indicios de lugares (Los Angeles, San Francisco, Hollywood, Panamá, Nueva York), y de personas reales, revela una clara intención de hacer verosímil una historia que es esencialmente fantástica.[7] Los indicios de tiempo, no son menos históricos: Se menciona a los Presidentes Coolidge (1923-1929) y Hoover (1929-1933); la muerte de Valentino (1926); al alcalde Walker de Nueva York (1925-1932), a Al Capone, entre otros. La historia que se cuenta se desarrolla aproximadamente en dos años y medio, y

---

7.   Aún si se concibe hoy la reproducción artificial de un ser humano, no se habla de traer a la vida a un muerto, como sucede con Rodolfo Valentino en la novela. Asunto distinto es el intento de "conservar" a un muerto reciente, experimento todavía incipiente.

aunque las cartas de Poe no traen el año, se puede suponer que ocurre a fines de los años veinte y comienzo de los treinta.[8]

Al revés de la caracterización de sabios y científicos en obras de ciencia ficción, especialmente de la modalidad gótica, Poe y su amigo Billy se representan muy positivamente. Sus diálogos dibujan a dos hombres alegres de vivir, entusiasmados con sus trabajos y unidos por una profunda amistad. Ambos son profesionales de éxito, Billy como arquitecto y Poe como ingeniero e inventor. Rolland Poe parece más un "play boy" que un investigador que pretende emular a Dios. El siguiente es el retrato que hace de él su amigo, en el tono de conversación que domina en la novela:

> No porque Rolland fuera un sabio era un señor grave, de lenguaje atiborrado de conceptos inabordables para la mentalidad vulgar, ni se le veía sumido en las intrincadas y tortuosas lucubraciones de alta ideología científica. Nadie al ver a ese mozo jovial, de rizada cabellera rubia, elegante, sin afectación, de simpática figura, que reía con risas francas, y que sin escrúpulos quebrantaba la ley Voltead (sic), cuchufleteaba con las girls [...] nadie diría al ver a este mozo que así derrochaba alegría y travesura [...] fuera el sabio de sólida complexión mental que escribía novedosos y audaces *repports* en las revistas científicas y explicaba con una claridad asombrosa, las más obscuras y complicadas teorías sobre la constitución de la materia y de los átomos (p. 15, énfasis de Palma que quizás haya querido subrayar también la palabra *girls*).

Los amigos bromean constantemente sobre conquistas amorosas y el placer de romper la ley seca que imperaba en esos días (Volstead Act). Poe no sólo es rico por sus inventos, sino que además hereda millones de sus padres, dinero que le permite tener casa y laboratorio en Miami, y sobre todo, arrendar una isla en el Pacífico, donde Billy le construirá un palacete y nuevo laboratorio.[9] La representación de

---

8. De paso vale la pena recordar que la literatura hispanoamericana de la época estaba teñida de fuertes pasiones políticas que incluía una posición antinorteamericana. *XYZ* está exenta de esa pasión, aunque no faltan los aguijones críticos, como veremos.

9. La isla se bautiza con el nombre Rollandia. La casa de Poe en Miami, se llama Xyzville, también en honor al inventor que, durante sus años de estudiante, fue

Rolland, joven, guapo y rico, quizás tenga que ver con los clichés que se divulgaban en la época para caracterizar a los norteamericanos, especialmente en filmes y revistas sobre cine. Entre esos clichés está la concepción del yanki como "práctico, unilateral y frívolo" (así llama Poe a Billy, p. 62); la importancia primordial del dinero, sobre todo en Hollywood, y cierto racismo hacia los negros presentada de modo ambiguo. Sobre el dinero, el director de un estudio de Hollywood le dice a Poe, cuando se intenta "rescatar" a las dobles:

> La clave de todo *bussiness* es una palabra mágica y universal, especialmente entre ciudadanos norteamericanos, y es ésta
> —¿Cuánto? (p. 205, énfasis de Palma).

Respecto a los negros, Poe contrató a varios en Panamá, y se refiere a su "sensualidad irrefrenable" cuando narra una inventada aventura a las dobles para explicar el encierro en que las va a tener (p. 105). Decimos que la presentación es ambigua porque en uno de los numerosos comentarios autorreflexivos que tiene la obra, el personaje califica su narración de "tejido de embustes" (p. 104), y quizás el racismo del personaje también lo sea. No obstante, Lewis Stone (actor conocido en la época), sí se refiere a "razas inferiores" como seres que no se diferencian mucho entre sí, indistinguibles para él (p. 192).

En su relación con las mujeres, Rolland Poe tiene ciertos rasgos misóginos, pero de ninguna manera al grado mayor del Edison de Villiers. Aquí parece surgir más que nada para acentuar una visión de Hollywood popular en la época. Sobre esta visión Carolyn See sostiene que la cantidad de filmes y de narraciones sobre la vida de las estrellas, produjo una serie de estereotipos y de clichés que hacían de Hollywood el reino del artificio y de la decadencia moral (pp. 200-209). No sorprende entonces que la Garbo se represente como superficial, con "deseos triviales" (p. 87), y una curiosidad "banal" frente a la ciencia (p. 78).[10] Este retrato se ve equilibrado, sin embargo, con

---

apodado Xyz por su afición al álgebra. A mi juicio, ni XYZ o "Mors ex vita" son títulos atractivos, y quizás ello haya contribuido a su poca popularidad.

10. Esta imagen de la Garbo corresponde a su primera época de los años veinte. Más tarde se dieron sus más famosas interpretaciones.

los más positivos de las cuatro actrices que sucederán a la sueca. Es claro que la representación de estas mujeres corresponde en general a los papeles que interpretaban en sus filmes. A este respecto conviene recordar las palabras de Walter Benjamin a propósito de la disminución del aura en la obra de arte y el impacto que sobre este fenómeno tuvieron la fotografía y el cine: "El culto a la estrella de cine, promovido por el dinero de la industria fílmica, no preserva el aura única de la persona, sino el hechizo de la personalidad, el hechizo artificial de un producto a la venta" (p. 231). Estas palabras son muy pertinentes para la "transacción" comercial que el estudio de Hollywood desea hacer para ganar dinero, utilizando a las dobles al final de la novela.

Decía que las actrices se dibujan con la imagen que dejan sus películas. Así, Joan Crawford es dinámica, vivaz, más atrevida para cuestionar las explicaciones del sabio. Norma Shearer y Joan Bennett se representan como más serias y refinadas que la Crawford, en imitación de los roles desempeñados en la pantalla. Los atributos más admirativos los reserva Poe para Jeanette MacDonald, de la cual se va a enamorar. Esta actriz es la más reservada y sensible a la inusitada situación de estar en la isla, sobre todo porque sabe que Rodolfo Valentino estaba verdaderamente muerto. Valentino a su vez, tiene buen humor y alegría, y es excelente compañero de las actrices. En general, las cuatro dobles se muestran tan inteligentes y listas, que Poe llega a decir en una ocasión que su papel de "moderno Dios" ha quedado "desmedrado por las Evas" (p. 126).

En muchas páginas anteriores he mencionado la admiración que Palma tuvo por Edgar Allan Poe, y ya vimos que la crítica considera al norteamericano como un maestro de la modalidad llamada gótico. *XYZ* está relacionada al gótico porque su protagonista es un científico que, deseando emular a Dios, se empeña en crear seres humanos, como el clásico *Frankenstein*, pero la novela de Palma carece de los otros atributos caracterizadores de esa modalidad (escenario lúgubre, un villano protagonista, violencia), que repasamos en el capítulo previo. Fuera del apellido Poe para su personaje central, la resonancia del nombre del escritor norteamericano, pareciera querer acentuar la idea de "ficción" del fenómeno ciencia ficción, énfasis diferente al que sugiere la evocación del Edison de Villiers, cuya *Eva Futura* da más importancia a la ciencia, como se verá.

En la consideración de *XYZ* como obra de C/F, es necesario aclarar algunos términos relacionados con el tópico de la creación de seres. Alberto Magnus llamó homúnculos a sus fabricadas criaturas, y éste es el nombre dado por Rolland Poe a sus primeras reproducciones humanas. Más tarde Rolland llama androides a las copias de seres vivos que logra reproducir. El término androide se usa a veces como sinónimo de robot (Lem, p. 3), pero hoy los expertos insisten en diferenciarlos. Según una enciclopedia de C/F el androide es un ser creado por sustancias orgánicas, y el robot es máquina hecha de materiales inorgánicos (pp. 32-33; 502-503). Capanna llama al robot "máquina antropomórfica", y al androide "autómata de naturaleza orgánica" (p. 107). De acuerdo a esta nomenclatura, la Eva de la novela de Villiers sería un robot, ya que está hecha mayormente de metales y piedras preciosas. En cambio los dobles creados por Rolland Poe son androides que tienen como materia prima la albúmina de huevos.

Al contrario de la crueldad de algunos sabios hacia sus creaciones (*Frankenstein* o el *Dr. Moreau*, por ejemplo), Poe, quien sabe que sus dobles sólo duran cuatro meses, cuida que la desaparición ocurra sin dolor o temor. También a diferencia de otros sabios en obras de ciencia ficción, que sólo persiguen sus experimentos, Rolland Poe al enamorarse de la MacDonald, pierde su interés en proseguir otros proyectos científicos. En un vuelco irónico sobre el poder (o su falta) del investigador, Palma hace que Poe, al preparar la segunda reproducción de su amada, mezcle el residuo albúmico de la Mac Donald con otro de la Garbo, para asegurarse de que, una vez reavivada, la estrella corresponda a sus avances amorosos.[11] Así ocurre, y la pareja planea casarse, pero lo impide el rescate de la expedición de la Metro.

Puesto que el mismo Palma nombró *La Eva futura* de Villiers de L'Isle Adam como fuente de inspiración de su novela, el cotejo de ambas obras no sólo es pertinente, sino que dará ocasión de discutir otros aspectos de la obra peruana. Más adelante, me detendré en el fenómeno del cine con más especificidad, y repasaré algunas narra-

---

11. Recuérdese que los estudiosos del doble en la literatura lo han relacionado con problemas de impotencia o velada homosexualidad. Como hemos insinuado lo mismo en "personajes" de otros relatos de Palma, volveré a este tipo de lectura más adelante.

ciones de Horacio Quiroga, pionero en su uso en la literatura hispanoamericana.

XYZ Y LA EVA FUTURA

Clemente Palma tiene razón en el prólogo de su *XYZ* cuando, para defenderse del posible cargo de "falta de originalidad después de escrita la novela de Villiers" afirma que dicho cargo no le preocuparía pues, fuera de haberla leído muchos años atrás y recordarla vagamente, la base "ideológica fundamental" de su obra es completamente distinta a la del francés (p. 9). Esa base ideológica tiene que ver con el profundo idealismo que sostiene la historia y el discurso de *La Eva futura* (LEF, en adelante). Deborah Conyngham hace del idealismo de la obra, el hilo que unifica sus partes, para contradecir a los críticos que han atacado la novela por su falta de unidad. Por su parte, tanto Jacques Noiray como Fernando Cipriani —especialistas en Villiers— exaltan la fuerza poética del ideal en LEF. Al idealismo del francés hay que oponer el ya conocido materialismo y escepticismo de Palma, que se transparenta en su obra de varias maneras, como se habrá visto ya.

Otra diferencia importante entre las dos novelas, es el peso que el francés otorga a las doctrinas esotéricas. Este peso es tal, que Noiray recuerda que el origen de LEF fue inspirado por la alquimia, y más precisamente por la obra *Rituel* de Eliphas Lévi, que da cuenta de procedimientos para fabricar androides (p. 359, nota 17). Noiray y Conyngham piensan que Villiers puso la ciencia al servicio del misterio, sobre todo el que se relaciona con el más allá de la muerte. Curiosamente, la afición que Palma evidenció por las ciencias ocultas, como vimos en las obras repasadas, desaparece aquí, y se reemplaza con principios y datos de la ciencia positiva de su tiempo. Rolland Poe, científico y matemático, rara vez cae en las reflexiones metafísicas que ocupan gran espacio en la novela francesa. Edison, el sabio de LEF, cree en la transubstanciación de las almas, y en las hipótesis del teósofo William Crookes.[12] En la historia, Edison usa a la "buena"

---

12. Según Noiray, Edison tiene una concepción mágica de la electricidad, y en esto sigue a Crookes para quien la electricidad es una "materia radiante" (p. 308).

Any Anderson, como donadora de un alma para Hadaly (la mujer fabricada), cuya belleza tiene visos sobrenaturales. Any es capaz de comunicarse con espíritus de ultratumba, fenómeno que ni el mismo sabio puede explicar.

Hadaly, la mujer ideal que creó Edison, se puede desmontar como una máquina, pero como tal, es eterna e indestructible, con lo que el autor hace superior lo artificial a lo natural. Los dobles de *XYZ* en cambio, tienen la perecidad de lo biológico (se deshacen después de cuatro meses), aunque la inmortalidad y la eterna juventud se hagan posibles mientras el inventor pueda repetir su descubrimiento. Estas posiciones diferentes tienen que ver con la ideología de los autores frente a la naturaleza, como se ilustrará.

De manera general también, puede afirmarse que en LEF hay un mayor acopio de datos científicos que en *XYZ*, rasgo que para algunos le da cierta pesadez al texto francés (Conroy, p. 114). Fuera de la electricidad, el mayor apoyo científico en la novela de Villiers está en la química experimental, especialmente en los descubrimientos de Berthelot. Según Fernando Cipriani, este científico habría anunciado en su *Chimie organique fondée sur la synthèse* de 1860, que la ciencia química tendría el poder de formar multitud de seres artificiales, parecidos a los naturales, que participarían de todas sus propiedades (p. 135). La obra de Villiers hace explícita mención de Berthelot, cuando Edison comenta a Lord Ewald cómo la carne artificial que prepara, sobrepasará la natural ("Esto es carne artificial, y os podré explicar cómo se fabrica, si no queréis leer a Berthelot", p. 81).

Villiers creó un laboratorio —oscuro, lleno de seres artificiales— que tiene un aspecto más mágico que científico. En *XYZ* se habla de un laboratorio, y aunque nunca se lo describe con precisión, sí se mencionan los instrumentos y parafernalia acostumbrada en estos lugares: vasos conectadores de vidrio, pantallas giratorias, filtradores de cuarzo y mercurio, selenio, sales de potasio, entre otros elementos (p. 30). La diferencia más importante en este punto es la atmósfera que se crea para cada espacio. Contrario a la obscuridad un tanto solemne en LEF (se baja a un subterráneo iluminado artificialmente que se ha comparado como un descenso al infierno), todos los lugares relacionados con el experimento en la obra de Palma, sugieren luz, sol, espacios abiertos y claros.

Aunque ambas novelas tienen un final en que se echa mano a un recurso tipo *deus ex machina*, a mi juicio, el de la francesa es más burdo y obvio que el de la peruana. El súbito incendio y naufragio de la nave que llevaba a Hadaly a reunirse con su amado, parece demasiado conveniente, lo mismo que la repentina muerte de Mrs. Anderson/ Rowena, pese a que la de Hadaly la justifique.[13] En *XYZ* se ve como más verosímil que Poe tenga un cáncer mortal, dada su manipulación del radio, por tanto también lo es su suicidio. Estos finales importan si se quiere derivar un "mensaje" de advertencia contra los que juegan el papel de dioses. Así, aunque en las dos obras el invento se acaba para siempre, en *XYZ* termina también la vida de Poe, y el secreto de su fórmula cierra la posibilidad de una repetición. En LEF, el sabio sigue vivo, pero se promete no reincidir en su invento, que de todas maneras se imposibilitaría por la desaparición de la auxiliar que le ayudó a fabricar a la mujer ideal.

En la novela peruana es más evidente el tópico universal del castigo que recibe aquel que pretende asumir las funciones de un Dios. El personaje Poe predijo ese castigo en más de una autorreflexión:

> A veces pienso que es tan osada y estupenda esta conquista científica que he tenido la suerte de realizar, que, si hay un Dios, de tal modo ha de sentirse emulado que ha de estar madurando una venganza terrible, como en el mito de Prometeo (p. 85).

Como se ve, este personaje, al contrario de los ateos escépticos de los primeros cuentos, admite la posibilidad de la existencia divina, y con ella el sentimiento de culpabilidad, que los otros nunca tuvieron, y por ende, la existencia del castigo. En la carta póstuma en que explica a su amigo el por qué de su suicidio, Poe reitera su creencia de que el cáncer es un castigo:

> ¡El radium se había vengado! El radium, eso que es aliento de divinidad y el alma del Cosmos, es Vida y Muerte! Me sustituí a Dios para fabricar la vida y como a Prometeo [...] me ha entregado en castigo, a la voracidad de un buitre que me roe las entrañas (p. 245).

---

13. Noiray cree que la muerte de Hadaly por fuego es adecuada porque la ve como "bruja" (p. 373).

La creencia en un castigo divino se enlaza con otra importante diferencia entre las dos obras: la posición de los científicos frente a la naturaleza. Edison en LEF cree que puede vencerla y superar con sus creaciones a lo "natural" existente. Por ejemplo, al referirse al brazo que ha construido para Hadaly dice:

> Esto es mejor hecho que la carne [...] La carne se aja y envejece: esto es un compuesto de sustancias sutiles, elaboradas por la química para confundir a la propia suficiencia de la Naturaleza. ¿Quién es doña Naturaleza [...] de quien todos hablan y nadie ha visto? Decíamos que esta copia de la naturaleza [...] enterrará al original sin dejar de ser lozana y joven (p. 81).

En XYZ en cambio, Rolland Poe tiene gran respeto por lo natural existente, sosteniendo que nunca se lo puede sobrepasar:

> La ciencia puede transformar y rehacer la obra de la naturaleza, pero no puede crear nuevas leyes de vida, crear en el sentido de hacer aparecer agentes o fuerzas que no preexistan en el Cosmos (p. 37).

Más tarde, refiriéndose específicamente a la creación de sus dobles, comunica a su amigo que ellas:

> por muchos perfeccionamientos que lleguen a tener, no podrán superar [...] a los ejemplares naturales de humanidad, porque para ello sería necesario realizar el imposible físico y metafísico, de la adición de nuevas fuerzas que no existen ni existirán (p. 38).

Mencioné antes que la novela de Palma tiene ciertos rasgos misóginos. Estos rasgos palidecen en comparación con la pasión y el odio con que Villiers construyó a Evelyn Habal y Alicia Clary. Esta última, oblitera su belleza de diosa con su estupidez y vulgaridad. Evelyn por su parte, representa a la prostituta sin encantos, pero que puede seducir con la ayuda de cosméticos y falsedades (libro IV, p. 3). Las enconadas palabras dirigidas contra esta mujer constituyen un verdadero panfleto en su contra. Según Edison, la infamia de estas mujeres da derecho al hombre que ha sido víctima de ellas, para asesinarlas (pp. 139-40). La misoginia en XYZ, apunta sobre todo a la frivolidad reinante en

Hollywood, y recoge ciertos clichés que se han venido repitiendo sobre la mujer desde tiempos inmemoriales: Coqueta por definición (p. 81); no se interesa ni entiende el lenguaje científico (p. 109); algunas son "bachilleras", por lo tanto no son atractivas (p. 205). Pero estas características se equilibran con rasgos positivos como la inteligencia, la lealtad y la fraternidad.

Hasta ahora me he fijado en las diferencias entre las dos novelas; pero hay también ciertas similitudes dignas de comentario. Algunas escenas de la novela francesa pudieron ser germen inspirador en la peruana. Por ejemplo, para la fabricación de sus dobles, como hemos dicho, Palma utiliza filmes. En LEF, Edison usa una fotografía de Alicia Clary proyectada en una pantalla, como primer paso para la "encarnación" de Sowana en la forma de Alicia (p. 78).[14] En otro pasaje, el sabio muestra un filme de la bailarina Evelyn Habal, para oponerla a la posterior fea realidad de la mujer sin postizos ni cosméticos (p. 144).

Semejante en cierta manera es también la esterilidad de los dobles que fabrica Poe en XYZ, y la más "comprensible" de la máquina/mujer hecha por Edison. Si esta esterilidad es explicable en un ente mecánico compuesto de piezas de metal y otros materiales no orgánicos, la de las réplicas de Palma es menos convincente. El tratamiento humorístico que le dio el autor a este asunto, sugiere que quizás no le daba mucha importancia, o que con ella deseaba reafirmar una de las premisas de la obra: que es imposible "burlar a la naturaleza" (p. 80).[15]

En un plano más serio ambas novelas plantean el problema ontológico del ser, y de la naturaleza de la realidad. En un enunciado sorprendentemente contemporáneo, el científico en LEF habla de la inevitable transformación del yo, unida a la del cuerpo, en el curso de los años. El diálogo que citaremos, entre Edison y Lord Ewald, se refiere a la identidad de Hadaly que, en la opinión del sabio tiene que ver con su alma, que a su criterio Alicia no posee:

---

14. El uso de filmes para reproducir personajes es el meollo de *La invención de Morel* de Bioy Casares, pero no he visto esta obra conectada con la de Villiers o la de Palma.

15. La preocupación por la esterilidad de sus dobles, la origina al comprobarla en una gallina creada por él. El cuadro de la desilusión del gallo, es cómico, como lo es el que el investigador espíe "la función periódica sexual de Greta durante dos lunaciones" para verificar si experimenta o no "el trastorno padecido por las mujeres" (p. 80).

[Ewald] —Usted hijo de mujer ¿podrá reproducir la IDENTIDAD de una mujer?

[Edison] —Mil veces más idéntica a sí... que ella misma. Cada día que pasa modifica las líneas del cuerpo humano: la ciencia fisiológica demuestra que éste renueva *completamente* sus átomos, cada siete años; ¿hasta qué punto existe el cuerpo? ¿Llegamos alguna vez a parecernos a nosotros mismos? Esa mujer, usted, yo en nuestra primera infancia ¿éramos lo que somos hoy? (p. 86, subrayado y mayúscula del texto).

A la pregunta de Lord Ewald sobre el conocimiento o ignorancia de sí misma de la mujer fabricada, el sabio contesta con su propio énfasis: "¿Sabría ella *quién* es? [...] ¿Sabemos nosotros *quiénes* somos y lo qué somos? ¿Vais a exigir de la copia lo que Dios no ha requerido del original?" (p. 89, énfasis en la novela).

Ya vimos la preocupación de Palma por los mismos fenómenos en "La granja blanca", y "El príncipe alacrán". En *XYZ*, se utiliza al doble de Jeanette MacDonald para explorar el problema de la identidad amenazada con la aparición del doble. La cita que transcribiré, presenta las dudas de la joven sobre el cuento/explicación que ha dado Poe a las actrices sobre su aparición en la isla. La mujer "lee" muy bien la alegoría que encierra dicho cuento, y sus palabras recuerdan la inquietud de Macario de "El príncipe alacrán" sobre su "verdadera personalidad", al mirarse en el espejo que es su mellizo:

¿Qué nos ha querido decir con la historia de la captación en el espejo mágico? —el espejo de la ciencia, sin duda, de esa ciencia sutil y obscura, fuera de nuestro alcance mental —¿de las imágenes de cuatro mujeres? ¿Es que estamos muertas y somos simples almas con la ilusión de la vida física? [...] ¿Es que estamos desprendidas o desdobladas de nuestras verdaderas personalidades reales? [...] Dígame pues ¿qué y quién soy? (pp. 137-138).

La respuesta de Poe, es en cierto modo similar a la que inquieta al protagonista de "La granja blanca", precursora de inquietudes borgeanas semejantes:

El mayor regalo que nos ha hecho Dios es la facultad de soñar. Sólo él sabe lo que somos, de dónde venimos y a dónde vamos. [...] Sus amigas de usted y yo somos lo que somos. ¿Realidades positivas? ¿Ilusión de realidades? ¿Entes indiscernibles? ¿Repeticiones diferenciadas de una misma identidad?.... No lo sabemos todavía (p. 138).

Como se vio en los relatos nombrados y en el reciente "Aventura del hombre que no nació", Palma insiste en el uso del doble para explorar problemas de cariz ontológico. La utilización del cine en *XYZ* con el mismo propósito, exige que haga algunas consideraciones sobre el llamado séptimo arte, antes de volver al importante asunto de la identidad.

EL CINE Y HORACIO QUIROGA

El impacto del cine en la literatura, es materia que cuenta con vasta obra de creación y de crítica. Como adelantaba Benjamin a principios de siglo, el cine alienta la mutua penetración de arte y de ciencia (p. 236), y ofrece "nuevas hipótesis a la literatura fantástica" al decir de Beatriz Sarlo (p. 1279). La palabra de Horacio Quiroga y de Clemente Palma ha testimoniado la admiración de ambos por el cine y por Edgar Allan Poe, y aunque la conjunción Poe/cine parezca disparatada, se verá su relevancia a continuación.

Horacio Quiroga es uno de los primeros hispanoamericanos que tomaron el cine como inspiración para elaborar algunos de sus relatos. Mercedes Clarisó, que estudió la influencia del cine en Quiroga, se refiere a la creencia del uruguayo de que "en la cinta cinematográfica existe cierto residuo de la vida del artista, y que esta vida, independiente de la verdadera vida de la estrella, puede ser activada al proyectarse la imagen en la pantalla" (p. 621). Esta hipótesis es la base de las historias de "Miss Dorothy Phillips, mi esposa" (1919); "El puritano" (1926); y "El vampiro" (1927), de Quiroga. No sabemos si Palma conoció estos cuentos, pero es indudable que la hipótesis quiroguena, resumida por Clarisó, es la que mueve también la acción de *XYZ*.

Esa hipótesis a su vez, además de que permitió a Quiroga aprovechar el nuevo invento que es el cine, está relacionada con un viejo motivo literario que atrajo particularmente a Edgar Allan Poe: el rescate a la vida de un ser muerto. Ya mencioné los conocidos "Ligeia", "Morella"; y "The Fall of the House of Usher" como modelos de este tópico en la tradición gótica. Vimos también cómo Palma aprovechó las creencias esotéricas para elaborar el mismo motivo en "Mors ex vita" y "La granja blanca". El hecho de que el científico en *XYZ* se apellide Poe, reafirma la admiración que tenía el peruano por el norteamericano, aunque el paso de los años le haya hecho reemplazar los misterios ocultistas por la nueva maravilla que es el cine.

En los relatos de Quiroga mencionados, las historias tratan de la "reanimación" de personas muertas, que tienen el poder de salir del celuloide, movidas por las fuertes pasiones que tuvieron mientras vivían. En *XYZ*, al contrario, los dobles fabricados, reproducen seres vivos, con la excepción de Valentino, que el científico realiza más bien como un desafío, y el experimento no altera las existencias de las actrices "reales". Esta es una diferencia importante con los relatos de Quiroga, donde las imágenes desprendidas de la pantalla dan a las obras una pátina resonadora de historias de fantasmas y aparecidos, que no tiene la novela de Palma. Beatriz Sarlo afirma que los relatos del uruguayo son un cruce de "erotismo y de tecnología" (p. 1280), y ese enlace es claro en la representación de las obsesivas pasiones que se dan en sus historias. En *XYZ* en cambio, el amor es menos intenso que en otras obras de Palma. La relación de Poe con Greta Garbo es una especie de *"flirt"* muy contemporáneo, basado en el goce de experiencias compartidas (baile, baños, paseos). El amor del científico por Jeannette MacDonald, crece paulatinamente a medida que la pareja descubre mutuas cualidades atractivas. El sentimiento que los va a unir está lejos de la pasión violenta que arrastra a las criaturas quiroguenas a su destrucción. Sarlo caracteriza esas pasiones de las historias del uruguayo como "paroxismo de amor y muerte que remite a ideales tardorrománticos y decadentistas" (p. 1279), caracterización más apropiada para "Mors ex vita" y "La granja blanca" que para *XYZ*, y que se halla en muchas obras góticas.

Pero hay otros fenómenos que enlazan la novela de Palma con el cine. Fuera de que parte de la historia se desarrolle en Hollywood, y de que sus personajes ficticios se relacionen con conocidas actrices y directores, que se aluda a estudios "reales" (Paramount, Metro), y a filmes existentes (*Mata Hari*, *El ladrón de Bagdad*), toda la novela pudiera leerse como el *script* de una movida película de aventuras. Es claro que Palma se propuso imitar en ciertos pasajes, aspectos de esas películas "truculentas" que vio en Chile. Por ejemplo, Rolland Poe, al "despertar" a las cuatro dobles, justifica la presencia de criados negros y sordomudos con el relato de un asalto de caníbales a la isla, en el cual él combatió heroicamente, venciéndolos a todos, y "civilizando" a algunos. El inventor califica luego su explicación, en un aparte metaliterario, como "tejido de embustes" (p. 104). Una parodia de las miles de películas de acción hechas en Hollywood, parece ser el episodio del rescate de las dobles por una compañía fílmica. El grupo de hombres enmascarados, ataca la isla con pistola en mano, y por supuesto Rolland Poe se comporta como héroe hollywoodense, aunque pierda la batalla. Una verdadera coronación del uso de estereotipos y clichés puestos de moda por el cine, es toda la última parte de la obra. La prensa cuenta el ya famoso "rescate" como otra película de aventuras.[16] En el programa en que se presentará públicamente a las dobles, se muestra un filme basado en los falsos informes periodísticos, y otras invenciones truculentas que parodian películas de la época.

El repaso de la última parte de XYZ, y de otras secciones vistas, hace evidente que el fenómeno de la reproducción es crucial en su estructura. Desde luego el doblaje de las estrellas es su manifestación más obvia en la historia, pero hay que recordar que toda la narración es un "re-cuento" de Billy sobre lo que sucedió a su amigo. En este recuento, el personaje "copia" las cartas que conservó de Poe, y "reproduce" con su memoria las que perdió. Billy además, "transcribe" algunos de los extensos diálogos que mantuvo con su amigo. El episodio más expresivo en esta materia se da en el cuento que Poe narra a las cuatro dobles para explicar su presencia en la isla. Este relato es una "imitación" de uno de Las mil y una noches, que inspiró el filme El ladrón de Bagdad, por lo que Joan Crawford lo acusa de poca originalidad.[17] Lo más extraordinario de este relato del científico, es que en él, el motivo de la duplicación es central. En la cita que daré a continuación, el príncipe Firuz en busca de sus cuatro hermanas, llega a una

---

16. La palabra rescate se usa irónicamente en el texto porque no existe tal cosa. Las cuatro actrices y Valentino hacen causa común con Poe, y son llevadas a la fuerza por el grupo asaltante.

17. El ladrón de Bagdad es un filme de 1932, protagonizado por Douglas Fairbanks.

zona encantada en que los seres y las cosas son sólo reflejos. Primero cruza un lago cuya superficie es sólida y "como bruñida plata", luego:

> el guía [...] apenas penetró en la zona, desapareció súbitamente pero no así su reflejo que se dibujaba con toda nitidez en la superficie plateada [...] Firuz llegó: dejó de ser visible el cuerpo de su camello y su propio cuerpo. A medida que fuera avanzando iba reflejando el suelo, terso y brillante, árboles, cabañas, camelleros, rebaños de ovejas y de asnos [...] Sentía Firuz una creciente agitación de vida en torno, pero que se manifestaba en el ruido y en los gritos y en el reflejo invertido de hombres, animales y objetos (p. 120).

Imposible no relacionar esos reflejos invertidos con la fotografía, semilla del cine, con el fenómeno del doble, y el recurso de *mise en abyme*, materia que retomaré más adelante al considerar el problema ontológico de la naturaleza de la realidad, que tanto preocupó a Palma.

Menos espectaculares que la escena transcrita, hay otros tipos de reproducción esparcidos a lo largo de la narración de *XYZ*. Así, Dick Vargas, muchacho al servicio de Poe en la isla, huye a Los Angeles y allí *cuenta tres veces* su "encuentro" con las estrellas hollywoodenses: Primero a la Macdonald (p. 178), luego a Joan Crawford (p. 181), y por último a Stone y a un director de la Metro (p. 183). Lewis Stone a su vez, *repite* la historia, pero arreglada según la conveniencia comercial, a un diario, que la *reproduce* (p. 229). Todos estos recuentos tienen como centro el llamado "rescate" de las dobles, pero que Billy, que lo *"narra también"*, llama asalto. El asalto a la isla, aparece *"contado otra vez"* en la carta póstuma de Poe (p. 242).

Este nutrido juego de reproducciones, aparte de estar directamente conectado con lo que es esencialmente el cine, tiene que ver con el fenómeno del doble, motivo recurrente en Palma, como se ha dicho. Igual que Macario de "El príncipe alacrán", Aristipo de "La aventura del hombre que no nació", y Jeanette MacDonald en esta novela, Poe y Billy meditan también sobre las implicaciones que trae la duplicación de seres humanos. En la cita siguiente Billy dice:

> Mucho trabajo costóme esa noche conciliar el sueño, pensando en todos los problemas y situaciones insólitas que ofrecería una humanidad multiplicada por milagros de técnica. Me imaginaba, por ejem-

plo, que Rolland hiciera tres o cuatro *ejemplares* de mi persona y me situara entre ellos... ¿Qué podríamos discurrir? ¿Qué divergencia de conceptos, podría producirse entre el pensamiento de *mi yo* y el de mis *dobles*? La conciencia ¿se subdividiría entre los cuatro individuos iguales, que seríamos, o se ubicaría solamente en uno? Qué dudas tan angustiosas surgirían en mí respecto a cuál de los sujetos era el continente del yo y del cual los otros, serían como los reflejos de imágenes de una persona colocada entre cuatro espejos, pero de cuatro espejos en los que el cristal se hiciera impalpable y las imágenes gozaran de absoluta autonomía, deplazándose en el espacio libremente, con libertad espiritual y material (p. 35, énfasis del autor).

Por su parte, Rolland Poe, divaga sobre la posibilidad de fabricar un doble de sí mismo que lo reproduciría en su edad madura actual, pudiendo repetirse por centurias "hasta que el hartazgo de la vida lo llevara a buscar la muerte voluntariamente" (p. 133).[18]

Las alusiones intertextuales, que repiten explícita o implícitamente material de otras obras, es una manera de doblaje; que se halla con frecuencia en *XYZ*. Las más pertinentes al doble son las llamadas de atención sobre *La Eva futura* de Villiers, y *El retrato de Dorian Gray* de Oscar Wilde (p. 133). Las menciones a otros escritores y obras tienen objetivos diferentes como las de Swift (p. 31); Loti (p. 48); Verne, y Wells.[19] La intertextualidad se da también con el cine, y ya hemos mencionado *El ladrón de Bagdad* como texto importante en *XYZ*. Hay otro filme, esta vez nombrado por Greta Garbo (p. 75), que, inspirado en la novela de Hans Heinz Ewer *Alraune*, sirvió de base a la película del mismo nombre, de 1918. Este libro y filme son pertinentes a nuestra obra y tema del doble, porque tratan de la creación de un

18. En frase muy borgiana, en este pasaje, Poe habla de su doble, depositario de todos sus conocimientos científicos, que lo "reproduciría —*y no podría hacerlo de otro modo*— enmarcado dentro de una edad permanente, en plena juventud madura" (p. 133, énfasis del autor).

19. Billy se siente "como un personaje de Swift" cuando ve por primera vez la diminuta réplica de Maurice Chevalier. La alusión a Loti, se da en el barco que lleva a Billy a la isla, y oye cuentos del capitán sobre tierras remotas que le parecen menos entretenidas que las de Loti. En su carta póstuma, Poe dice a Billy que si relatara "la aventura de las andrógenas" se la tomaría como "una fantasía extravagante de un atrasado Julio Verne o Wells" (pp. 71, 93).

"monstruo" femenino, producido por la inseminación artificial de una prostituta con el semen de un asesino (Roy Kinnard). La demoníaca protagonista de *Alraune*, que seduce a los hombres para destruirlos, tiene poco que ver con el encanto de las dobles de *XYZ*, pero sí mucho con las vampiras de otros relatos repasados, aunque —recordemos— aquellas buscaban más placer que destrucción.

El recurso de las reflexiones metaliterarias, tan apreciado hoy, produce una especie de espejo en que el texto se dobla a sí mismo. A lo largo de estas páginas, he llamado la atención sobre algunos metacomentarios. De los muchos ejemplos que se hallan en *XYZ*, texto altamente autorreflexivo, (pp. 58, 62, 71, 73, 93, 123, 126, 171),[20] me limitaré sólo a algunos. En una ocasión Billy describe las cartas de su amigo Poe como de "estilo familiar y humorístico" que se ajusta a las que se transcriben en el texto (p. 58). El anuncio de Poe, de que "El deslizamiento de la ciencia al romance está próximo" (p. 62), ocurre efectivamente con la aparición de la Garbo, y se corresponde con el título del capítulo. Por último, al comenzar la sección XXVI, el narrador Billy dice:

> Nos encaminamos al final de esta extraña y trágica historia desenvuelta en torno de un maravilloso y alucinante invento científico, que tuvo efímeros destellos y que no ha podido —no sabría decir si por fortuna o desgracia— ser aprovechado por la humanidad (p. 171).

Es notable en la cita, que la caracterización de la historia sea seria ("extraña y trágica"), que es apta para Billy, que la presenció. Muy diferente es la calificación del autor, que parece querer distanciarse de su obra al llamarla "romance grotesco de marionetas", y "último engendro imaginativo" (p. 9). De ser sincera, esta aparente desestimación podría provenir de lo que el escritor en el prólogo, llama su "falta de práctica" en la escritura de ficción, abandonada hace ya muchos años.[21] Si lo de romance de marionetas, parece aceptable descripción

---

20. Ciertas autocaracterizaciones están llenas de humor. Por ejemplo, aquellas en que el personaje Poe, o algunas de las estrellas tilda lo dicho o lo escrito como "cursi", tienen razón (pp. 71, 93).

21. Una voz interior le dice: "tus facultades imaginativas tienen que estar ya en decadencia: ya pasaron los bríos y entusiasmos juveniles que generaron los *Cuentos*

para una historia de dobles a merced de su fabricante, prefiero pensar que los demás juicios son mera "repetición" de la fórmula tradicional de modestia.

EL DOBLE Y EL PROBLEMA DE LA IDENTIDAD

Las inquietudes que sienten los personajes del cuento y de la novela recién examinados, llevan las semillas de un problema central en las disquisiciones deconstructivas de Derrida en torno a la identidad y a la diferencia. Ya no cabe duda de que la conciencia del yo se construye en la diferencia con los otros. Es decir, la identidad se alza sobre la diferencia. La repetición sin fisuras, como la imagen que reproduce un espejo, socava o desestabiliza la base sobre la que surge la identidad. Esta es la situación que perciben Macario en "El príncipe alacrán", Aristipo en "La aventura del hombre que no nació" y la MacDonald en XYZ. Las inquietudes de estos personajes, están asentadas en la convicción de ser únicos. Sus reflexiones y las de Poe y Billy muestran que creen en la noción —tan erosionada hoy con la popularidad del yo múltiple o descentrado— de que el ser humano, pese a los cambios inevitables traídos por los años y las experiencias, conserva un "fondo", un "meollo" ("*core self*" lo llama Jane Flax) inalterable, que hace la especificidad y unicidad de cada individuo.[22]

Si se piensa que la copia se hace de un "original", y lo privilegiamos sobre la copia, como se acostumbra todavía,[23] en *La Eva futura*, la reproducción de Alicia Clar sobrepasa el original. En XYZ sólo se conocen las copias hechas por Poe (y las de los filmes), y no

---

malévolos. A mi juicio, la novela muestra las excelentes condiciones del autor como inventor de fábulas, y la pérdida que constituyó el que no continuara cultivándolas.

22. El problema se espesa en el caso de los gemelos (como Macario), que repiten no sólo la semejanza del cuerpo, sino también la de sus personalidades, problema que todavía es enigmático para la ciencia.

23. Muchos pensadores, fuera de Benjamin, han escrito sobre las consecuencias de la producción masiva que abarata el objeto, sustrayendo de él su situación de unicidad para los privilegiados. Sobre la pérdida del aura de que habló Benjamin a propósito de las estrellas reproducidas en el cine, Schwartz piensa que no es el aura lo que pierden sino la cualidad de estar vivas (en inglés "*liveliness*", p. 140).

sabemos qué y cómo se sentirían los "originales" frente a sus dobles. Por esto es insólito, en el caso de la MacDonald, su desasosiego por la pérdida de su identidad, inquietud que le correspondería más propiamente al "original". Esta inquietud nos está diciendo que la copia es tan perfecta, que puede "sentir" las emociones que su fuente (la actriz que está en Hollywood), tal vez no perciba todavía. Este juego de repeticiones puede llevar a infinitas elucubraciones que quizás no se compaginen con el propósito central de entretener y entretenerse que, según el prólogo, tenía Palma al escribir la novela. Pero como no siempre la palabra de los autores en relación a sus obras es de fiar, se puede especular sobre este propósito y relacionarlo con los posibles significados del reiterado uso del doble en la obra de Palma.

Paul Coates sostiene que al escribir sobre el doble, el autor está poniendo sus propios representantes en el papel, y —en la misma vena— que la materialización del doble, es un intento de reemplazar la imagen del otro que hay en uno (pp. 1-2). Estas afirmaciones repiten el reiterado juicio de que las criaturas de ficción que inventa un autor están siempre relacionadas con su yo y su vida. Al pensar en las imaginativas creaciones de tantos escritores, que a veces sobrepasan lo conocido en las experiencias posibles, el juicio anterior me parece arriesgado y discutible. Pienso que la complejidad del proceso del ser y de la vida misma, dejan un mínimo de margen para afirmaciones categóricas, y uno muy amplio para sugerencias apenas tentativas. En los estudios del doble literario, no obstante, se han utilizado datos biográficos de los escritores para las lecturas más substanciosas y duraderas. Así por ejemplo, con las hechas sobre los relatos y la vida de E. Allan Poe o las de las narraciones de Dostoiewski. Con cierta trepidación entonces, esbozaré algunas conclusiones, aprovechando el mínimo de información biográfica conocida de Clemente Palma, acentuando el carácter tentativo de ellas.

El fenómeno del doble, como se ha visto, está representado abiertamente en "La granja blanca", "El príncipe alacrán", "Aventura del hombre que no nació" y XYZ. Si se considera que los críticos incluyen como variantes del doble la existencia de diablos, vampiros y muertos resucitados, tenemos que agregar "Leyendas de hachisch", "Mors ex vita" y "Vampiras". Si seguimos a los estudiosos que añaden el uso de pares de personajes que se complementan como formas del doble, hay

178

que poner en la lista también "Una historia vulgar" y "Dmitri". Obviamente, la pregunta natural es el por qué de esta recurrencia. Al tomar como criterio las opiniones más repetidas de los que estudian estos asuntos, se puede contestar que el doble, en sus diversas manifestaciones, especialmente la de la división y fragmentación, que hoy se ve como rasgo de todo ser humano, revelaría en el que lo experimenta, tanto como en los personajes de ficción que lo representan, un temor a la muerte, o un fuerte deseo de inmortalidad (que viene a ser lo mismo). La dificultad con esta respuesta es que es tan general, que prácticamente abarca a todos los humanos. Cité otra frecuente afirmación al comienzo de este capítulo, que, apoyada en juicios de Rank y Freud, une el doble a rasgos psicóticos originados en un fuerte narcisismo, sobre el que volveremos más adelante. Un tercer criterio dice que el uso del doble mostraría conflictos psicosexuales. Aunque a veces no se hace una estricta separación entre los personajes y el autor de la obra, estimo que ella es necesaria, dado que en el último caso se entra en un terreno resbaladizo de conjeturas, difíciles de probar.

Entre los conflictos psicosexuales señalados a partir de los estudios de Rank y Freud, más de un crítico que se ocupa de literatura y psicología ha visto ingerencia de elementos homoeróticos o de impotencia psicosexual en los textos en los que aparecen dobles (Rogers, pp. 19-20). Con todas las reservas que me inspiran las lecturas psicoanalíticas, resulta tentador recurrir a ellas, después de que yo misma creí ver esos elementos en relatos de Palma, aun antes de estudiar lo relativo al doble. Recordemos el miedo a la castración en "Los ojos de Lina", el deseo por la figura andrógina y la mujer asexuada en "Leyendas de hachisch", la relación sexual con muertas en "Mors ex vita" y "La granja blanca". El hecho de que el científico en XYZ le haga el amor a una copia fabricada y no a la estrella "verdadera", completa un patrón inequívocamente relacionado con la sexualidad.

En los análisis de las obras nombradas, aplaudí la audacia de Palma para reconocer como "natural" el deseo sexual femenino. Di por sentado entonces que, como muchos escritores sensibles a los cambios traídos por la modernidad, el autor peruano quería advertir sobre los problemas que el reconocimiento de dicho deseo suscitaría en el varón. Junto a esta razón, es oportuno preguntarse también si habrá algún elemento biográfico por considerar. No pretendo conocer pormenores de la vida de Palma. No obstante, hay un hecho significativo que no se puede ignorar. Clemente tuvo un padre famoso en su tiempo, y no es descabellado buscar una relación con él.

En los estudios de Freud sobre Hoffmann y Dostoiewski, se destaca la fuerza de la influencia paterna en la vida y obra de estos autores (lo mismo pasa con el padrastro, en el caso de Poe). En "Dostoievsky and Parricide", Freud une la "elección del material" —personajes violentos, criminales y egoístas— con "tendencias similares en el autor" (p. 235). Apoyado en conocidos datos biográficos, Freud explica el deseo de la muerte del padre en muchos personajes, como algo vivido por el autor ruso, en una combinación de amor y odio que lo convierte en rival, y del que se teme el castigo (castración). La represión de tales sentimientos, según Freud, vendría acompañada de "una disposición bisexual" que se manifestaría en "latente homosexualidad" (pp. 241-242).

Acerca de "The Sandman", Freud se pregunta sobre el significado de la constante interferencia que impide el amor entre Nataniel y su novia. Uniendo biografía y obra otra vez, el investigador responde que la figura temible del arenero representa al padre castrador (en la vida y el cuento de Hoffmann), y la muñeca Olimpia, la parte femenina del personaje, que desea conquistar a su padre ("The Uncanny", pp. 206-209). Como no tengo elementos biográficos suficientes sobre la relación de Clemente con don Ricardo, su padre, sólo quiero dejar constancia de que "En los ojos de Lina" aparece la ceguera que Freud interpreta como signo de castración, y que las copias de estrellas en XYZ son una variedad de muñecas fabricadas.[24]

En su análisis de la obra de Dostoiewsky, Freud se refiere también al sadismo y masoquismo que ve en los personajes (y en la vida) del escritor ruso. Apartándome un poco del tema explícito del doble, quiero recordar que esos elementos son prominentes en algunos de los relatos vistos en el capítulo tercero. El sadismo con que Dmitri mata a su mejor amigo, por ejemplo, o el más refinado del narrador en "Idealismos", que lleva a la muerte a su novia. El amor de esta últi-

---

24. Soy consciente de que es Lina la que se arranca los ojos, pero recuérdese que el narrador tiene pesadillas aterradoras sobre perder los suyos. Me doy cuenta también que las copias de mujeres en XYZ están "vivas", diferencia original de Palma, quien aprovechó el invento del cine.

ma, por otro lado, como el de Lina, la que se arranca los ojos, bien puede clasificarse como masoquista. Una alusión intertextual que se halla en "Aventura del hombre que no nació" es pertinente a este respecto. La alusión es a la novela de Chamisso *El hombre que perdió su sombra*, y en ella su protagonista concibe el amor de una mujer de tal modo absorbente, que ella viviría sólo por y para él. Robert Rogers, que comenta esta novela a propósito del doble, afirma que la razón que impide al personaje central su unión matrimonial, es su narcisismo (p. 26).[25] Si se recuerda, las amadas en "Idealismos" y "Los ojos de Lina" están totalmente subyugadas al amor, y los hombres que ellas aman, están "anormalmente" deseosos de no consumar ese amor. No es difícil, aun sin la ayuda del psicoanálisis, pensar que un extremado narcisismo mueve a los amantes masculinos, y una "patológica" dependencia a los femeninos.

Para continuar con los atisbos freudianos, habría que preguntarse por qué hay tantas mujeres muertas en los relatos de Palma. En "La granja blanca", "Idealismos" y "Mors ex vita", la muerte ocurre antes del matrimonio, y en "Leyendas de hachisch" aunque éste se realice la amada muere también. Las numerosas amadas muertas en la obra de Edgar Allan Poe, que siempre se cita a propósito de Palma, no es suficiente como invocación de influencia para explicar la recurrencia. En la lectura que hice de estos relatos, insinué la posibilidad de impotencia y temor al sexo en los *personajes* masculinos. Ahora, siguiendo las hipótesis psicoanalíticas, agrego el miedo a la muerte, y una velada homosexualidad en ellos, dejando cualquiera relación con el autor a los expertos en esas hipótesis.

Al clasificar *XYZ* como novela de ciencia ficción, comenté que ella seguía el patrón del científico que emula a Dios, como sucede en el conocido *Frankenstein*. Los estudiosos de la obra de Shelley, se han fijado especialmente en el papel "femenino" que juega Victor Frankenstein al "dar a luz" a su monstruo. Aunque ya dije que la novela de Palma y su sabio inventor están lejos de la sombría truculencia y horror del modelo gótico, es válido preguntarse sobre el significado en *XYZ* del rol maternal de crear seres. De partida hay que señalar que Rolland Poe crea

---

25. Rogers afirma que todos los casos de dobles "sin excepción" son narcisísticos (p. 18).

figuras femeninas, y que, a diferencia de Victor Frankenstein que odia a su creación, Poe tiene sentimientos positivos hacia ellas. Si la función simbólica de crear seres representa o no rasgos "femeninos" en el personaje, y/o su autor, queda como abierta interrogación.[26]

BREVE CONSIDERACIÓN FINAL

Como para mí las aproximaciones psicoanalíticas son siempre tentativas, quisiera terminar con aserciones que no se pueden disputar. Desde luego, me parece indiscutible que la obra de Clemente Palma es importante y valiosa no sólo como representativa del modernismo, sino como instrumento cultural que muestra las complejas reacciones provocadas por los cambios traídos por la modernidad. No se debe olvidar que el temor a la reificación del ser humano, agudizada a partir del romanticismo, se originó sobre todo a partir de los descubrimientos técnicos y científicos del siglo XIX.

Echando una mirada general a las narraciones vistas, resaltan algunas líneas de continuación entre los relatos, tanto en las historias como en los discursos. Desde las primeras obras hasta la última de 1934, puede constatarse el afán de renovación, característico del modernismo. Esta renovación está estrechamente relacionada a inquietudes que, si bien se vieron como "nuevas" en la época, son hoy centro de las reflexiones culturales. La cuestión de la formación de la identidad como constructo cultural sujeto a cambios, por ejemplo. Este concepto básico en la actualidad, se transparenta ya desde las tempranas meditaciones de Palma en sus tesis universitarias, y en sus primeros cuentos. Al rechazar los binarismos absolutos sobre los cuales se erigía el pensamiento —Bien/Mal; Vida/Muerte; Alma/Cuerpo; Mujer/Hombre— el escritor abre la puerta a sus representaciones, en que personajes altamente autorreflexivos descubren su yo fragmentado, anhelos que unen amor y muerte, o atracción a seres deseables por su marca andrógina.

---

26. Mis comillas a la palabra "femenino" desean acentuar el carácter tentativo de los términos masculino y femenino, sobre todo con el cuestionamiento que el feminismo viene haciendo sobre ellos como construcción cultural y no natural.

Sobre la identidad, ya no se discute la importancia que en su formación tiene la sexualidad. Ya se vio a través de los análisis, el papel relevante que Palma le dio al cuerpo en su concepción del amor. En este sentido, sus representaciones de los idilios amorosos dan al traste con la milenaria dicotomía del amor espiritual opuesto al carnal, a la vez que se atreven a descubrir la fuerza del sexo en la mujer, y los temores que tal fuerza podía generar en el varón.

Constante es también la preocupación de Palma por la técnica y la ciencia, que como se comprobó en los análisis, supo unir a las inquietudes del día sobre los abruptos cambios que ellas venían produciendo. La ansiedad producida por esos cambios, lo llevó desde temprano también, a representar un desasosiego muy moderno sobre la naturaleza de la realidad como se muestra en varios relatos. El confesado escepticismo e ironía del autor, a la vez que le impiden, a la manera futurista, abrazar de lleno los "adelantos", le permite añadir un matiz burlesco, más característico de las letras posteriores que de su tiempo.

La convicción de Palma de que la contradicción y la paradoja son inherentes al ser humano (cap. I, p. 42), sirve de sustento a la creación de historias con personajes más complejos de lo que se estilaba en su época, a los que se catalogaba de "anormales"; "raros" o "enfermos", sin ver que representaban deseos y pasiones universales, ocultas por las convenciones sociales, y prohibidas por los cánones literarios.

En cuanto al discurso, a mi modo de ver, resalta la economía verbal del autor si se lo compara con los escritores coetáneos. Los vuelos líricos son breves y funcionales a las historias que se cuentan.[27] El recurso muy usado de dar la palabra a los personajes, dota al habla de un temple coloquial que aliviana la prosa y hace más estrecha la relación con el lector.

---

27. Por esto no creo que la obra de Palma se acomode bien en los parámetros de la vanguardia, como sugiere Fernando Burgos al colocarlo junto a Vicente Huidobro en *Vertientes de la modernidad hispanoamericana* (pp. 142-157), aunque es indudable que algunos de los procedimientos utilizados por el autor peruano se adelantan a fenómenos apreciados mucho más tarde.

Esta economía no obsta sin embargo, para la creación de rasgos que dan a las narraciones un cariz muy contemporáneo. Entre otros, es destacable en este sentido la unión de lo serio y lo cómico y el quiebre de límites genéricos —fantástico, grotesco, melodrama, pastiche— resultante en combinaciones que se abren a una rica pluralidad semántica. La ambigüedad y el humor tiñen no sólo las historias, sino también la creación de fenómenos discursivos muy apreciados hoy. Por ejemplo, las explícitas o implícitas redes intertextuales. Como se vio en los análisis, muchos de los personajes son ávidos lectores de obras que, valoradas por modernistas y decadentes, son a la vez instrumentos para escudriñar los caracteres y/o parodiar los textos aludidos. En el examen de los relatos, se hizo hincapié en la frecuencia de sintagmas metaliterarios expresivos de la autoconciencia del autor y de los narradores del quehacer escritural, conjuntamente con problemas más hondos atinentes a lo que es ficción y realidad.

Todo lo dicho muestra que la obra de Clemente Palma, como la de muchos modernistas, contribuyó a la expansión de las coordenadas literarias de su época, por lo que urge la re-impresión de sus obras.

OBRAS CITADAS

ALDRICH, Earl M.
1966   *The Modern Short Story in Peru*. Madison, Wisconsin, The University of Wisconsin Press.

BAROJA, Pío
1980   "Nietzsche y su filosofía", en *El modernismo visto por los modernistas*, editado por Ricardo Gullón. Madrid, Guadarrama, pp. 463-471.

BARTHES, Roland
1990   *S/Z*. Traducción de Richard Miller. Londres, Blackwell.

BASADRE, Jorge
1975   *La vida y la historia: Ensayos sobre personas, lugares y problemas*. Lima, Fondo del Libro del Banco Industrial del Perú.

BATAILLE, Georges
1979   *El erotismo*. Traducción de Toni Vicens. Barcelona, Tusquets Editores.

BATAILLE, Georges
1973   *Literature and Evil*. Traducción de Alastair Hamilton. Londres, Calder and Boyars.

BAUDELAIRE, Charles
1972   *Les fleurs du mal*. Edición al cuidado de Iver Florenne. París, Le Livre du Poche, Librairie Générale Française.

BAUDELAIRE, Charles
  1938   *Oeuvres de Baudelaire*. Edición al cuidado de Ive-Gerard Le Dantec
          (dos volúmenes). París, Bibliotèque de la Pléiade.

BAUDELAIRE, Charles
  1971   *Artificial Paradise: On Hashish and Wine as Means of Expanding
          Individuality*. Traducción de Ellen Fox. Nueva York, Herder and
          Herder.

BAYERTZ, Kurtz
  1990   "Biology and Beauty: Science and Aesthetics in Fin-de Siècle".
          Traducción de Peter Germain, en *Fin de Siècle and Its Legacy*. Mikulás
          Teich y Roy Potter (eds.). Cambridge, Cambridge University
          Press: pp. 278-295.

BELEVAN, Harry
  1977   *Antología del cuento fantástico peruano*. Lima, Universidad Nacional
          de San Marcos.

BENJAMIN, Walter
  1973   "The Work of Art in the Age of Mechanical Reproduction" en
          Illuminations. Edición al cuidado de Hannah Arendt, traducción
          de Harry Zohn. Nueva York, Schocken Books.

BENJAMIN, Walter
  1985   "Central Park". *New German Critique*, 34 (invierno), pp. 28-58.

BIOY CASARES, Adolfo
  1979   *La invención de Morel*. Buenos Aires, Emecé.

BLEIBERG, Germán y Julián Marías
  1964   *Diccionario de literatura española*. Madrid, Revista de Occidente.

BOURDIEU, Pierre
  1993   *The Field of Cultural Productions: Essays on Art and Literature*. Randall
          Johnson (ed.). Nueva York, Universidad de Columbia.

BRONFEN, Elisabeth
  1990   "Dialogue with the Dead: The Deceased Beloved as Muse" en
          Sex and Death in Victorian Literature. Edición al cuidado de Regina
          Barreca. Bloomington, Indiana University Press, pp. 241-59.

BRONFEN, Elisabeth
  1992   *Over her Dead Body: Death Femininity and the Aesthetic*. New York,
          Routledge.

BRONFEN, Elisabeth
1993   "Risky Resemblances: On Repetition, Mourning and Representation" en *Death and Representation*. Sarah Webster y Elisabeth Bronfen (eds.). Baltimore: Imprenta de la Universidad Johns Hopkins.

BROOKE-ROSE, Christine.
1981   *A Rhetoric of the Unreal: Studies in Narrative and Structure Especially of the Fantastic.* Cambridge, Imprenta de la Universidad de Cambridge.

BUCI-GLUCKSMANN, Christine
1994   *Baroque Reason: The Aesthetic of Modernity.* Traducción de Patrick Camiller, Londres, Sage Publication.

BURGOS, Fernando
1995   *Las vertientes de la modernidad hispanoamericana.* Caracas, Monte Ávila, Editores Latinoamericana.

BURGOS, Fernando
1985   *La novela moderna hispanoamericana (un esnsayo sobre el concepto literario de la modernidad).* Madrid, Orígenes.

CAPANNA, Pablo
1992   *El mundo de la ciencia ficción: Sentido e Historia.* Buenos Aires, Letra Buena.

CARDUCCI, Giosue
1994   *Selected verse.* Edición, traducción, introducción y notas de David H. Higgins. Warminster, Inglaterra, Aris and Phillips.

CARTER G., Boyd
1967   "Darío y el modernismo en *El Iris* (1884) de Clemente Palma", *Revista Iberoamericana*, Vol. 33, No. 64, pp. 281-292.

CASTRO ARENAS, Mario
s/f.   *La novela peruana y la evolución social.* Lima: Ediciones Cultura y Libertad (hay una segunda edición de Editorial José Godard, de 1967).

CHADBOURNE, Richard M.
1957   *Ernest Renan as an Essayist.* Ithaca, Cornell University Press.

CIPRIANI, Fernando

1990 "Le Mythe de l'artificiel dans l'oeuvre de Villiers" en *Villiers de L'Isle Adam Cent Ans Après (1889-1989)*. Michel Crouzet y Alan Raitt, París, SEDES, pp. 133-148

CLARASÓ, Mercedes

1979 "Horacio Quiroga y el cine", *Revista Iberoamericana, XLV*, No. 108-109, julio-diciembre, p. 613.

COATES, Paul

1988 *The Double and the Other: Identity as Ideology in Past Romantic Fiction*. Nueva York, St. Martin's Press.

CONROY, William T.

1978 *Villiers de L'Isle Adam*. Nueva York, Twayne.

CONYNGHAM, Deborah

1975 *Le Silence éloquent: Thèmes et structure de L'Eve future de Villiers de L'Isle Adam*. París, Libraire José Corti.

DARÍO, Rubén

1950 *Los raros, Obras completas*. Madrid, Afrodisio Aguado.

DAY, William Patrick

1985 *In the Circles of Fear and Desire: A Study of Gothic Fantasy*. Chicago, The University of Chicago Press.

DIJKSTRA, Bram

1986 *Idols of Perversity: Fantasies of Femenine Evil in Fin de Siècle Culture*. Nueva York, Oxford University Press.

ENCICLOPEDIA DE CIENCIA/FICCIÓN (ver Nicholls).

ESCOBAR, Alberto

1986 *Antología general de la prosa en el Perú*, Vol. III (1895-1985). Lima, Educanco.

ESCOBAR, Alberto

1965 "Incisiones en el arte del cuento modernista" en *Patio de Letras*, Lima, Ediciones Caballo de Troya, pp. 141-154.

ESCOBAR, Alberto

1960 *La narración en el Perú*. Lima, Librería/Editorial J. Mejía Baca.

EYMERY, Marguèrite (ver Rachilde)

FELSKI, Rita
1991 "The Counter Discourse of the Femenine in Three Texts by Wilde, Huysmans and Sacher-Masoch", *PMLA*, 106, octubre, pp. 1094-1105.

FLAX, Jane
1987 "Re-membering the selves: Is the Repressed Gendered?", *Michigan Quarterly Review*, invierno, pp. 92-110.

FOUCAULT, Michel
1980 *The History of Sexuality*, Vol. I, *An Introduction*. Traducción de Robert Hurley, Nueva York, Random House.

FREUD, Sigmund
1997 "The Uncanny", en *Writings on Art and Literature* from the *Standard Edition of the Complete Psychological Works of Sigmund Freud edited by James Strachey*. Stanford, Stanford University Press.

FRIEDMAN, Alan Warren
1995 *Fictional Death and the Modernist Enterprise*. Cambridge, Cambridge University Press.

GARCÍA CALDERÓN, Francisco
1954 "Las corrientes filosóficas en la América Latina," en *En torno al Perú y América (Páginas escogidas)*. Lima, Juan Mejía Baca y P. L. Villanueva editores, pp. 161-169.

GARCÍA CALDERÓN, Ventura
1910 "Los nuevos," en *Del romanticismo al modernismo: prosistas y poetas peruanos*. París, Ollendorff.

GARCÍA CALDERÓN, Ventura
1910 Prólogo de *Cuentos malévolos* de Clemente Palma. París, Ollendorff.

GAUTIER, Théophile
1976 *Spirite*. Traducción de Arthur D. Hall. Nueva York, Arno Press.

GENER, Pompeyo
1901 "Federico Nietzsche y sus tendencias," en *Inducciones: Ensayos de filosofía y de crítica*. Barcelona, Imprenta de Tobella y Costa, pp. 269-320.

GONZÁLEZ PRADA, Manuel
1943   "Nuestros indios" (pp. 167-181) y "La vida y la muerte" (pp. 93-102) en *González Prada*. Prólogo y selección de Andrés Henestrosa, México, Ediciones de la Secretaría de Educación Pública.

GONZÁLEZ VIGIL, Ricardo
1992   *El cuento peruano hasta 1919*. Vol. II, Lima, COPE.

GULLÓN, Ricardo
1974   "Eros y Thanatos en el Modernismo", en *Palabra de Escándalo*. Julio Ortega (ed.), Barcelona, Tusquets, pp. 399-425.

GULLÓN, Ricardo (ed.)
1980   *El modernismo visto por los modernistas*. Madrid, Guadarrama.

GUTIÉRREZ GIRARDOT, Rafael
1983   *Modernismo*. Barcelona, Montesinos.

GUTIÉRREZ GIRARDOT, Rafael
1991   "Literatura fantástica y modernidad en Hispanoamérica", en *El relato fantástico en España e Hispanoamérica*. Enriqueta Morillas Ventura (ed.). Madrid, Sociedad Estatal Quinto Centenario, pp. 27-36.

GUYAU, Jean-Marie
1884   *Les problèmes de l'esthétique contemporaine*. París, Alcan, (décima edición, 1921).

GUYAU, Jean-Marie
1962   *The Non-Religion of the Future: A Sociological Study*. New York, Schoken Books.

HAGGERTY, George E.
1989   *Gothic Fiction/Gothic Form*. University Park, The Pennsylvania State University Press.

HALBERSTAM, Judith
1995   *Skin Shows: Gothic Horror and the Technology of Monsters*. Durham, NC., Duke University Press.

HARDING, F. J. W.
1973   *Jean-Marie Guyau (1854-1888) Aesthetician and Sociologist: A Study of his Aesthetic Theory and Critical Practice*. Genève, Libraire Droz.

HAYTER, Alethea
1968   *Opium and the Romantic Imagination*. Berkeley, University of California Press.

HENRÍQUEZ UREÑA, Max
1962   *Breve historia del modernismo*. México, Fondo de Cultura Económica.

HENRÍQUEZ UREÑA, Pedro
1960   "Sociología" (pp. 23-34); "Nietzsche y el pragmatismo" (pp. 73-78), en *Obra crítica de Pedro Henríquez Ureña*, México, Fondo de Cultura Económica.

HUXLEY, Aldous
1932   *Brave New World*. Londres, Chatto & Windus.

HUYSMANS, Joris-Karl
1985   *Là-Bas*. Édición y presentación de Ives Hersant. París, Éditions Gallimard.

HUYSMANS, Joris-Karl
1978   *À rebours*. Cronología, introducción y archivos de la obra por Pierre Waldner. París, Garnier-Flammarion.

KASON, Nancy M.
1988   *Breaking Traditions: The Fiction of Clemente Palma*. Lewisburg, Bucknell University Press.

KASON, Nancy M.
s/f   "The Dystopian Vision in XYZ by Clemente Palma", *Monographic Review/Revista Monográfica*, Vol. 3, Nos. 1-2, pp. 33-42.

KAUFMANN, Walter
1968   *Nietzsche, Philosopher, Psychologist, Antichrist*. Nueva York, Vintage Books, (tercera edición).

KINNARD, Roy
1955   *Horror in Silent Film: A Filmography 1896-1929*. Londres/Carolina del Norte, Mc Farland.

KOSOFSKY SEDWICK, Eve (ver Sedwick).

LE BON, Gustave
1977   *The Crowd: A Study of the Popular Mind*. Introducción de Robert K. Merton. Penguin Books.

LEM, Stanislaw
  1969   "Robots in Science Fiction", en *Science Fiction: The Other Side of
          Realism.* Thomas D. Clareson (ed). Bowling Green, Popular Press,
          pp. 307-319.

LEVINE, George y d U. C. Knoepflmacher (eds.)
  1979   *The Endurance of Frankenstein: Essays on Mary Shelley's Novel.* Berkeley,
          University of California Press.

LEVY, Maurice
  1994   "Gothic and Critical Idiom" en *Gothic Origins Innovations.* Alan
          Lloyd Smith y Victor Sage (eds.), Amsterdam/Atlanta, Rodopi,
          pp. 1-15.

L'ISLE ADAM, Villiers de
  1986   *Oeuvres complètes.* Alan Rait y Pierre-Georges Castex (eds.), París,
          Gallimard.

L'ISLE ADAM, Villiers de
  1988   *La Eva futura.* Traducción de Mauricio Bacarisse, Madrid, Val-
          demar Ediciones.

LITVAK, Lily
  1979   *Erotismo fin de siglo.* Barcelona, Bosch.

LUGONES, Leopoldo
  1963   *Las primeras letras de Leopoldo Lugones.* Guía preliminar y notas de
          Leopoldo Lugones, hijo, Buenos Aires, Ediciones Centurión.

MALTHUS, Thomas Robert
  1979   *An Essay on the Principle of Population and a Summary View of the
          Principle of Population.* Londres, Penguin Books.

MARAGALL, Juan
  1959   "Federico Nietzsche," en *Vida escrita: Ensayos.* Madrid, Aguilar,
          pp. 153-160.

MARTÍNEZ GÓMEZ, Juana
  1991   "Intrusismos fantásticos en el cuento peruano," en *El relato fan-
          tástico en España e Hispanoamérica.* Enriqueta Morillas Ventura (ed.),
          Madrid, Sociedad Estatal del Quinto centenario.

MENDÈS, Catulle
  1910   *Zo-har Roman contemporaine.* París, Bibliothéque Charpentier.

MONLEÓN, José B.
1990   *A Specter is Haunting Europe: A Sociohistorical Approach to the Fantastic.*
        Princeton, Princeton University Press.

MORA, Gabriela
1996   *El cuento modernista: Manuel Gutiérrez Nájera, Rubén Darío, Leopoldo
        Lugones, Manuel Díaz Rodríguez y Clemente Palma.* Lima/Berkeley,
        Latinoamericana Editores.

MORA, Gabriela
1993   *En torno al cuento: De la teoría general y de la práctica en Hispanoamé-
        rica.* Segunda edición aumentada. Buenos Aires, Danilo Albero
        Vergara.

MORA, Gabriela
1997   "Modernismo decadentista: *Confidencias de Psiquis* de Manuel Díaz
        Rodríguez", en *Revista Iberoamericana* 178-179 (enero-junio), pp. 263-274.

MORA, Gabriela
1997   "Decadencia y vampirismo en el modernismo hispanoamerica-
        no: un cuento de Clemente Palma", *Revista de Crítica Literaria Lati-
        noamericana,* 46, pp. 191-198.

MORA, Gabriela
1996   "La granja blanca" de Clemente Palma: relaciones con el
        decadentismo y Edgar Allan Poe", *Casa de las Américas,* 205 (octu-
        bre-diciembre), pp. 62-69.

NICHOLLS, Peter, (ed.)
1979   *The Science Fiction Encyclopedia.* Nueva York, Dolphin Books.

NIETZSCHE, Friedrich
1968   *Beyond Good and Evil* en *Basic Writings of Nietzsche.* Traducción y
        notas de Walter Kaufmann. Nueva York, Random House (The
        Modern Library), pp. 181-435.

NIETZSCHE, Friedrich
1968   *On the Genealogy of Morals* (pp. 439-599) en *Basic Writings of Nietzsche,*
        Walter Kaufmann (ed.), Nueva York, Random House.

NIETZSCHE, Friedrich
1975   *El crepúsculo de los ídolos o cómo se filosofa con el martillo.* Introducción,
        traducción y notas de Andrés Sánchez Pascual. Madrid, Alianza
        Editorial.

NOIRAY, Jacques
1982 *Le Romancier et la machine: L'Image de la machine dans le roman français (1850-1890)*, Vol. II, París, Libraire José Corti.

NORDAU, Max
1968 *Degeneration*. Introducción de George I. Mosse. Nueva York, Howard Fertig.

NÚÑEZ, Estuardo
1965 *La literatura peruana del siglo XX (1900-1985)*. México, Pormaca.

PALMA, Clemente
1895 *Excursión literaria*. Lima, Imprenta de *El Comercio*.

PALMA, Clemente
1897 *Filosofía y arte*. Tesis para optar al grado de doctor en la Facultad de Letras, Lima, Imp. Torres Aguirre.

PALMA, Clemente
1897 *El porvenir de las razas en el Perú*. Tesis para optar al grado de bachiller en la Facultad de Letras. Lima, Imp. Torres Aguirre.

PALMA, Clemente
1901 "Novelas extrañas", *El modernismo*. 1, 5 (enero), pp. 56-58.

PALMA, Clemente
1907 "Ensayo sobre algunas ideas estéticas", *El Ateneo* (Órgano del Ateneo de Lima), Tomo IX, No. 44, segundo semestre, pp. 113-138.

PALMA, Clemente
1908 "La virtud del egoísmo", *El Ateneo* (Órgano del Ateneo de Lima), Tomo X, No. 45, primer trimestre, pp. 109-124.

PALMA, Clemente
1913 *Cuentos malévolos*. Segunda edición, París, Ollendorf.

PALMA, Clemente
1974 *Cuentos malévolos*. Lima, Ediciones Peisa, (reproduce la primera edición de 1904).

PALMA, Clemente
1925 *Historietas malignas*. Lima, Editorial Garcilaso.

PALMA, Clemente
1909 "Notas de artes y letras", *Ilustración peruana* 7. Abril, 1.

PIERRE, Emmanuel
    1967   *Baudelaire: The Paradox of Redemptive Satanism.* Traducción de Robert T. Cargo, Tuscaloosa, The University of Alabama Press.

PIERROT, Jean
    1981   *The Decadent Imagination 1880-1890.* Traducción de Derek Coltman, Chicago, University of Chicago Press.

POE, Edgar Allan
    1970   "The Philosophy of Composition" en *Great Short Works by Edgar Allan Poe.* G. R. Thompson (ed.). Nueva York, Harper and Row, pp. 528-542.

PRAZ, Mario
    1951   *The Romantic Agony.* Traducción Angus Dadidson, Londres, Oxford University Press.

PUNTER, David
    1980   *The Literature of Terror: A History of Gothic Fiction from 1765 to the present day* (dos volúmenes). Londres/Nueva York, Longmans.

QUIROGA, Horacio
    1993   *Horacio Quiroga Todos los cuentos.* Edición crítica coordinada por Baccini Ponce de León y Jorge Lafforgue, Madrid, Archivos de Cultura Económica de España con Ediciones Unesco.

RACHILDE
    1893   *L'Animale.* París, Empris.

RACHILDE
    1926   *Les Hors nature.* París, Flammarion.

RANK, Otto
    1971   *The Double: A Psychoanalytic Study.* Traducción y edición de Harry Tucker, Jr. Chapel Hill, Universidad Carolina del Norte.

REED, John
    1985   *Decadent Style.* Athen, Ohio University Press.

RODÓ, José Enrique
    1928   *Ariel.* Alberto Nin Frías y John D. Fitz-Gerald (eds.), Nueva York, Benj. H. Sanborn and Co.

ROGERS, Robert
   1976   *A Psychoanalytic Study of the Double in Literature.* Detroit, Michigan, Wayne State University Press.

ROYCE, Josiah
   1924   "Jean-Marie Guyau", en *Studies of Good and Evil. A Series of essays upon problems of philosophy and of life.* Hamden, Connecticut, Archon Books, pp. 66-384.

RUKSER, Udo
   1962   *Nietzsche in Der Hispania ein Beitrag zur Hispanischen Kultur und Gestesgeschichte.* München, Francke Verlag.

SADE, Marquis de
   1990   *Justine, Philosophy in the Bedroom and Other Writings.* Compilación y traducción de Richard Seaver y Austryn Wainhouse. Nueva York, Grove Weindenfeld.

SARLO, Beatriz
   1993   "Horacio Quiroga y la hipótesis técnico-científica" en *Horacio Quiroga Todos los cuentos.* Edición crítica y coordinación de Baccino Ponce de León y Jorge Lafforgue. Madrid, Fondo de Cultura Económica de España con Ediciones Unesco, pp. 1274-1292.

SCHACHT, Richard
   1994   *Nietzsche, Genealogy, Morality: Essays on Nietzsche's Genealogy of Morals.* Berkeley, University of California Press.

SCHOPENHAUER, Arthur
   1940   *The Living Thoughts of Schopenhauer.* Presentación de Thomas Mann, Nueva York, Longmans, Green and Co.

SCHRIFT, Alan D.
   1995   "Putting Nietzsche to Work: The Case of Gilles Deleuze", *Niestzsche: A Critical Reader.* Peter R. Sedwick(ed.). Oxford, Blackwell Publishers, pp. 250-275.

SCHWARTZ, Hillel
   1996   *The Culture of Copy: Striking likenesses, unreasonable facsimiles.* Nueva York, Zone Books.

SEDWICK KOSOSFSKY, Eve
   1986   "The Beast in the Closet: James and the Writing of the Homosexual Panic". *Sex, Politics and Scence in the Nineteenth Century Novel.*

Ruth Bernard Yeazell (ed.). Baltimore, MD, The John Hopkins University Press, pp. 146-186.

SEE, Carolyn
1968 "The Hollywood Novel: The American Cheat", *Tough Guy Writers of the Thirties*. David Madden (ed.), Carbondale: Southern Illinois University Press, pp. 199- 217.

SENF, Carol A.
1988 *The Vampire in the Nineteenth Century English Literature*. Bowling Green, State University Popular Press.

SHELLEY, Mary
1963 *Frankenstein or The Modern Prometheus*. Introducción de E. Downe y D. J. Palmer, Londres, J. M. Dent.

SLEINIS, E. E.
1994 *Nietzsche's Revaluation of Values: A Study in Strategies*. Urbana/ Chicago, University of Illinois Press.

SOBEJANO, Gonzalo
1967 *Forma literaria y sensibilidad social: Mateo Alemán, Galdós, Clarín, el 98 y Valle Inclán*. Madrid, Gredos.

STEPAN, Nancy
1985 "Biological Degeneration: Races and Proper Places", *Degeneration on the Dark Side of Progress*. J. Edward Chamberlin y Sander L. Gilman (eds.). Nueva York, Columbia University Press.

STOKER, Bram
1983 *Dracula*. Nueva York, Oxford University Press.

SUVIN, Darko
1979 *Metamorphoses of Science Fiction: On the Poetics and History of a Literary Genre*. New Haven, Yale University Press.

TAMAYO VARGAS, Augusto
1976 *Literatura peruana*. Lima, Librería Studium (cuarta edición).

THOMPSON, G. R.
1973 *Poe's Fiction: Romantic Irony in the Gothic Tales*. Madison, Wisconsin, The University of Wisconsin Press.

THOMPSON, G. R.
    1987   *Poe, Death and the Life of Writing.* New Haven, Yale University
            Press.

TODOROV, Tzvetan
    1973   *The Fantastic: A Structural Approach to a Literary Genre.* Cleveland,
            The Presses of Case Western Reserve University.

TRACY, Robert
    1990   "Loving You All Ways: Vamps, Vampires, Necrophiles and
            Necrofilles in Nineteenth-Century Fiction". *Sex and Death in
            Victorian Literature.* Regina Barreca (ed.). Bloomington, Indiana,
            Indiana University Press, pp. 32-59.

VALERA, Juan
    1961   "El superhombre" (pp. 948-952); "Las Inducciones, de Pompeyo
            Gener", (pp. 1047-1057), *Obras completas.* Madrid, Aguilar.

WAITE, Geoff
    1996   *Nietzsche's Corps/e: Aesthetics, Politics, Prophesy, or The Spectacular
            Technoculture of Everyday Life.* Durham, Duke University Press.

WARREN, Virgil A.
    1940   "La obra de Clemente Palma", *Revista Iberoamericana* 6, No. 2, abril,
            pp. 161-171.

WEIR, David
    1995   *Decadence and the Making of Modernism.* Amherst, University of
            Massachusetts.

WELLS, H. G.
    1977   *The Time machine, The Island of Dr. Moreau, The Invisible man, The First
            man in the moon, The Food of Gods, In the days of the comet, The War of
            Worlds.* Londres, Octopus Books.

WILDE, Oscar
    1989   *The Picture of Dorian Gray. The Complete Works of Oscar Wilde.* Nueva
            York, Harper and Row.

WILLIAMS, Roger L.
    1980   *The Horrors of Life.* Chicago, University of Chicago Press.

YATES, Donald A.
1972 "Clemente Palma: XYZ y otras letras fantásticas", *Literatura de la emancipación hispanoamericana y otros ensayos*. Lima, Universidad Nacional Mayor de San Marcos, pp. 194-199.

ZAVALA, Iris M.
1989 *Rubén Darío: El modernismo y otros ensayos*. Madrid, Editorial Alianza.

ZAVALA, Iris M.
1992 *Colonialism and Culture: Hispanic Modernism and Social Imaginary*. Bloomington, Indiana, Indiana University Press.

ÍNDICE DE NOMBRES

Esta lista excluye el nombre de Clemente Palma, por aparecer casi en cada página, además de los nombres citados en Palabras Preliminares y de los personajes o títulos de obras. El número seguido de **n** indica nota.

CUENTOS SELECCIONADOS
DE
CLEMENTE PALMA

A pedido del director de Publicaciones del Instituto de Estudios Peruanos, señor Carlos Contreras, a quien agradezco su interés y profesionalismo,
he seleccionado cuatro relatos de Cuentos malévolos, a manera de
incentivo para leer y reeditar las obras de Clemente Palma. Dejé de lado
los cuentos más divulgados, como "La granja blanca", "Leyendas de
hachischs" o "Los ojos de Lina", por ser más conocidos y estudiados. Las
narraciones que se reproducen a continuación, igual que los nombrados,
ilustran rasgos decadentistas y góticos que se analizan en el libro, y su
pertenencia al Modernismo hispanoamericano en el cual Clemente Palma
fue el más destacado cultor en el Perú.

GABRIELA MORA

IDEALISMOS

UNA noche encontré en un asiento de un coche de ferrocarril un cuadernito de cuero de Rusia, que contenía un diario. En las páginas finales estaba consignado el extraño drama, que trascribo con toda fidelidad:

Noviembre 14.

Estoy contentísimo: mi buena Luty se muere. Luty era hasta hace poco una muchacha rozagante, alegre y que ofrecía vivir mucho. ¡Quién la reconocería hoy en esta jovencita pálida, delgada y nerviosa! ¡Cuán hermosos eran sus grandes ojos azules y su amplia cabellera de color de champaña! Mi novia se muere y afirman los sabios que ello es debido á la doble acción de una aguda neurastenia y de una clorosis invencible.

Hoy la he visto; tenía la cabeza entre los almohadones de fino encaje, parecía una flor de lis desfallecida. Luty me miró con los ojos brillantes de fiebre y me tendió su mano alba y enflaquecida, que estrechó la mía con misteriosa intención. Me pareció comprender su pensamiento: "No olvides, amigo mío, de poner en mi ataúd pensamientos y gardenias; esas flores amadas que yo he colocado tantas veces en tu pecho; no olvides, amigo mío, mientras los que velen mi cadáver dormiten rendidos por el cansancio y el dolor, no olvides el darme un beso muy largo y apretado sobre los pálidos y rígidos labios". ¡Pobre amada mía! Se moría sin guardarme rencor, y, sin embargo, era yo quien la mataba, yo, que la adoraba. Vosotros, los espíritus burgueses, si leyérais estas páginas no podríais comprender jamás que la muerte de mi adorada prometida, de mi inocente Luty, pudiera alegrarme profundamente. Al contrario sentiríais hacia mí viva repulsión y gran horror por mi crueldad. Bah, pobres hombres!, no pensáis ni amáis como yo, sino que sois simplemente ridículos sentimentales. Quiero á mi novia con todas las energías de mi juventud, —y oídme bien, que esto os espeluznará, como si sintiéseis pasar rozando vuestro pecho una serpiente fría, viscosa y emponzoñada, —si el beso que he de dar á su cadáver pudiera resucitarla... no se lo daría.

Noviembre 18.

Cuando comenzaba Luty su adolescencia le hablé de amor. ¡Pobre nerviosa! El primer amor fué penetrando paulatinamente hasta lo más profundo de su ser. La gestación de su alma, el moldeo de su corazón y de su cerebro se realizó conforme á mi deseo, formé su alma como quise, en su corazón no dejé que se desarrollaran sino sentimientos determinados, y su cerebro no tuvo sino las ideas que me plugo. ¡Oh!, ¡no sé qué prestigio tan diabólico, qué cohibimiento tan absoluto, qué influencia tan poderosa llegué á ejercer y ejerzo aún sobre Luty! Era tan grande la sugestión que obraba mi alma sobre la suya, que podía

hacer llorar á Luty como una chiquilla ó enfurecerla, hacerla
gozar las mayores delicias ideales ó mortificarla con las más
horribles torturas y casi sin necesitar hablarla. Cuando yo iba
donde ella, mortificado por algún pensamiento doloroso ó por
alguna pesadumbre, la pobre muchacha palidecía como un cadáver, como si sintiera súbitamente la repercusión centuplicada
de mis angustias íntimas. Asimismo sentía resonar en su espíritu la jovialidad y la ventura con que el amor inundaba mi alma.
A pesar de la temprana perversión con que estaban contami-
nadas mi filosofía y mi vida íntima, jamás había tratado de
pervertir el alma de Luty, ni de poner en juego sus energías
sensuales. Luty era pura aún, sin malicia, sumida en la ignorancia más profunda de las miserias é ignominias del amor.

Una noche de insomnio, sentí rebullir en mi cerebro la
tentación inicua, y como un escarabajo de erizadas antenas,
sentía agitar el deseo de corromper la inocencia de mi Luty.
¡Ah!, ¡maldito insomnio! Felizmente vi con colores sombríos
el derrumbe espantoso de la pureza moral de mi prometida, vi
la explosión de fango salpicando la albura incólume de su alma.
Yo era el amo absoluto de Luty, el tirano de su vida interior,
¿para qué someterla á una nueva tiranía, á la tiranía innoble de
la carne?; ¿para qué someterla á esa inicua autocracia, en la que
el dogal acaba á la postre por estrangular el cuello de mismo
tirano? Ya era yo bastante infame con haber esclavizado el alma
de Luty. Más de una vez sentí, en las agitaciones del insomnio,
las impulsiones malvadas de mis instintos, y más de una vez
me vencí. Pero ¿podría vencerme siempre? Mi deber era libertarla. ¿Cómo? Casarme con mi novia era sujetarla para siempre
entre mis garras; y mi dignidad, en una violenta sublevación,
rechazaba con horror ese anonadamiento del alma de Luty, esa
absorción de su ser por el mío, ese nirvana de la voluntad, del
pensamiento y del deseo revelados en esa sumisión incondicio-
nal, en esa fe irreflexiva y confiada que había nacido entre las

inocentes expansiones del amor puro y había de terminar en las ignominias carnales de la vida conyugal, en las que muere toda ilusión y todo encanto, para ceder el sitio á una amalgama de animalidad y respeto. Yo la amaba, la amo con todas las fuerzas de mi alma y me horrorizaba, por ella y por mí, el inevitable desencanto, el rebajamiento del espíritu de Luty y al mismo tiempo el remache de esa cruel tiranía de mi alma. Mi deber era libertarla de la demoníaca influencia que yo ejercía sobre Luty, libertarla por un último acto de la tiranía moral, que había de ser la única forma noble posible de mi absolutismo; crear la libertad por un acto de opresión, puesto que ya el regreso á la primitiva independencia era imposible; esto os parece, señores burgueses, una absurda paradoja. Y desde ese momento toda mi labor sugestiva fué la de imponer al alma de Luty la necesidad de morir, la necesidad dulce y tranquila de desaparecer del mundo, de este mundo ignominioso. —Te amo, —la decía mentalmente a mi Luty—, te amo y eres mi esclava. La mayor prueba de amor que te doy es la de romper la cadena que te une á mi ser, envileciéndote; muere, Luty mía, muere sin sufrir, muere de un modo paulatino, como por una recobración lenta é inconsciente de tu dignidad moral...

Noviembre 19.

No hay temor de que mi Luty se salve. Se muere, se muere. Apenas tienen fuerzas sus grandes ojos azules para mirarme y absorber la matadora influencia de mi amor. Luty, con mis caricias apasionadas, con mis frases de amor tóxico, se estremece; y cada emoción de Luty es un salto que da la muerte hacia ella. Bien claro lo dijo el médico: "Evitadla emociones fuertes, que la son mortales..."

Noviembre 21.

Siento la necesidad de evocar recuerdos. Mi obra, desde hace tiempo, ha sido imbuir en Luty cierto pesimismo celestial, ir matándola moralmente con pociones ideales mortíferas. La convencí de que la muerte es una dulce ventura, un premio inefable de los amores profundos y castos, el nudo infinito del amor. Todas mis palabras y mis caricias llevaban escritas con caracteres invisibles, pero hipnóticos, la orden: —"Muere, Luty mía, muere". —Y Yo sentía que desde el fondo de su ser había algo que me respondía: —"Se te obedece como siempre"—. La idea de la muerte era el sedimento impalpable, que quedaba en el alma de Luty, después de todas nuestras conversaciones, aun de las más apasionadas.

¡Oh!, lo recuerdo muy bien. Una noche estrellada estuve hasta muy tarde conversando con Luty en la terraza y haciendo observaciones con el telescopio ¡Qué paseos tan hermosos dimos con la imaginación por los mundos astrales! ¡Todo ello sentada la premisa de la muerte de ambos! Nuestras almas con formas imponderables, unidas en abrazo estrechísimo, cruzaban los espacios planetarios, como visiones del Paraíso de Alighieri. Yo, con amoroso desvarío, prendía á Aldebarán, rojo como un rubí incendiado, en los rubios cabellos de mi amada; arrancaba perlas á la Vía Láctea y formaba collares para la garganta de Luty. Luego seguíamos en maravillosos zizás, recorriendo eternamente mundos encantados, en donde los seres tenían sentidos nuevos, en donde la corporeidad desaparecía y las formas se esfumaban entre gasas sútiles y tules luminosos... En Urano vimos una flora colosal, en que las rosas eran como catedrales y entre los pétalos vagaban microzoarios humanos, de formas vaporosas, repartidos en enamoradas parejas, que se entregaban á deliquios sublimes, aspirando deliciosas fragancias. Luego seguíamos subiendo; siempre teníamos delante mundos nuevos, y á cada instante encontrábamos en nuestro camino amantes, como nosotros, que hacían la misma peregrinación. La ruta era interminable, eterna; la creación es infinita. Con frecuencia nos deteníamos para ver algo esplendoroso: ya era un cometa que surcaba el abismo, ya la explosión de una estrella. Vimos llegar á Venus trayendo sus idilios de amor: pequeñita, lejana primero, creció luego, creció hasta que percibimos sus enormes bosques perfumados, poblados por hermosas jóvenes, bellos mancebos y niños alados que atravesaban las praderas, bailando bulliciosas farándulas y luego se perdían en la poética umbría de una selva. Pasó Venus ante nuestros ojos deslumbrados con tanta dicha, y bien pronto se confundieron los suspiros, los besos y los cantares de ese mundo feliz, con el estallido de un bólido chispeante ó con el zumbido de algún cometa que pasaba agitando su deslumbradora cauda...

Para ver esto era necesario morir: morir joven, morir antes de que la vida nos encenagara y obturase nuestra facultad de apreciar las bellezas del ideal; cortar á tiempo la cuerda que sujetaba el globo cautivo de nuestra alma á las miserias de la tierra. Luty entusiasmada, anhelosa, viajaba conmigo por las profundidades insondables del Cosmos. Temblorosa, cogida á mi cuello, me escuchaba desvanecida, como si sintiera el vahído de lo infinito; sin sospechar que detrás de mi narración estaba embozado, como un bandido hidalgo, mi deseo de verla muerta, de verla libre de esa tiranía infernal á que la tenía sujeta.

Poco después Luty cayó enferma, con gran contentamiento mío, y entonces continué con más bríos mi obra matadora. La anemia, esa enfermedad romántica, acudió en auxilio de mis deseos y de mi trabajo sordo. Luty se muere; sus nervios enfermos y espoleados por mí, contribuyen eficazmente á estrangular, en una red de emociones vivísimas y de extravagancias increíbles, esa vida que yo deseo aniquilar. Hoy Luty está agonizando, es decir, está reconstituyendo su dignidad moral de persona; resucita...

Noviembre 21 [3 a.m.]

Todo ha terminado; Luty ha muerto; ha muerto tenuamente, como yo deseaba, contenta, feliz, satisfecha de mi amor, sospechando acaso con la lucidez de los postreros instantes, mis escrúpulos por su esclavitud y mi alegría profunda y noble por su muerte. Creo que me agradece mi conducta. Guardo en mis labios, como un tesoro, su último beso; el de la cita para la eternidad venturosa.

¡Pobre Luty! Siento alegría melancólica de haberla libertado y, además, la satisfacción de haber creado su alma y haberla extinguido. ¿Contribuye esto á hacer impura mi alegría? No sé; pero pienso que quizá si la felicidad es, más que el poder de crear, el placer de destruir.

Ahora comprenderéis, espíritus burgueses, que desear y cooperar en la muerte de una novia joven, bella, inocente, amada y amante, no es, en ciertos casos, una paradoja espeluznante, ni mucho menos una crueldad espantosa, sino un acto de amor, de nobleza y de honradez.

(CLEMENTE PALMA, *Cuentos malévolos*,
París: Librería Paul Ollendorff, 1913)

UN PASEO EXTRAÑO

(EXTRAVAGANCIAS DE MI HERMANO FELICIANO)

UNA mañana fuí á visitar á mi hermano Feliciano para que hiciéramos el arreglo y partición de una fuerte suma que constituía la renta anual de un vasto inmueble que por una cláusula del testamento de nuestra madre debíamos conservar indiviso.

Encontré á mi hermano en su gabinete, muy ocupado en hacer abrir unos cajones que le habían llegado. Después de saludarle comprendí que Feliciano no encontraba muy oportuna mi visita, porque proyectaba probablemente alguna de sus acostumbradas extravagancias y á él le gustaba prepararlas misteriosamente y realizarlas sólo en unión de personas de su calaña nerviosa.

—Vengo á hablarte de negocios —le dije sentándome junto á una mesa de lectura y fingiendo no prestar atención á sus trabajos.

—Hermano, si es algo que se pueda aplazar, te confieso que preferiría que nos ocupáramos de ello cualquier otro día... Ya ves, hoy estoy distraído con esto que acaba de llegarme... además, he dormido poco y no tendría cabeza para cálculos y combinaciones.

—Oh, no te preocupes de eso; el asunto que me trae no es
de muchas cavilaciones, esperaré á que acabes de despachar tu
asunto. Después almorzaremos; me invito, y de sobremesa ha-
blaremos. Sigue, pues, que yo no te estorbo.

Bien sabía que mi hermano hubiera preferido que me
largara. Me puse á hojear los libros que había sobre la mesa.
Estaban una curiosa edición del *Gentibus Septentrionibus*, de Olaus
Magnus, llena de candorosos grabados en madera representan-
do hombres, países y monstruos; la *Cosmographia*, de Munster,
edición de 1596; la *Geographia*, de Strabón, edición de 1562;
la edición latina de 1570 de Dioscórides; otra de los *Viajes* de
Marco Polo; el *Hortus Malabaricus*, de Rhede; el libro de los
Monstruos, de Aldobrandí; antiquísimas cartas geográficas y
derroteros seguidos por infinidad de navegantes de antaño in-
clusive el *Períples*, de Hannon el Cartaginés, y colecciones de
vetustas láminas de orquideas, criptógamas, moluscos y animales estrambóticos dibujados con la torpeza técnica de los
dibujantes primitivos.

—Cualquiera diría que piensas hacer algún viaje ideal á la
antigua Trapobana ó á las tierras del preste Juan de las Indias.
La verdad es que el viajero moderno estaría lúcido si fuera á
creer en todas estas paparruchas y se guiara por estas narraciones
fabulosas y derroteros tan inexactos como enrevesados.

—Efectivamente, pienso hacer un viaje —me respondió
mi hermano un tanto turbado ó, mejor dicho, fastidiado con
mi mal disimulada curiosidad; —voy á recorrer un país no menos
extraño y curioso que los que describen Olaus, Munster y Marco
Polo, y en el que seguramente encontraré una flora y una fauna
más interesante que la descrita por Rhede y Aldobrandí. No
acepto tu desdén por los antiguos viajantes; más fe me merecen
las referencias que ellos hacen de sus andanzas que las ridículas
y falsas descripciones de los viajeros modernos.

Mientras miraba yo los libros de mi hermano y éste hablaba con su mayordomo, me fijaba de reojo en las diversas piezas que sacaban de las cajas. Al principio creí que se trataba de una armadura de caballero medioeval, pero fijándome mejor vi que se trataba de una escafandra. Después del almuerzo pude hablar con Feliciano del asunto que me había llevado, asunto que, como era natural, se arregló satisfactoriamente. Antes de despedirme de mi hermano procuré indagar algo sobre su próximo viaje, pues la curiosidad á la vez que el temor me tenían inquieto. Probablemente sería una humorada de hacer el Robinsón por algún tiempo en alguna isla desierta, en las condiciones más peligrosas y extravagantes, como era todo lo que mi hermano ideaba en el delirio de sus estupendas borracheras. Nada pude obtener y sólo llegué á arrancarle la promesa de referirme, á su regreso, las aventuras que hubiera tenido.

Al cabo de un mes, durante el cual nos vimos tres ó cuatro veces, recibí una esquelita de Feliciano pidiéndome órdenes. Á la mañana siguiente fuí á su casa para averiguar el día de su partida y poder acompañarle hasta el vapor ó lo que fuera. Iba conmovido porque dados el carácter y la imaginación estrambótica de mi hermano y dada su afición á la bebida, era muy posible que tuviera alguna ventura que le costara la vida. El mayordomo me advirtió que mi hermano estaba durmiendo, pues se había acostado de madrugada. Esperé hasta las doce leyendo en su gabinete un curioso libro titulado *Cosas admirables y más admirables elogios de ellas*, publicado en el año 1676 por la casa impresora de Reineri Smeti. Entre los elogios había uno titulado *Elogio de las pulgas* por Celio Calcagnini; otro de las moscas, por Francisco Scriban; otro de la fiebre, por Juan Menap; otro de las sombras, por Juan Dansa, y finalmente uno de la sordera por M. Schecki. Cuando entró mi hermano me saludó muy cariñosamente.

—¿Cuándo es tu viaje? Recibí ayer tu esquela.

—Mi viaje pertenece ya á la historia antigua.

—Ah, comprendo... fué un proyecto al que has renunciado; sin embargo, tu arrepentimiento es muy reciente, pues ayer pensabas emprenderlo.

—Te engañas, hermano, mi viaje ya se realizó.

—¿Cuándo?

—Ayer.

—En sueños, probablemente.

—No, de un modo efectivo; y para que te convenzas te cumpliré la promesa que te hice de referirte las peripecias.

Encendimos los cigarros y Feliciano me refirió poco más ó menos lo que en seguida paso á narrar:

El mismo día en que Feliciano recibió su escafandra quiso probarla, y para ello hizo llenar de agua la amplia tina de mármol en que se bañaba. En los primeros ensayos no estuvo feliz, pues, á veces, la cantidad de aire respirable que se producía en el depósito no era suficiente, y el nuevo buzo se veía acometido por las angustias de la sofocación. Pero al fin logró normalizar la producción de oxígeno. Durante dos semanas transformó su cuarto de baño en alcoba, en la alcoba más estrambótica del mundo. Hizo introducir en la tina un colchón de algodón y una almohada, y por un mecanismo semejante al de las incubadoras de microbios, logró mantener la temperatura del agua entre 30 y 38 grados de calor. Respiraba el aire atmosférico por medio de tubos de caucho que remataban en flotadores. De noche se desnudaba gravemente como si estuviera en su domicilio, se ponía su casco de buzo, encima una camisa de dormir, cogía un libro y se acostaba. La luz de la palmatoria le llegaba á través de las capas líquidas con una gran fuerza. Las imágenes de todos los objetos del cuarto tomaban proporciones enormes, y cuando agitaba la superficie del agua con una chapoteada, las imágenes de los objetos se entregaban á una danza infernal, en la que las líneas y colores de un objeto se precipitaban sobre las del otro, se enredaban, se anudaban sin concierto, hundiendo por ejemplo el lavatorio deformado dentro de las carnes destrozadas de una *Niove* de mármol. En cuanto Feliciano se acostaba se ponía á leer hasta que le venía el sueño, y entonces, con un abanico apagaba la luz, arrojaba el libro convertido en una papilla y dormía como un bienaventurado.

Un día se le ocurrió exagerar su *invento* é hizo traer una docena de barbos, peces rojos, ranas y otros animales de río, para darse el placer de verles pasar entre sus ojos y las páginas. Por fin, Feliciano se cansó de esta diversión, y una mañana despidió bonitamente á las ranas y peces por el ancho desagüe de la tina. Además, una de aquellas había tenido la desvergüenza de devorarle una parte del colchón y de morderle los tubos de caucho que conducían el aire exterior, y en una ocasión se despertó ahogándose con el agua que se le introducía por la boca y la nariz.

Pero Feliciano no había hecho traer su escafandra para dormir con ella, sino con otro objeto. Una noche, á las dos, salió de su casa vestido con la escafandra bien provista de oxígeno, dos lámparas y una piqueta. Levantó la tapa del buzón que había en el centro de la calle, y por medio de una escalera de cuerda se sumergió en el obscuro reino de las alcantarillas, en esa red sinuosa de callejas de un metro de ancho, que constituye todo un mundo subterráneo, toda una ciudad con sus calles y sus habitantes. Á modo de un turista se había provisto mi hermano de un plano del alcantarillado. Caminó algunos pasos y se vió envuelto en una obscuridad espesa, dura, que apenas podía romper la luz de la linterna. El agua le llegaba en algunos sitios á la rodilla y en otros hasta el vientre. Su entrada produjo una verdadera revolución. Millones de cucarachas rojas se pusieron en movimiento: estaban azoradas con la luz y muchas se precipitaban locas sobre Feliciano, pataleando para impedirle que avanzara. Se oía el zumbido de su torpe vuelo como el soplo de una tormenta ligera. Feliciano veía brillar sus microscópicos ojillos preñados de ira y estupefacción. La pared estaba tachonada de puntitos que tenían el brillo de la miel y todo eso se agitaba, subía, bajaba, huía, atacaba, se desplomaba sobre el agua y volvía á subir para volver á caer sobre el importuno. Había sitios en los que el muro se había derrumbado y formado pequeños montes de barro y piedras, y sobre los que tenía que pasar Feliciano; allí tenían los sapos su madriguera; allí también había culebras inofensivas y lombrices, que al ser pisadas por Feliciano se enroscaban á sus pies en los estertores de la agonía. En otros lugares, la bóveda estaba tachonada de unas pequeñas masas colgantes que parecían higos: eran murciélagos que dormitaban, y al despertar observaban inquietos las maniobras de mi hermano, al que luego seguían dando torpes vuelos, cegados por la luz y chocando frecuentemente contra el casco y la linterna.

Sobre una piedra saliente estaba el cuerpo de un perro; brillaba desde lejos por efecto de la putrefacción, como si estuviera bañado de fósforo líquido. El cuerpo del animal estaba cubierto de innumerables bestiecillas asquerosas que pululaban, se introducían en las entrañas y salían por la boca, las vacías cuencas ó por las devoradas ancas. ¡Qué horribles bichos! Sembrados de pelos y con los cuerpos glutinosos los unos, con caparazones y antenas los otros, éstos largos como anguilas, aquéllos cortos y con los ojos saltados como cangrejos; con ventosas los de aquí, á modo de pulpos, los de más allá negros y pesados y con alas como pequeños cerdos ó pequeñas tortugas que intentaran transformarse en mariposas. Todo aquello era una sorda labor de vida monstruosa, un reino de pesadilla con una fauna grotesca y liliputiense que hervía en el misterio. De vez en cuando pasaba rápidamente un murciélago y se llevaba á la más rolliza y entretenida alimaña. Al separarse Feliciano de ese sitio ensartó al perro en la piqueta y lo arrojó el agua con su hervidero de comensales.

En otra calle, en una hondonada de la piedra del muro vió un animalejo del tamaño de un puño; dirigió la linterna hacia él: era una enorme araña en cuyo vientre podía caber un colibrí. La araña le miraba con sus ocho ojillos fulgurantes y emponzoñados, como las puntas de ocho flechas empapadas en curare. Estaban erizados sus pelos, y sobre el coselete se veía la palpitación ansiosa de un luchador que espera la agresión; el mecanismo de sus colmillos se agitaba pausadamente. La araña reposaba sobre los restos de otros animaluchos que habían caído en sus estrategias feroces. Feliciano la contempló un rato, reflexionando en toda la crueldad de ese animalejo que en medio de ese mundo tenebroso era un tigre, con todas las astucias y ferocidades de un felino. Feliciano la azuzó con la punta de su dedo enguantado, la bestezuela mordió y entonces mi hermano la atravesó con su pica.

En otro lugar encontró un matrimonio de escuerzos; la enorme bocaza de los dos animales parecía contraída por una sempiterna sonrisa, en tanto que las miradas de sus ojos parecían perderse en ensueños de una voluptuosidad estúpida. Los chupos y vejigas de sus cuerpos trasudaban una especie de resina asquerosa. De un puntapié les arrojó mi hermano al agua y allí se sumergieron alegremente, para posar después sus amores sobre otra piedra.

Feliciano continuó su paseo entre una nube de cucarachas y murciélagos, despertados por el ruido de una carreta que pasó estremeciendo la bóveda. En aquel sitio las aguas infectas arrastraban inmundicias y detritus de formas y coloraciones infinitas. El agua le llegaba allí hasta el pecho. Parecía aceite, tal era su densidad saturada con el deshecho de miles de organismos humanos. La vida y la muerte tenían allí su factoría misteriosa, entre esas masas que flotaban cubiertas de hongos y raras herborizaciones engendradas por la tiniebla y la humedad. De esa obscura alquimia de la descomposición y de la podre surgían millones de organismos vegetales y animales, que á la vez que eran formas de la vida contenían todos los poderes de la muerte. Una gota de esas aguas infiltrada en una vena humana habría producido el tifus, la tuberculosis, el cólera, la viruela, el cáncer ó la lepra. Había allí todo un mundo de seres indescriptibles, seres con órganos atrofiados ó con nuevos órganos que parecían creados por la fantasía de un loco ó por el enlace sexual de anfibios con plantas acuáticas, al modo de esa fauna extravagante de las viñetas. Las piedras estaban cubiertas de hongos y líquenes de variadísima coloración. Las había grises que parecían una cabeza tiñosa; la había amarillas que simulaban purulencias; otras suavemente purpúreas, que habían el efecto de quistes cancerosos; blancas y apelotonadas como desborde de sesos. Todo allí tenía la coloración de la ferocidad; así, los hongos tenían la corteza con jaspes, como la piel de una serpiente ó de un tigre real; los helechos parecían manojos de víboras y el rojo de los musgos, al bordear los hoyos, parecía sangrienta presa retenida en las sombrías fauces de una fiera...

Al dirigir Feliciano la luz de la linterna por las paredes observó que había varios agujeros, disimulados bajo las herborizaciones. Vió relucir dos puntitos luminosos: al principio creyó que eran dos gotas de agua: eran los ojos de una rata; luego asomaron otras y de todos los huecos salieron las cabezas de estos roedores. De improviso saltó una rata que chocó contra el casco de Feliciano, y otra, y otra, y cien más que le atacaron con verdadera saña. De todas partes salían ratas que se precipitaban á morder el caucho de sus pantalones. Feliciano se dió cuenta del inminente peligro que corría de ser devorado por esas feroces bestiecillas, colocó la linterna entre dos piedras y blandió la pica; de cada golpe mataba cinco ó seis, hasta que comprendieron lo infructuoso de su ataque y huyeron á sus madrigueras.

Uno de los buzones estaba abierto, y al pasar por debajo Feliciano había dos perros curiosos que atisbaban ladrando; al verle, huyeron dando ahullidos lastimeros, espantados de su extraño aspecto.

En seguida regresó Feliciano; ya la luz del alba se veía por el buzón. Cuando llegó á su casa se desvistió, se bañó y se acostó, con la imaginación llena de visiones. Le parecía que había hecho con Virgilio la travesía de los siete círculos del infierno, de un infierno acuático, en el que las sabandijas eran las almas penadas; Paolo y Francesca, esos dos inmundos escuerzos á quienes arrojó de una patada, y Ugolino, el conde antropófago á quien el hambre hizo devorar los cadáveres de sus hijos, esa araña gigantesca que le miraba con sus ocho ojillos relucientes como las cabezas de ocho alfileres de oro.

(CLEMENTE PALMA: *Cuentos malévolos*. París: Librería Paul Ollendorff, 1913).   (CLEMENTE PALMA: *Cuentos malévolos*.
    París: Librería Paul Ollendorff, 1913).

EL PRÍNCIPE ALACRÁN

MI hermano Feliciano no había regresado á dormir y resolví acostarme sin esperarle más tiempo. En esa época aun vivíamos juntos. Seguramente el muy borracho se había quedado dormido bajo algún banco de la taberna á la que acostumbraba ir. Ya me tenían desesperado sus vicios y pensaba arrojarle de casa al siguiente día, pues se había imposible la vida común, llevando él, como llevaba, una vida tan desastrada y escandalosa.

Creo haber dicho en alguna ocasión que Feliciano y yo éramos gemelos. ¡Malhaya la hora en que fuimos engendrados! Desventurada ocurrencia de la Fatalidad de traernos al mundo con pocas horas de intervalo, y, lo que es peor, con rostros y cuerpos tan semejantes! Los sabios que se dedican á estudios de psico-fisiología no consideraban entre las causales que pueden romper la identidad del *yo* la semejanza absoluta de dos cuerpos: Antes de seguir la relación de un extraño episodio de nuestra vida, voy á explicar brevemente uno de los muchos fenómenos psicológicos que se realizaban en mí, con lo cual creo prestar un positivo servicio á la ciencia.

Un actor contraído al estudio de un carácter que necesita interpretar, puede preocuparse tanto de su asimilación que llegue á sentir realmente en su alma el yo del personaje que estudia. Entre mi hermano y yo se realiza frecuentemente, y sin propósito intencionado, este fenómeno, debido sin duda no sólo á la identidad de nuestras personas físicas sino también á la confusión de nuestros espíritus en las tenebrosidades de nuestra vida fetal común. Desde pequeños éramos tan semejantes de cuerpo y de rostro que *á nosotros mismos nos era absolutamente imposible distinguirnos.* Cuando estábamos igualmente vestidos y en una situación incolora de espíritu, la semejanza de los cuerpos y la entonación idéntica de la voz nos causaban el efecto de que *ambos éramos incorpóreos.* ¿Por qué? Porque ambos teníamos conciencia de la distinción de nuestra persona interna, pero no así *de la de nuestros cuerpos.* Á la muerte de nuestro padre (nuestra madre murió al darnos á luz) heredamos una cuantiosa fortuna consistente en dinero depositado en bancos, acciones de varias empresas florecientes, una fábrica de telas de seda acreditada, y varios inmuebles urbanos. Continuamos viviendo en la casa paterna y sucedía que cuando Feliciano ó yo teníamos que salir á nuestros personales asuntos me invadía de pronto la mortificante duda sobre mi personalidad: ignoraba *cuál de los dos cuerpos, el que se iba ó el que se quedaba, era el mío.* —¿Qué rasgo distintivo y personal me puede garantizar que yo soy Macario y no Feliciano? —me preguntaba yo lleno de angustia, y sólo porque comprendía que se reirían de mí si no detenía al primer transeúnte para decirle: —Me he perdido dentro de mí mismo; ayudadme á encontrarme. —La duda y las angustias crecían contemplando un gran retrato fotográfico que nos habíamos hecho juntos: —¿Soy yo el de la derecha, ó el de la izquierda? El mismo rostro tienen ambos, la misma actitud, la misma expresión. —Y si yo no podía distinguir las imágenes ¿había acaso algún dato nuevo tratándose de las personas mismas? —Feliciano se emborracha y yo no —me decía procurando serenarme; —luego no soy Feliciano sino Macario. —¿Y por qué ha de ser Feliciano y no Macario quién bebe? Y aunque así fuera ¿quién te asegura que el que ha salido es el uno y no el otro? —Hombre... vamos, porque *tengo conciencia de no beber.* —Perfectamente, amigo; pero ¿de quién es esa conciencia? —Mía. —Sí, ya lo sé ¿pero tú quién eres? —Macario —¿Y por qué no Feliciano? —Y así seguía dialogando conmigo mismo y regresando siempre á la misma duda, y era tal la excitación nerviosa que experimentaba que al fin me *sentía borracho.* Y entonces ¡cosa extraña! en vez de ser mayores mis confusiones y tormentos me tranquilizaba, me convencía, me resignaba á ser Feliciano y, rendido por la fatiga, quedábame dormido. Es ocioso referir las confusiones, cómicas muchas veces, en que incurrían nuestros amigos... Un día, por común acuerdo, pues convenía á nuestros intereses, fuímos donde un notario público y en presencia de varios testigos nos hicimos *tatuar,* mi hermano y yo, una F y una M respectivamente, en el brazo, cerca de la mano. En seguida publicamos en los diarios de la localidad un anuncio para que los que por cualquier asunto quisieran verificar nuestra identidad nos exigieran les mostráramos la marca que llevábamos en el brazo derecho. Pero esto en nada resolvía el problema psicológico, la duda íntima, porque ¿quién podía asegurarme que el tatuaje no había sido hecho equivocadamente y que la M grabada en mi brazo no correspondía á Feliciano?... Lo más que podía deducirse es que para los negocios y el contacto con el mundo teníamos *personalidad convencional,* de adopción.

Reanudemos nuestro relato. Decía que Feliciano probablemente se había embriagado y dormía encima ó debajo de algún banco de su taberna favorita. Y decía también, que ya me tenía desesperado su desastrada vida. Constantemente tenía que interesarme por él y pagar gruesas multas y fianzas, que luego á prin-

cipios de trimestre, me reembolsaba de la buena parte de renta
que le correspondía.

En muchas cosas diferíamos de gustos y opiniones y con-
tinuamente estábamos disputando, terminando por lo general
nuestras reyertas en mutuas burlas y hasta en mutuos insultos.
Imposible discutir serenamente con Feliciano: era intratable.
Cuando yo le llamaba: ¡borracho! él me decía en el mismo tono
irritado: ¡morfinómano! Y los dos teníamos razón en esto, pues
lo confieso, si mi hermano se embriagaba por la boca yo me
embriagaba por la piel. De todos modos, con mi vicio ó manía
yo no provocaba escándalos y, aun cuando amaba entrañable-
mente á mi hermano, me era imposible seguir viviendo con él.
Resolví que nos separáramos.

Con estos pensamientos me quedé dormido esa noche, no
sin haberme dado antes una inyección con mi fina jeringuilla
de Pravaz. Comenzaba á quedarme dormido cuando sentí en
mi despacho un ligero ruido. No hice caso al principio. En el
suelo y junto al escritorio tenía yo varias docenas de libros para
el encuadernador. Estaban en revuelta confusión los autores más
opuestos en inspiración y en épocas: el *Orestes* de Sófocles y una
edición antigua de la *Vida de la beata Cristina de Stolhemm*; una edición de 1674 de la *Vida y hechos del Ingenioso Hidalgo*, que faltaba en
mi colección de *Quijotes*; el *Wilhem Meister* de Goethe, y *L'Animale*
de Rachilde; las *Disquisitione Magicarum*, de Martín del Río y *Zo'Har*
de Méndes; la *Parerga* de Shopenhauer y un ejemplar de la *Justina*
del divino marqués: *To Solitude* de Zinmermann y muchos libros
más que no recuerdo. La persistencia del ruido comenzó á irri-
tar mis nervios: parecía como si un pequeño gnomo se entretu-
viera en saltar entre los libros, rascar las cubiertas y trasportar
las letras de una obra á otra.

Me imaginaba yo, arrastrado por mi excitada fantasía, que
el caballero manchego se había empeñado en desaforada batalla
con algún súcubo del libro de Del Río; ó que la protagonista de

L'Animale había seducido al vengador Orestes ó al desventurado La Roquebrusanne de *Zo'Har.* Canséme al fin de idear extravagancias: deseaba dormir, y los continuos saltos, roces, chirridos, desgarraduras y choques me despertaban en cuanto comenzaba á hundirme en las deliciosas regiones del sueño. Me puse unas chinelas, encendí luz y fuí á averiguar qué era lo que producía esos ruidos. Levanté un libro: era la *Parerga*, y salió de debajo un enorme alacrán negro erizado de pelos y armado de una formidable púa en la extremidad de la cola. No sé por qué me pareció que el horrible bicho levantó hacia mí sus patas delanteras en actitud de implorar clemencia: tuve un segundo de conmiseración y pensé dejarle con vida. Pero pensé también que si tal hacía esa fea alimaña continuaría royendo mis libros y haciendo el ruido infernal que no me dejaba dormir. Era un hermoso ejemplar negro, que tenía grabado en el caparazón del torax algo así como una corona ducal del color del carey. No hubo perdón, resolví matarle y le solté. Apenas el bicho se vió en libertad intentó huir, pero yo di un rápido salto y caí con precisión gimnástica encima de él, aplastándole ruidosamente. Quedó en la alfombra un conjunto informe de diminutas vísceras, pedazos de caparazón, tenazas, patas y pelos: todo flotando sobre líquidos turbios y sanguinolentos.

Volví a acostarme tranquilamente en mi lecho. Á poco sentí un ligero ruido como de algo que se arrastrara. —¡Si habré dejado vivo á ese bicho! —pensé. Pero no, era imposible: no había quedado un solo fragmento de la bestiecilla en condiciones de moverse. Cesó el rumor y me quedé dormido, olvidándome de apagar la luz.

De pronto desperté; miré en torno mío y quedé frío de terror: por todas partes estaba rodeado de alacranes que agitaban pausadamente las tenazas de sus extremidades anteriores haciendo un ruido de mandíbulas que masticaran. Infinidad de ojillos fosforecentes y bizcos me miraban con fijeza codiciosa. Veía brillar los accidentados tórax á la luz tenue de mi lamparilla verde: de las articulaciones y de los pelos salía un sudor rubio, viscoso como la miel. Y las erguidas colas se inclinaban hacia adelante ostentando sus púas agudas y ponzoñosas. Por todos lados subían á mi lecho. Unos trepaban por las cortinas y, á fin de no perderme de vista, se arqueaban horrorosamente; otros colgábanse con la púa de los cordones y borlas, columpiábanse en ellos y pasaban á una pulgada de mis espantados ojos sus tenazas erizadas de dientes. Espiaban mis movimientos y de sus ojillos fluía una fulguración oleosa y fosfórica como la de los ojos de los búhos. Y los sentía caminar, enredándoseles los pelos hirsutos de las patas en el brocado de la sobrecama. El suelo de mi habitación estaba cubierto de escorpiones: los más pequeños tendrían la longitud de mi brazo. Los más vigilantes estaban á los bordes de mi cama, se cogían fuertemente con las patas delanteras y estiraban la cola á los que estaban en el suelo para que éstos subieran, y, al hacerlo, producían un ruido seco como de cueros ó cáscaras frotadas. Uno de los escorpiones quiso subir al dosel de mi lecho, desde la cabecera; le veía en la actitud replegada del salto: esperaba que uno de sus congéneres que se columpiaba en una de las borlas, pasara cerca de él.

—¡Dios mío —pensé—, si yerra el salto va á caerme encima!

Y esperé helado de espanto. El animal saltó y se cogió al caparazón del otro, pero le hincó en la carne por las junturas: el herido se revolvió irritado y, casi en el aire, lucharon varios segundos á dentelladas y colazos, cayéndome en el pecho una gota de sangre fría y hedionda. ¡Qué horror! Yo tenía la piel cubierta de esos granitos que engendra el espanto, y debía tener los cabellos más derechos que alfileres. Mientras mayor número subían, eran más amenazadores y con mayor saña me dirigían sus venenosas púas y formidables tenazas; como el número crecía, los escorpiones se apiñaban contra mí, caminaban los unos contra los otros, luchaban y rozaban sus cuerpos fríos, peludos y melosos con mis brazos y mejillas.

Sentía el vaho fétido de sus fauces deformes, de las que salía
un gruñido. Lo más curioso era que yo entendía como si fueran *palabras coherentes* los gruñidos de esas alimañas, y repercu-
tían en mi intelecto sus ideas feroces de venganza. Lo que
entraba en mi oído como un sonido puramente animal se
recomponía en mi intelecto y formaba frases y períodos perfectamente claros, expresiones concretas, imprecaciones y ame-
nazas de un sentido distintamente humano. Comprendí que
venían á vengar la muerte sin compasión que yo había dado
á su rey; comprendí que sólo esperaban una orden para
devorarme: unos me hundirían las púas en los ojos; otros co-
gerían mi lengua entre las tenazas y me la arrancarían; otros
penetrarían por mi ensangrentada boca á las entrañas y me
sacarían el corazón y los intestinos. No podría huir, porque
había escorpiones en las paredes, en el techo, en el suelo, en
todas partes, y en cuanto pretendiera escapar ó tocar el timbre de la servidumbre, caerían de lo alto sobre mí. El corazón
se lo comería la reina y con mis huesos harían un túmulo á
mi víctima. Yo había sido un ingrato al llevar el luto á esa
generosa raza; á ella debía el no tener hormigas ni arañas en
mis habitaciones... ¡Oh! no quedaría un solo escorpión que
no mojara las patas en mi sangre impía: todo sería obra de un
momento y sólo esperaban que viniera la reina y diera la señal. Cada minuto que trascurría aumentaba la saña y la im-
paciencia de esos inicuos bicharracos; los crujidos de dientes
eran cada vez más horrorosos; los que estaban sobre los almohadones me tiraban de los cabellos y golpeaban mi frente con
sus colas; otros me cogían las orejas y los dedos de los pies
entre las tenazas y apretaban, apretaban... Al menor movimiento que yo hacía dirigían sus armas contra mí y se prepa-
raban á saltar. No me quedaba otro recurso que el resignarme
á morir de un modo tan cruel. De pronto oí un crujido más
fuerte.

—¡Dios mío! ¡Es la señal! —murmuré en una convulsión de terror—. ¡Adiós, Feliciano, hermano mío! ¡Oh Dios misericordioso, perdóname todo lo que he blasfemado contra tí! ¡Cuánto me arrepiento de haberte ofendido con una vida tan llena de pecados y depravaciones! ¡Dios magnánimo, Jesús sacramentado: recibe mi alma en tu seno piadoso! Padre nuestro, que estás en los cielos, santificado sea tu nombre y hágase tu voluntad...

Quise cerrar los ojos, pero el terror había petrificado mis párpados. Sentí que los furiosos animales tiraban de la sobrecama. Sería para comerme más fácilmente. Un alacrán negro, hiperbólicamente grande, se irguió encima de los demás; estaba cubierto de telarañas enredadas entre la cabeza chata y horrible, las velludas patas y la espiga de su ponzoñosa cola. Tenía grabada una corona en el coselete toráxico. Un sacudimiento de horror contrajo todo mi cuerpo. Aquel bicho tenía las dimensiones de un muchacho. Avanzó lentamente hacia mí en el espacio que le abrieron respetuosamente los demás escorpiones. Cuando su espantable cabeza estuvo á la altura de la mía, mientras con los tenazas me sujetaba los brazos, me dijo:

—¿Á dónde se ha ido tu orgullo de hombre, tu valor, tu vanidad de ser inteligente? ¡Ah débil, ruín, cobarde y miserable criatura! Hace poco dejaste un reino sin rey: pensabas que el equilibrio del universo no se rompería con el despachurramiento de un bicho despreciable al que, te imaginaste, su especie no vengaría, y viniste tranquilamente á tu lecho á dormir, sin el más pequeño peso en la conciencia. Te has engañado doblemente porque el ser despreciable eres tú; tú, el ser cuya desaparición será indiferente al universo; tú, el hijo predilecto de la creación; tú la imagen y semejanza de Dios; no contabas con que la especie de tu víctima se vengaría de tu impiedad... No tuviste clemencia con un pobre rey que te imploraba la vida, justo es que no la tengamos contigo.

—¡Perdón, reina, perdón!... —murmuré gimiendo y cas-
tañeteando los dientes. No sé por qué mi espíritu se aferró á la
esperanza y percibió en el acento, en el fondo de esas palabras
crueles, menos crueldad de la que significaban. Y no me enga-
ñé. La reina de los escorpiones me respondió lentamente:

—¡Te perdonaré si reparas tu delito!

Hubo una formidable agitación de furia en torno mío. La
promesa irritó á los escorpiones y las colas y las tenazas erguidas se dirigieron amenazadoras hacia mi cuerpo.

—Tendré clemencia contigo —insistió con firmeza la reina—, ¿Sabes lo que buscaba el rey entre tus libros? Buscaba la
ciencia del buen gobierno, es decir, quería adquirir la astucia, la
maldad, la inteligencia de tu especie cuando le asesinaste villa-
namente antes de que lograra realizar su deseo. Pues bien, yo
quiero lograr por el amor lo que mi esposo anhelaba y que tu
amor puede darme. Sí; te perdono y te amo. Tu vida me pertenece y quiero utilizarla para engendrar un hijo que tenga mi
raza y tu inteligencia. Eres mío por derecho de venganza y por
botín de amor...

Y su boca viscosa y deforme se adhirió amorosamente á la
mía; y sus tenazas enlazaron mi cuerpo. ¡Oh qué horrible el
contacto de esa bestia fría, melosa, áspera, fétida!...

Á la mañana siguiente llegó Feliciano, borracho aún, y
me despertó. Con lengua entrapada comenzó á darme disculpas
por su tardanza y su embriaguez. No le respondí; es-taba conmovido con la repugnante y terrible aventura de la noche...
Quizá todo había sido una espantosa pesadilla. Para cerciorar-
me me levanté del lecho y fuí á ver en la habitación contigua el
sitio en donde maté el alacrán rey. ¡El suelo estaba manchado,
pero habían desaparecido los restos del real cadáver! Se los habían llevado sus súbditos.

Feliciano, al verme regresar inmutado, creyó que era por la cólera con él, y se levantó para abrazarme. Pero, de pronto, le vi dando zancadas y traspiés:

—¡Ya está uno... ya está uno... ya está el otro!... ¿Si habrá más?

—¿Pero qué te sucede, borracho de los demonios? ¿Es que estás loco?

—No, hombre... Vi un gran alacrán que saltó de tu cama y otro chiquitín y los he despachurrado.

—¡Asesino! —le grité con los cabellos erizados—. Has matado á la reina y... y... y á mi hijo! ¡Desventurado! ¡Esta noche te devorarán!...

Claro es que Feliciano no me entendió. Se encogió de hombros murmurando que yo estaba más borracho que él. Esa misma tarde cambié de casa y me separé de mi hermano, quien ha seguido tan borrachón y escandaloso como antes. Feliciano es incorregible.

(CLEMENTE PALMA: *Cuentos malévolos.*
París: Librería Paul Ollendorff, 1913).

VAMPIRAS

HUBO un tiempo en el que enflaquecí extremadamente. Mis brazos y mis piernas se adelgazaron de una manera desconsoladora, y mi busto, antes musculoso y fuerte, degeneró de tal modo que se diseñaba claramente, bajo la piel lívida y pegajosa, la maquinaria ósea de mi torax. Mi pobre madre me decía desconsolada:

—Stanislas, hijo mío ¿qué mal misterioso es el que te consume? Tu enflaquecimiento no es natural, y precisa que un médico estudie tu estado. ¿Qué dolor te aqueja? Refiéremelo todo y no te detenga el temor de ocasionarme sacrificios. Irás á Niza, al Adriático, á Suiza, á donde sea necesario, á fin de que recobres tu perdida salud y tus fuerzas. Temo, hijo mío, que la tuberculosis haya hecho presa en tus pulmones... Y, sin embargo, no te oigo toser. ¿Verdad que no toses, luz de mi alma?

Mi prometida, la pequeña y esbelta Natalia, besaba desconsolada mis manos.

—Tus labios arden, Stanislas mío, como si el Etna estuviese en tus entrañas y caldeara tu boca y tu aliento. ¿Por qué esa fiebre que te mata, ese fuego que te consume la vida y evapo-

ra tu sangre? Diérate la mía para volver a regocijar mis ojos con
los colores que ostentaban antes tus mejillas llenas de frescura y
encanto... ¿Es alguna preocupación la que destruye tu ser?...
Pero no; tú conservas tu espíritu alegre y apasionado. ¡Y el muy
ingrato, se impacienta y se burla del testimonio de nuestros
ojos amantes! Estás enfermo, Stanislas, estás gravemente enfermo y pronto dormirás en el sepulcro, y se morirá tu madre de
pena y me moriré yo de desesperación...

Y la pobre doncella se arrodillaba ante mí y mojaba con
sus lágrimas mis manos. Yo la levantaba bromeando y burlán-
dome de sus terrores; pero, tanto insistieron las dos mujeres,
que al fin llegué á alarmarme. Realmente, me veía algo enjuto y
nada más. La jovialidad de mi carácter no había desaparecido.
Me sentía extenuado; un poco fatigado y débil en las mañanas,
pero pronto me reponía, me sentía nuevamente fuerte y ágil,
tanto que me imaginaba que de un salto formidable podría llegar al cielo, coger al sol y traérmele al caer para hacer una diade-
ma que colocaría en la frente de mi pequeña y esbelta Natalia.

—Pero si nada tengo, ningún sufrimiento físico ni moral
me aqueja —decía yo á las dos mujeres, cuando con voz lacri-
mosa comentaban mi supuesta dolencia, —¿no veis que mi vida
continúa igual que antes? Hasta como con mejor apetito, y duer-
mo más profundamente; no siento dolor alguno, y sólo podéis
fundar vuestros temores en la circunstancia de estar ahora más
pálido y enjuto... Bueno ¿y qué? Hay épocas en que los hombres y las mujeres nos desmejoramos algo. Será acaso porque,
por circunstancias ignotas, hay un mayor trabajo de desa-
similación orgánica. Dejad, pues, obrar mi organismo, y, sobre
todo, dejadme en paz con vuestros angurios y desconsuelos que
van á enfermarme realmente...

Pero tanto hicieron, repito, que un día, por complacerlas,
fuí á la ciudad donde mi sabio y aun joven amigo el doctor Max
Bing.

—Celebro infinito verte —exclamó al verme entrar en su estudio. Y luego, calándose los anteojos y fijando su escrutadora mirada en mi persona hizo un gesto de asombro. —¡Hombre! ¿Qué enfermedad ha hecho en ti tales estragos?... ¡Pero si estás casi desagradable! Veamos, siéntate y dime qué es lo que te trae. ¿Vienes como cliente ó como amigo?

—En primer lugar, no he estado enfermo, doctor, y creo al contrario haber gozado de inmejorable salud. Pero, á pesar de estar sano, vengo donde usted para que me diga qué es lo que tengo á pesar de estar sano.

—Pues, el aspecto que traes es el de una persona que ha estado ó está gravemente enferma. Entra á mi gabinete.

Examinóme el doctor de diferentes maneras y con diversos aparatos, me pulsó, me colocó en variadas posturas, me auscultó é hizo cuanto le indicaba su ciencia para observar lo que por mí pasaba. Y á cada examen noté que crecía su alarma. Por fin, con voz un poco alterada, me dijo:

—Estás muy engañado, querido Stanislas, al creer que estás sano. Eres presa de una consunción violenta que podría ser mortal si no la atacáramos con rapidez y energía. No es por cierto tu caso el primero que se me presenta, y todos los síntomas que observo me hacen presumir que tienes lo que mató á Hansen, un joven robuso y hermosote que murió ha dos meses. ¿Tienes algún dolor sordo? ¿Has observado alguna anormalidad funcional en tus órganos? ¿Tienes mareos en la mañana, pesadez en la cabeza, sueño profundo ó ensueños mortificantes?

El acento del doctor Bing quería ser tranquilo, pero yo notaba que había una inquietud mal disimulada. Él me amaba tiernamente; nuestras familias cultivaron leal amistad, y él era estudiante de medicina cuando yo chiquillo, y más de una vez me tuvo en sus rodillas. La alarma del médico me hizo sentir un frío de muerte en las venas: temí morirme y pensé en mi madre y en mi pequeña Natalia. Procuré serenarme y dije al doctor lo que había dicho ya tantas veces: que sentía un ligero desvanecimiento al despertar, desvanecimiento que pasaba en cuanto bebía el gran vaso de leche cocida con que acostumbraba desayunarme. Después me sentía ágil, desaparecía todo malestar, comía con apetito y dormía profundamente. Respecto á ensueños, no recordaba de un modo preciso si los tenía, pero sí me quedaba como una sombra de recuerdo de haberlos tenido.

—¡Lo mismo que Hansen! —decía el médico pensativo.

En seguida me hizo quitar la camisa y la camiseta y con una lente poderosa examinó el cuello y el pecho.

—¡Exactamente igual que Hansen! —repitió varias veces á medida que avanzaba en su examen.

—Doctor —exclamé impaciente; —poco me importa ese señor Hansen, y me tendría sin cuidado así resucitara cien veces y otras tantas se muriera. Cualquiera que sea el mal de que murió ese señor: tisis, hidrofobia, cáncer ó meninguitis, ni ha sido el primero ni será el último.

—¡Eh, eh, joven irascible! Si recuerdo al pobre Hansen, es porque tuvo el más extraño de los males; la más inverosímil, pero también la más terrible de las causas, fué la que le llevó á la tumba. Y seguramente, amiguito, tendrías igual fin que Hansen si yo no te defendiera. No hay sino dos caminos: ó te entregas incondicionalmente á mí ó te entregas á tu suerte.

—Tiene usted razón, amigo mío. No quiero morirme y á usted me entrego. Dispénseme mis majaderías. Prosiga usted su examen y sálveme.

El doctor continuó atentamente sus observaciones y se abstrajo tanto en ellas que hablaba en voz baja como si dialogara consigo mismo, á medida que encontraba bajo su lente datos que le llamaban la atención:

— Sí; aquí están las huellas muy borradas de las mordeduras y de la succión... Los poros se han dilatado aquí en un radio tres veces mayor que el natural... Oh, percibo perfectamente la pro-

fundidad de esta ruptura vascular. La carótida seriamente comprometida por la equimosis provocada por formidable ventosa. ¡Qué terrible gasto inútil de vida!... Seguramente hay otras
pérdidas nerviosas, egresos forzados de energía, aprovechados
ó transformados en misteriosas regiones... ¡Ah, malditas; ah,
insaciables!... Felizmente, hay aun gran reserva de fuerzas para
la lucha; no es el caso perdido. ¡Qué fuerza tan vasta es la de la
personalidad!

Luego, volviéndose á mí, me ordenó que me vistiera.

—Amigo mío, si hubieras retardado tu visita quince días ó
un mes, te aseguro que todo hubiera sido inútil, y sin remedio
emprenderías el gran viaje sin sentirlo y sin darte cuenta de
ello. Estarías agonizando, verías á tu madre desesperada, verías
al pastor prestándote los últimos auxilios, y creerías que todo
era una broma de mal gusto, una pesadilla, una locura de tus
sentidos. Eres un hombre y te lo puedo decir: eres víctima de
sortilegios misteriosos. Te mueres en sueños y tus enemigos te
atacan dormido. Aun hay, en este siglo de las luces y de la
incredulidad, fuerzas misteriosas, poderes ocultos, supervíven-
cias de la energía, malignidades activas de voluntades secretas,
radiaciones psíquicas desconocidas, fuerzas no estudiadas, *espíritus*, como se dice vulgarmente, espíritus de muertos ó de vivos
que obran, hieren, y aun matan en la sombra. El radio de acción de estas fuerzas extrañas, su ley, no ha entrado todavía en
el dominio de la ciencia *oficial*: son negados por ella porque no
son cosas verificables por las leyes científicas, no se pueden estudiar bajo el ocular del microscopio. Y, sin embargo, son cosas
que existen, fenómenos que se realizan y que traen consecuencias positivas. Quizá todo sea natural y racionalmente explicable dentro de las leyes biológicas y psíquicas conocidas, y dentro de las hipótesis científicas aceptadas, pero lo cierto es que
aun no se ha acertado el mecanismo y la ley de esto que, por su
apariencia extranatural y maravillosa, corresponde más bien á

la mitología popular. Tú habrás oído entre los aldeanos, y seguramente te habrás reído, mil historias y leyendas de vampirismo y de sucubato. Pues bien, esas paparruchas, esas leyendas de comadres, esos cuentos de viejos para asustar á los arrapiezos, son los que vinieron á entretejerse en la vida de Hansen y le mataron; son las que han intervenido también en tu vida y las que te llevarían á una muerte segura, si yo no estuviera resuelto á librarte de ellas con todo el esfuerzo de mi cariño y de mis estudios... ¿Continúas amando á Natalia? Sí, ya lo veo en tus ojos. Cásate con ella lo más pronto posible. Créeme que ello contribuirá notablemente á nuestra victoria. No te asombres ni me mires con ese aire de incredulidad. Yo sé lo que digo. Las viejas refieren que para espantar y alejar los fantasmas y aparecidos no hay nada mejor que el llanto de un niño: tengo para mí que para alejar las vampiras y súcubas nada mejor que un pilluelo de seis meses con sangre de nuestras venas.

Á pesar del modo semi en broma con que me hablaba el doctor, sentí que un frío de espanto helaba mis huesos y que una palidez mortal subía á mi rostro.

—Eh, hombre, no te alarmes, que yo me comprometo á arrancar tu cuerpo de esa obscura y siniestra devoración de tu vida. Por lo pronto, hoy comes conmigo y duermes aquí. Escribe á tu madre, y mi paje llevará tu carta. Pasa á mi biblioteca, si quieres, ó sal á pasear si te agrada. Aun tengo que dedicar hora y media á mis clientes. Cuando hayas escrito, toca el timbre para que ordenes al paje montar á caballo é ir á la casa de tu madre.

Mientras el doctor atendía á sus consultas, procuré distraerme de mis dolorosas preocupaciones hojeando los libros de su biblioteca y viendo sus extraños y curiosos aparatos. Remití la carta á mi madre, y á poco, cuando ya empezaba a fastidiarme, entró el doctor. Conversamos un rato, y pasamos al comedor donde, á pesar de la amenaza de muerte que tenía suspendida sobre mi cabeza, ataqué las viandas con verdadero apetito. Mucho rió el doctor por ello.

—Ese hambre que sientes es el desquite de la naturaleza: es el afán vital del organismo por recobrar las fuerzas agotadas; es la vida buscando el equilibrio perdido por la acción turbadora de poderes ocultos.

Cuando acabamos de comer, le supliqué que me refiriera el caso de Hansen y lo hizo del modo siguiente:

II

Una noche, ya muy tarde, cuando hacía varias horas que estaba entregado al sueño, sonó precipitadamente el timbre anunciándome un caso urgente. Ordené al mayordomo que abriera, é inmediatamente me puse una bata para recibir al importuno cliente. Entró un jovenzuelo pálido y lloroso á suplicarme de rodillas que acudiera en el acto á socorrer á su hermano que se moriría sin mi auxilio. Le hice entrar á mi dormitorio y, mientras me vestía, me refirió que su hermano, desde hacía varios meses, se enflaquecía día á día de un modo lastimoso: le habían visto varios médicos y curanderos y nadie acertaba á detener los estragos de la misteriosa dolencia: todos habían recetado poderosos tónicos y reconstituyentes, pero había sido en vano porque la caquexia era progresiva, y, lo que es peor, el enfermo no sentía incomodidad ni dolor alguno que pudiesen orientar á los facultativos. Esa noche se sintió ruido en la habitación de Hansen, y la madre, temiendo algún accidente, entró á la habitación y encontró al joven agitado, hinchado, bañado en sudor y con una pequeña herida en el pecho. Le despertaron, y era tal su debilidad que no podía hablar. La familia de Hansen vivía en el campo, en aquella hermosa granja cuyo bosque de tilos corta el camino que conduce de esta ciudad á tu casa. Despedí al joven asegurándole que iría inmediatamente que estuviese ensillado mi caballo. Así lo hice, y durante el camino creí oír gritos y aullidos extraños, y supuse que serían lobos que estarían devorando en algún bosque vecino á alguna ovejuela descarriada. También creí observar que mi caballo intentaba encabritarse y que se estremecía como si manos invisibles le pincharan y le presentaran obstáculos. Atribuí toda esta agitación á genialidades del animal, disgustado con este trote nocturno. Llegué á la granja y me llevaron varias mujeres desconsoladas á la habitación del enfermo. Encontré un joven sumamente enflaquecido y pálido, que parecía dormido ó desfallecido. Á poco de examinarle observé que tenía manchas rojas en el cuello y en el pecho, y en este último sitio había una que sangraba ligeramente. Á la inspección de ellas comprendí inmediatamente que eran resultado de una succión brutal. Más de una vez había tenido ocasión de encontrar en los hospitales hombres y mujeres succionados, en virtud de ese salvaje sadismo en que degenera el amor en ciertos temperamentos groseros. No es raro que el amor y los instintos sanguinarios y feroces evolucionen paralelamente; y en muchas especies animales el amor es el antecedente de la muerte ó, mejor dicho, ésta es la consecuencia de aquél. Como era natural suponer, esas manchas de Hansen tenían algún origen y esto acaso podría orientarme sobre las causas de ese estado comatoso y de ese debilitamiento general del pobre joven. Esto era en primer lugar lo que necesitaba averiguar. Rogué á la señora que hiciera salir á sus hijas y al jovenzuelo que fué a buscarme. Una vez que estuvimos solos, le dije:

—Señora, su hijo presenta huellas de haber sido succionado por alguien que ha estado con él, bien aquí, bien fuera de la granja. ¡Oh, señora! Comprendo su sorpresa: hay cosas que ignora usted, que no puede concebir un alma sencilla y que no es noble descubrir: no obstante, debo advertirle que observo en torno de su hijo, que presiento cerca de él la nociva influencia

de algún ser perverso. Dígame usted, pues, señora, si además de
usted y de sus hijos viven otras personas aquí.

—Mi marido, ausente por pocas semanas, una doncella de
mis hijas y dos viejos sirvientes más.

—¿Tiene usted fe en la moralidad de la doncella?

—Oh, sí señor; fe absoluta...

—Es mucho decir, señora... Perdóneme usted este interro-
gatorio sobre las intimidades de su casa, pero créame que nece-
sito enterarme de ciertas cosas para diagnosticar la enfermedad
de su joven hijo y fijar el tratamiento. Dígame si el joven Hansen
es aficionado á... á los amores ligeros, á los pasatiempos ga-
lantes, vamos, si comete calaveradas como la mayoría de los
jóvenes de su edad; si bebe, si se recoge tarde y cuáles son sus
costumbres.*

—Hansen no vive sino para su novia, así como ella no
vive sino para él.** Ignoro si comete las calaveradas á que usted
alude; pero no lo creo, porque todo el tiempo le es corto para
visitar á su Alicia. En las mañanas pasea con ella por los bosques con sus hermanos, por la tarde reemplaza á su hermano en
el trabajo de vigilar los sembríos; en las noches vuelve donde su
novia. Advertiré á usted que estas entrevistas son siempre en
presencia de mis hijos ó de los padres y hermanos de Alicia. Á
las diez de la noche se acuesta Hansen.

—Una última pregunta, señora: ¿tiene usted seguridad de
que después de esa hora nadie se ve con Hansen, y de que el
joven no sale furtivamente de casa? Nada me oculte usted, señora, porque á pesar de los buenos informes que me da, puedo
asegurarle que algo misterioso pasa por las noches, algo que está
matando á su hijo.

La señora, llorando, me aseguró la moralidad de su hijo,
que la puerta se cerraba en cuanto Hansen llegaba, que la don-

---

* N.E. : En la edición de 1913 (París), el nombre del personaje Hansen aparece como Nansen. Lo hemos corregido porque evidentemente se trata de un
error tipográfico.

** Idem.

cella dormía en la habitación contigua á la de sus hijas, que el perro dormía junto al cuarto de Hansen. Tantas seguridades me dió que vacilé en el concepto que tenía formado sobre las causas de la consunción del joven enfermo.

Le hice dar un enérgico cordial y á poco Hansen despertó, expresando su rostro un gran asombro.

—¿Qué sucede, madre? ¿Por qué me rodeáis?

Cojí el brazo izquierdo del joven y mostrándole una de las manchas rojizas que cruzaba una arteria le pregunté mirándole fijamente.

—¿Quién ha hecho esto? ¿Y esta... contusión del cuello? ¿Y esta del pecho?

Hansen pareció estupefacto con mis preguntas. Luego, como quien recuerda, me respondió:

—Ah sí, sí... Ya había yo observado esto en las mañanas al bañarme, pero como no me ocasionaba dolor ni molestia alguna, no he vuelto á acordarme de ello.

Y al notar la consternación y tristeza de su madre, se incorporó en el lecho:

—¿Pero acaso es algo grave, doctor?... ¿Serán viruelas? ¿Qué es de Alicia? Que no venga Alicia.

Era tan sincera su ignorancia, tan noble el acento de su voz, que no me quedó ya duda de que Hansen no tenía la menor culpabilidad de su mal.

Al cabo de un rato de conversar con Hansen y su madre, me despedí. Dejé un régimen reparador. Hice cerrar bien una ventanilla alta que se había entreabierto, y encargué á la señora que velara atentamente el sueño del joven. Prometí volver al día siguiente.

Al salir y montar mi caballo noté que el animal estaba asustadísimo. En muchos sitios del camino percibí aullidos y gritos lejanos de mujeres y en dos ó tres ocasiones sentí como el zumbido de piedras que manos invisibles disparaban contra mí. Largo rato medité en mi cama sobre el caso extraño del joven Hansen.

Al día siguiente fuí en las primeras horas de la noche á ver á mi enfermo. Su semblante estaba mejor. La señora me refirió que siguiendo mi prescripción había velado el sueño de su hijo y que constantemente tuvo que levantarse á cerrar herméticamente la ventana de la habitación, porque el aire con furia inusitada había estado empujando las hojas. ¡Y esa noche no había corrido viento!

Á las nueve hice acostar en mi presencia al joven Hansen. Ordené que le dieran de beber leche, huevos crudos y una copa de Oporto. Poco después se durmió. Entonces colgué paralela á su cama una cortina negra que había llevado, apagué la luz, abrí un poco la ventana y me escondí en un rincón bien obscuro tras de unos muebles para observar á mi enfermo. Pasáronse más de dos horas. No llegaban á mis oídos más ruidos que el tranquilo de la respiración de Hansen, el canto de los gallos de la vecindad y el mugido de las vacas de la granja. Oí sonar las doce en un reloj de cuco. Esperé más.

De pronto oí lejanas voces de mujeres mezcladas con aullidos. Levanté sigilosamente la cabeza hacia la ventanilla. Vi una nube informe que se agitaba entre las rejas, una especie de remolino de líneas tenues, de formas vagas y deshechas, de cuerpos aéreos indecisos; poco á poco todo fué definiéndose, los ruidos se convirtieron en cuchicheos y las formas vagas fueron condensándose en cuerpos de mujeres. Como aves carniceras se dejaron caer sobre los armarios y muebles. Eran mujeres blancas de formas nerviosas y cínicas; tenían los ojos amarillos y fosforescentes como los de los buhos; los labios de un rojo sangriento, eran carnosos y detrás de ellos, contraídos en perversas sonrisas, se veían uno dientecillos agudos y blancos como los de los ratones. Los cuerpos de esas mujeres tenían el brillo oleoso de superficies barnizadas y la transparencia lechosa del ópalo.

La primera que bajó se precipitó ansiosa sobre el joven dormido y le besó rabiosamente en la boca; luego, con una contracción infame de sus labios, cogió entre los dientes el labio inferior de Hansen y le mordió suavemente, y siguió succionando su sangre, mientras su cuerpo se agitaba diabólidcamente y sus ojos despedían un fulgor verdoso que alumbraba la cara del dormido. Bajaron al lecho otras dos: parecían hambrientas de sangre y placer; una se apoderó de una oreja, otra sentóse en el suelo, y con la punta de la lengua, que debía ser áspera como la de los felinos, se puso á acariciar la planta de los pies de Hansen. Éstos contraíanse como electrizados. Otra, siniestramente hermosa, se arrodiló en la cama y, con la espina dorsal encorvada, con los cabellos echados sobre la frente, adhirió su boca al pecho de Hansen: parecía una hiena devorando un cadáver. Todo el cuerpo del joven se retorció con una desesperación loca que tanto podía ser la contracción de un placer agudo ó de un violento dolor: agitábase con la inconsciencia de un pedazo de carne puesto en las brasas. Y otra y otras más, diabólicas, hermosas, perversas, bajaron y adhirieron sus cabezas á diferentes partes del cuerpo de Hansen. Los cuerpos opalinos de esas malditas se destacaban sobre la tela negra con toda precisión. Veía pasar gota á gota la sangre succionada por esa bocas infernales, veía correr esa sangre pálida por las venas, subirles al rostro y colorear esas lívidas mejillas de un rosado tenue... El terror me había paralizado y mis esfuerzos por gritar eran vanos. Á los cinco ó diez minutos de esta horripilante escena de vampirismo, me repuse algo: di un salto brusco como si tuviera en mi cuerpo muelles súbitamente libertados de un obstáculo que les impidiera la distensión. Las vampiras huyeron dando aullidos tan espantosos que mis cabellos se erizaron. De un salto ó vuelo se precipitaron á la ventanilla y escaparon chillando.

La puerta se abrió y entró la madre de Hansen aterrada, á medio vestir. Aun se oía el lejano aullido de esas mujeres siniestras.

—¿Qué ha sido eso? —me preguntó temblando de terror y pálida como un muerto.

—Señora, son las vampiras, que desde hace tiempo están asesinando al hijo de usted. Al verse sorprendidas en su infame obra han huido.

La madre de Hansen cayó desmayada de espanto. Cuando volvió en sí, se arrodilló á mis pies y cogiéndome las manos me dijo:

—Salve uste á mi hijo, doctor, sálvele del poder de esas furias infernales...; mi vida, la de mi esposo, la de mis hijos, será consagrada al servicio de usted, nuestra fortuna será suya, doctor...

Ofrecí á la señora agotar los recursos de la ciencia para salvar á Hansen. Pero era tarde; todo mi esfuerzo fué inútil. Dos días después murió el pobre joven, alegre, sin darse cuenta, creyéndose sano, como te has creído tú, amigo mío. Un dato: Hansen había cortejado á muchas jóvenes antes de amar á su novia. Y muchas de las bellas aldeanas se morían de amor por el galán, quien enamorado profundamente de Alicia en los últimos tiempos, las desdeñaba.

III

Al día siguiente me esperaban mi madre y la pequeña Natalia, llenas de ansiedad. En cuanto llegué á mi casa observaron la mejoría que yo había experimentado, pero se alarmaron al ver que un pensamiento sombrío vagaba por mis ojos. Las tranquilicé asegurándoles que pronto estaría sano y fuerte con el régimen curativo que me había trazado el médico. La pequeña y esbelta Natalia saltó á mis brazos palmoteando de alegría; en un momento en que estuvimos solos, me besó en los ojos con tal ahínco y amor que mis carnes se estremecieron... ¡Así debían besar las vampiras!

Toda la tarde dormí con la cabeza reclinada sobre las rodillas de mi novia, quien había obtenido permiso de su familia para pasar el día en mi casa.

En la noche no pude dormir. Á las tres de la mañana tenía los ojos cerrados; pero no dormía. Oí de repente pequeños ruidos, ligeros crujidos, y luego el deslizamiento de algo impalpable sobre la alfombra. El cabello se me erizó de espanto. Sentí que el aliento tibio y perfumado de unos labios de mujer me acariciaba la sien, y una *voz sin ruido* me murmuró al oído candentes frases de amor, promesas de infinita dicha... Luego sentí que un cuerpo duro y ardoroso, *que no pesaba*, tomaba sitio á mi lado y que unos labios se adherían á mi cuello. Loco de terror me incorporé dando un grito ahogado; y tratando de asir y extrangular á la maldita vampira sólo logré morderla en el brazo. Y como si en mis dientes y en mi lengua tuviera yo los ojos y la conciencia; como si alguna vez hubiera yo probado su sangre, tuve —sin ver ese cuerpo que huyó ó se desvaneció— la sensación de que esa carne que mordía era la de la pequeña y esbelta Natalia. Toda la mañana estuve preocupado; por la tarde, en cuanto vi á mi novia, la supliqué me enseñara el brazo á la altura del codo... ¡Tenía una lastimadura reciente! No averigüé más. Me separé bruscamente de mi novia, y montando en mi caballo fuí á ver al doctor, á quien referí con aire sombrío lo que me había pasado, y mi resolución de desenmascarar á esa infame bruja, que se dedicaba á satisfacer sus innobles instintos vampíricos, y fingiéndose el más apasionado amor me estaba asesinando.

El doctor me escuchó con profunda atención, reflexionó un rato y luego se echó á reír:

—Lo que me has referido comprueba algo que me ha preocupado constantemente... No debes tener ninguna idea depresiva sobre tu novia, la cual merece tu amor y respeto, porque es pura como los ángeles. Lo que hay es que no porque sea pura, inocente y buena, deja de ser mujer, y como tal tiene imaginación, deseos, ensueños y cálculos de felicidad; tiene nervios, tiene ardores y vehemencias naturales, y, sobre todo, te ama con ese amor equilibrado de las naturalezas sanas. Son sus deseos, sus curiosidades de novia, su pensamiento intenso sobre ti, los que han ido á buscarte anoche. Los pensamientos, en ciertos casos, pueden *exteriorizarse*, personalizarse, es decir, vivir y obrar, por cierta energía latente é inconsciente que los acompaña, como seres activos, como entidades sustantivas, como personas. Todo ello es obra de la fuerza psíquica que tiene un radio de acción infinito y cuyas leyes son aun misteriosas. Si preguntas á tu prometida qué hacía anoche, á la hora en que tuviste la visión, te responderá que pensaba en ti, que soñaba contigo. Quizá nada de esto, porque el fenómeno misterioso se verifica también en la más absoluta inconsciencia, y acaso con más fuerza. Créeme, Stanislas, es muy vasto el poder de la personalidad humana. Ahora, he aquí el régimen terapéutico que te prescribo: cásate con tu novia. Cásate hoy mismo; si no es hoy, mañana; y si no es mañana, lo más pronto que te sea posible. Ese es tu remedio. Y... el de tu novia.

IV

El doctor Max Bing es indudablemente un sabio. ¡Y cuán hermosa é inofensiva mi vampira! Os deseo cordialmente una igual.

(CLEMENTE PALMA, *Cuentos malévolos*.
París, Librería Paul Ollendorff, 1913).

Diagramado en
el *Instituto de Estudios Peruanos* por:
Mercedes Dioses V.
Impreso en los talleres gráficos de
FIMART S.A.C.
Av. del Río 111, Pueblo Libre - Lima Perú
Teléfono: 424-0662